Holly Smale,
Geek Girl 4, French,
Pocket Jeunesse

KT-134-705

GEEK GIRL 4

L'auteur

Holly Smale est une auteure britannique, née en 1981. Elle vit actuellement à Londres. Diplômée en littérature anglaise et grande voyageuse – elle a tour à tour été enseignante au Japon, bénévole au Népal et fait de nombreux petits boulots en Jamaïque, Australie, Indonésie et Inde –, elle écrit aujourd'hui pour la presse (*Grazia, FHM, Itchy, The London Paper*…) et anime assidûment un blog.

Son expérience du mannequinat, à l'adolescence, lui a inspiré *Geek Girl*, son premier roman.

Dans la même série, disponible en poche :

Geek Girl 1
Geek Girl 2
Geek Girl 3
Geek Girl 4
Geek Girl 5 (novembre 2018)

Holly Smale

GEEK GIRL 4

Traduit de l'anglais par Valérie Le Plouhinec

À maman,
qui m'a donné tant d'histoires à raconter.

Loi n° 49-956 du 16 juillet 1949 sur les publications
destinées à la jeunesse : mars 2018.

Ce titre a été publié pour la première fois en 2015,
en anglais, par HarperCollins Children's Books,
une division de HarperCollins Publishers,
sous le titre *Geek Girl 4 : All that Glitters*.

© Holly Smale, 2015. Tous droits réservés.

Traduction française © Éditions Nathan (Paris, France), 2016.

© 2018, éditions Pocket Jeunesse, département d'Univers Poche,
pour la présente édition.

ISBN 978-2-266-28426-4
Dépôt légal : mars 2018

GEEK [gik] n.m. et n.f., *fam.*

1. Personne réfractaire à la mode et peu douée pour les relations sociales.

2. Obsessionnel enthousiaste.

3. Personne passionnée d'informatique (Internet, jeux vidéo…) et de nouveautés techniques.

4. Individu qui éprouve le besoin de chercher le mot « geek » dans le dictionnaire.

ÉTYM. : de l'anglais dialectal *geck*, « idiot ».

1

Je m'appelle Harriet Manners, et je suis un génie.

Je sais que je suis un génie parce que je viens d'en consulter les symptômes sur Internet, et il semble que je les présente presque tous.

Des études sociologiques ont montré que, parmi les signes révélateurs d'une intelligence hors du commun, on trouve, entre autres : le fait d'aimer se lancer dans des projets sans utilité aucune, une mémoire phénoménale pour retenir ce que personne d'autre ne trouve intéressant, et une inaptitude complète à la vie sociale.

Sans vouloir me vanter, pas plus tard qu'hier soir, j'ai rangé par ordre alphabétique toutes les briques de soupe de la cuisine, je me suis entraînée à ramasser des crayons avec mes orteils, et j'ai appris que les poules percevaient l'arrivée de l'aube 45 minutes avant les humains. En outre, les gens ne m'aiment pas trop, de manière générale.

Je crois donc pouvoir affirmer que je fais carton plein.

Autres symptômes du génie que j'ai détectés chez moi :

1. Difficulté à trouver le sommeil.
2. Accès de colère soudains et sans motif.
3. Propension au désordre.
4. Étrangeté généralisée.

« Je ne comprends pas bien, m'a dit mon père quand je lui ai triomphalement montré ma liste dûment cochée. Ce ne sont pas les symptômes indiquant qu'on est une fille de seize ans, ça ?

— Ou un bébé, a ajouté ma belle-mère en lisant par-dessus mon épaule. Ta petite sœur aussi correspond à cette liste. »

Vous voyez pourquoi tant de représentants de l'élite intellectuelle sont incompris. Même leurs parents ne reconnaissent pas la supériorité de leur esprit.

Mais quoi qu'il en soit, puisque le signe le plus révélateur d'un QI élevé est de poser beaucoup de questions et que j'ai trouvé cette info en googlisant « Suis-je un génie ? », je me sens quand même pleine d'optimisme.

Et c'est une bonne chose, car je reprends les cours aujourd'hui, alors il va me falloir autant de cervelle que possible. Eh oui, me voilà officiellement lycéenne[1].

D'après mes calculs, j'ai déjà passé très exactement 11 ans de ma vie en cours : 2 145 jours d'école, soit environ 17 160 heures (sans compter les devoirs et les tests de connaissances en rab que j'ai téléchargés pour les emporter en vacances).

Bref, j'ai déjà investi plus de 1 million de minutes d'éducation dans la préparation de ce moment précis : le jour où tout le savoir que j'aurai patiemment amassé sera reconnu et apprécié, au lieu de simplement irriter les gens.

L'école devient enfin une affaire sérieuse.

Adieu, les allergiques aux devoirs, et les élèves qui soupirent et lèvent les yeux au ciel. Et, grâce à un afflux de nouveaux, venus d'autres collèges, bonjour aux lycéens qui ont réellement envie d'étudier, à ceux qui se réjouissent d'apprendre que les gerbilles savent flairer l'adrénaline, que les chenilles ont 12 yeux et que notre corps contient assez de carbone pour fabriquer 900 crayons à papier.

Les gens comme moi, quoi.

---

1. Harriet commence son avant-dernière année d'études secondaires. Au Royaume-Uni, c'est cette rentrée-là qui, par son importance et les changements qu'elle implique, s'apparente à une entrée au lycée.

Je suis ivre de bonheur.

À ce jour, j'ai 5 matières à étudier, 2 universités auxquelles postuler de manière anticipée et une brillante carrière de paléontologue à mener tambour battant. J'ai des statistiques à analyser, des grenouilles à disséquer, et des exercices de musculation des cuisses à commencer pour ne pas attraper de crampes quand je serai en train d'exhumer des fossiles de dinosaures avec un petit pinceau dans un futur pas si lointain.

J'ai de nouveaux amis tout neufs à me faire. Des amis qui me ressembleront.

Les bâtiments sont les mêmes, beaucoup de gens seront les mêmes, et pourtant tout est sur le point de changer. Après 11 années passées à tâcher d'effacer les injures gribouillées sur mes affaires et à récupérer mes chaussures dans des chasses d'eau, voici ma chance de repartir de zéro. De prendre un nouveau départ.

Une chance de briller.

Cette fois, plus rien ne sera comme avant.

Par bonheur, l'un des avantages formidables du génie, c'est qu'on peut très facilement faire plusieurs choses à la fois.

Et donc, ce matin, je décide d'en profiter à fond.

En sortant de mon lit, j'apprends qu'une aile d'oiseau contient pas moins de 40 muscles.

En me coiffant, je découvre que les oursins marchent sur leurs dents, et, en brossant les miennes, que les parasites constituent 0,01 % de notre poids.

Vêtements, chaussettes et chaussures sont choisis et enfilés pendant que j'intègre entièrement le fait que les serpents sentent les odeurs avec leur langue et entendent avec leur mâchoire. J'étudie les noms des rois et reines de Grande-Bretagne en dévalant l'escalier, et le temps d'arriver à la cuisine j'en suis aux noms de code utilisés par les services secrets (celui du prince Charles est « Licorne », et c'est bien dommage parce que j'espérais qu'un jour ils me le donneraient, à moi).

Je me penche pour embrasser la petite joue ronde de Tabatha. « Sais-tu qu'un humain moyen va manger 500 poulets et 13 000 œufs au cours de sa vie ? »

Visiblement, ma petite sœur l'ignorait, car cette information nouvelle et exclusive la fait gazouiller de joie. Je tends la main par-dessus son crâne duveteux pour attraper, justement, un œuf dur sur la table.

« Harriet, dit ma belle-mère.

— Et 36 cochons. » Je commence à écaler mon œuf d'une main. « Et 36 moutons.

— Harriet.

— Et 8 vaches.

— Harriet.

— Et 10 000 barres chocolatées. » Je marque une pause, l'œuf à mi-chemin de ma bouche. « Je crois que j'ai déjà atteint mon quota hebdomadaire. Je devrais peut-être me faire végétarienne pour rééquilibrer. »

Une main se pose sur mon bras. « Bonjour, Annabel, tu as bien dormi ? Très bien, merci. Il fait beau, aujourd'hui, n'est-ce pas ? Merci de m'avoir préparé le petit déjeuner, même si je suis en train de faire tomber des morceaux de coquille d'œuf partout, que tu n'auras plus qu'à ramasser. »

Je regarde ma belle-mère, puis papa. J'ai beau vivre avec Annabel depuis l'âge de cinq ans, elle arrive encore à me mystifier. « Pourquoi est-ce qu'Annabel parle toute seule ?

— C'est une extraterrestre qui a du mal à s'intégrer parmi les humains, me répond mon père avec conviction, tout en trempant une mouillette dans son jaune d'œuf, qui déborde et dégouline sur la table. Y aurait-il quelque chose dans ton livre qui pourrait nous aider à comprendre ce qu'elle veut obtenir de nous, pauvres terriens, avant de nous aspirer la cervelle avec ses tentacules ? »

Je feuillette avec ardeur le gros volume que j'ai dans les mains. Celui-ci compte 729 pages et je n'en suis qu'au treizième chapitre sur vingt : je vais bien trouver un cas similaire.

Ou, au minimum, quelque chose d'intéressant sur les vaisseaux spatiaux.

« Malheureusement, tout semble indiquer que ta cervelle a déjà disparu, Richard, annonce Annabel

d'un ton lugubre. Je crains de rester sur ma faim. »
Elle tire alors une chaise et me la désigne d'un geste.
« Pose ton livre, Harriet, et mange quelque chose.
Je reprends le travail demain matin, et on ne t'a pas
entendue prononcer une phrase cohérente depuis
vingt-quatre heures. »

Je ne vois pas de quoi elle parle. Toutes les phrases
que j'ai prononcées étaient scientifiquement et histo-
riquement exactes. Il y a une bibliographie pour le
prouver dans les dernières pages de mon livre.

J'engloutis une bouchée de toast. « Peux pas, dis-
je en recrachant un nuage de miettes de glucides
beurrés. Pas le temps. Trop de choses à apprendre,
d'endroits où aller, d'âmes sœurs à rencontrer. »

Vite, je file dans le couloir et ramasse mon cartable
dans le coin tout en découvrant qu'en 1830 le roi
Louis XIX a régné sur la France pendant 20 minutes.

« Regarde un peu cette merveille, Annabel ! clame
fièrement papa lorsque j'ouvre la porte. C'est ma fille.
Mes gènes, là, sous nos yeux. Harriet Manners :
mannequin et icône de la mode. Légende du style.
Électron libre et reine du chic. »

J'enfonce un de mes écouteurs dans mon oreille.

« Harriet, dit Annabel. Une seconde. Où vas-tu
comme ça ? »

Je ne sais pas encore, au juste, ce que je vais faire
de l'information sur Louis XIX, soit dit en passant.

Tout ce que je lis n'est pas forcément utile ni pertinent, même pour moi.

« Au bahut ! » J'enfonce l'autre écouteur. *Le Lac des cygnes* de Tchaïkovski inonde mes tympans. « À ce soir ! »

Et ainsi commence mon premier jour de lycéenne.

2

Donc. J'ai un peu étudié l'art de se faire des amis et j'ai la joie de constater qu'il semble exister quelques règles basiques à observer.

J'en ai synthétisé les principes, qui peuvent se résumer ainsi : se trouver des points communs avec autrui, sourire et rire beaucoup (indices d'une personnalité solaire et chaleureuse), poser des questions, retenir des détails sur les autres, et ne jamais porter la même tenue qu'une camarade sans en avoir demandé la permission.

Tout cela est d'une facilité trompeuse.

Depuis seize ans, je me suis fait exactement quatre amis : mon harceleur officiel, Toby Pilgrim ; mon chien, Hugo ; une mannequin japonaise nommée Rin (qui se ferait une joie d'être copine avec une saucisse) ; et ma Pire Pote, Nat, que j'ai rencontrée à l'âge de cinq ans et avec qui je ne pourrais pas avoir moins de points communs.

On peut donc affirmer, je pense, que j'ai besoin de tous les conseils possibles.

De la manière dont je vois les choses, le recueil de faits et infos scientifiques que je tiens à la main n'est pas seulement une mine d'anecdotes fascinantes, utiles pour surmonter les épreuves et tribulations du quotidien (ce qu'il est aussi). C'est également un pont entre moi et les autres. Grâce à ces pépites d'informations validées par la science, je vais pouvoir me trouver des points communs avec tout le monde !

Tenez, vous aimez le tennis ? Eh bien, saviez-vous que le plus long match de l'histoire a duré 11 heures ? Vous rêvez de garder la forme ? Le record de pompes effectuées en une journée est de 46 001 ! Vous avez un chat ? Les chats tuent plus de 275 millions d'animaux par an rien qu'au Royaume-Uni ! Qu'il s'agisse de cinéma, de sport, de chanson, d'animaux ou de sodas (ils dissolvent les dents !), je trouverai toujours un lien. Un lien entre les autres et moi. Quelque chose qui nous rapproche.

Pour faire naître l'amitié, il suffit d'être concentré, volontaire… et un peu savant.

J'apprends tout sur les crocodiles en marchant vers le lycée, en même temps que je passe devant le banc où

Natalie m'attendait, avant (maintenant, elle fréquente une école de stylisme à l'autre bout de la ville).

Je parcours vite fait un chapitre sur les chenilles, tout en cherchant Toby du regard – il est introuvable –, et sors mon téléphone de ma poche pour voir si j'ai reçu un texto de la responsable de mon agence de mannequins, Stephanie (comme d'habitude, je n'en ai aucun : ma carrière dans la mode est tombée dans le coma, dirait-on).

C'est le nez plongé dans la liste des présidents des États-Unis que je pousse les grilles du lycée.

Les plus grands lacs du monde occupent le temps que je mets à ouvrir et franchir la lourde porte d'entrée, puis à longer le couloir silencieux pour rejoindre ma salle de classe, déserte.

Je m'assois, tourne une page consacrée au métro de Londres, et j'attends.

J'ai fait exprès de venir en avance aujourd'hui afin d'avoir tout mon temps pour m'adapter avant l'arrivée de mes nouveaux camarades. Ce n'est pas du luxe : à cause du boulot de papa, j'ai passé les premières semaines du trimestre aux États-Unis – torturée par une prof particulière qui s'est révélée être bidon, et tombant dans les pommes pendant un shooting dans une fête foraine. Quelques minutes de calme m'aideront à m'acclimater à mon nouvel environnement, à absorber encore un peu de savoir de dernière minute, et peut-être, pendant que j'y suis, à empêcher mon estomac de rouler et tournicoter tel un têtard malade.

Les nerfs en pelote, je me cramponne de toutes mes forces à mon livre. Concentration, Harriet.

Le métro de Londres est le premier système de transport souterrain au monde. Son réseau, long de 402 kilomètres, transporte 1 265 milliards de voyageurs par an, et est en réalité plus extérieur que souterr...

« Harriet Manners ? »

Je déglutis, une boule dans la gorge. Nous y voilà. C'est ici que je prends un nouveau départ. Tranquille, Harriet. Reste détendue. Et remplie jusqu'au bec d'informations pertinentes quoique légères.

Inspirant à fond, je plaque sur mon visage un sourire large et amical, et pose mon livre. « Bonjour ! dis-je de ma voix la plus gaie. Quel plaisir de vous rencontr... »

Et soudain, je me tais.

Car ce que j'ai devant moi, c'est un groupe d'adultes, qui ont très nettement terminé leur croissance, et qui tiennent à la main des planchettes et des stylos. Et tous, sans exception, me regardent fixement.

3

Pendant les premières secondes, je suppose simplement que mes camarades de classe ont beaucoup mûri pendant les grandes vacances. Car c'est à cela que ressemblent des professeurs en tenue décontractée – à de vieux élèves – et c'est très bizarre. Puis, comme sur l'image en 3D *Magic Eye* de cheval au galop que papa a accrochée dans le garage, les couleurs et les formes indistinctes commencent lentement à prendre du sens.

M. Collins, le prof de SVT, en jean taille haute et polo vert. La prof de théâtre, Mlle Hammond, en chandail beige, jupe *tie and dye* rose et grosses chaussettes lilas. La concierge, Mme O'Connor, dévorée par un énorme sweat jaune imprimé : « Nous n'avons pas la même définition du mot NORMAL!!! » Et mon prof d'anglais, M. Bott, dans son costard noir habituel, chemise blanche et fine cravate noire, tel un magicien se rendant à un enterrement.

Je reste paralysée pendant que l'équipe enseignante s'amasse peu à peu dans le couloir pour m'observer avec curiosité, de même que les petits enfants s'attroupent autour d'un singe rhésus à fesses roses, au zoo. D'une minute à l'autre, quelqu'un va me lancer une banane et me demander de danser. Et vous savez quoi ? Je suis tellement perdue, à cet instant… que je risquerais de le faire.

Enfin, M. Bott sort son stylo de sa bouche. « Voulez-vous bien nous expliquer ce que vous faites là, mademoiselle Manners ? »

Je lui renvoie un regard abasourdi. « Humm… J'étudie, monsieur.

— Peut-être bien. Mais le lycée est fermé pour la journée pédagogique. Vous n'êtes pas censée être ici. »

Et d'un seul coup, toute ma matinée défile devant mes yeux. Les rues, désertes. Le téléphone, muet. Les grilles, fermées. La porte, également fermée ; les couloirs, silencieux ; les chaises, inoccupées.

Le fait que Toby n'ait pas été en planque à trois pas derrière moi pour la première fois de l'histoire connue. La perplexité d'Annabel quand je suis sortie de la maison.

Allons bon.

Il existe un poisson des coraux, appelé *Enneapterygius pusillus*, qui émet une vive lumière écarlate pour communiquer avec ses congénères. Vu l'état de mes joues en ce moment, on pourrait croire que j'essaie de l'imiter.

Tous les autres élèves de la planète s'efforcent d'échapper à l'école. Je suis la seule à y entrer par effraction.

Je me lève d'un bond. Vite, Harriet, réfléchis. « J'étais venue, euh… » Quoi ? « … venue vous apporter un cadeau à tous. Un cadeau… euh… pour les professeurs. Pour vous souhaiter bonne chance. Pour votre… journée pédagogique. »

Et là, je tends devant moi le *Grand Livre pour tout apprendre au petit coin*, celui qui m'a mise dans ce pétrin. Ne soyons pas injuste avec les auteurs : le titre aurait dû me mettre la puce à l'oreille. J'aurais sans doute mieux fait de laisser cet ouvrage à sa place.

Mlle Hammond, avec un grand sourire, me le prend des mains. « Quelle délicate attention, Harriet ! Comme c'est gentil à toi ! Et quelle tenue spectaculaire tu as choisie aujourd'hui ! ajoute-t-elle gaiement. On peut dire que tu sais faire ressortir ton arc-en-ciel intérieur ! »

Je baisse les yeux, et mes joues virent au cramoisi. Voilà ce qui se passe quand on s'habille en lisant : il semble que j'aie revêtu un tee-shirt jaune, un pull rouge orné d'un pudding de Noël (nous sommes en octobre, notez bien), un bas de pyjama rose imprimé de moutons bleus, et les grandes chaussettes violettes que Nat m'a offertes « pour rire », tire-bouchonnées sur les chevilles.

À un pied, une basket verte. À l'autre, une bleue.

Ma fille. Mannequin et icône de la mode. Légende du style. Électron libre et reine du chic.

Je ne suis peut-être pas si géniale que ça, tout compte fait.

4

Mais passons.

Le temps de fourrer mes chaussures dépareillées dans mon cartable et de rentrer chez moi dans mes chaussettes qui ne valent pas tellement mieux, autant en profiter pour vous mettre au courant de ce qui m'est arrivé depuis mon retour de New York, pas vrai ?

C'est ce qui vous intéresse. Savoir ce que j'ai fait de moi depuis que j'ai rompu, il y a un peu plus de trois semaines, avec Nick Hidaka – l'Homme-Lion, ex-top-modèle et amour de ma vie –, sur le pont de Brooklyn, et que je suis rentrée sans lui.

Eh bien, voici la réponse.

Rien.

Enfin, pas tout à fait rien, évidemment, sinon je serais morte. Au cours des trois dernières semaines, j'ai respiré environ 466 622 fois et filtré 4 200 litres de sang avec mes reins. J'ai produit 37 litres de salive et 9 450 litres de dioxyde de carbone.

J'ai pris 18 douches, 4 bains, brossé mes dents 32 fois, absorbé 67 repas et consommé plus de barres chocolatées que je ne peux en compter (c'est dire).

Mais c'est à peu près tout.

En dehors de la survie de base – et de l'emballage de nos affaires, à Greenway, en attendant pendant deux semaines notre vol de retour pour l'Angleterre –, mon seul acte volontaire a été de lire. Rideaux tirés, enfermée dans ma chambre, j'ai dévoré les mots comme jamais. Je me suis enterrée dans les bouquins, ensevelie dans les histoires.

J'ai lu au petit déjeuner, au déjeuner et au dîner ; jusqu'à ce que le soleil se lève, se couche et se relève. Et pas uniquement des recueils d'anecdotes scientifiques.

J'ai combattu des dragons, dansé dans des bals et pêché la baleine. J'ai remporté des guerres, perdu des procès, visité l'Inde, chevauché des balais et fait naufrage sur un certain nombre d'îles désertes.

Je suis morte une douzaine de fois.

Car c'est ça qui est bien, avec les livres : quand on ouvre une histoire, on referme la sienne. Pendant quelques moments précieux, on devient un autre. Ses souvenirs deviennent les vôtres ; vos pensées, les siennes. Jusqu'à ce que, page après page, ligne après ligne, vous disparaissiez complètement.

C'est pourquoi jusqu'à ce jour – jusqu'à mon nouveau départ –, je n'ai fait que cela. En me disant que, peut-être, si j'arrivais à m'enfoncer assez loin, assez longtemps dans une histoire, j'arriverais à éteindre le monde, et moi avec. Et qu'ainsi j'arriverais à oublier que plus jamais je ne reverrai Nick et que plus jamais je ne l'embrasserai. Et que la vie continue comme avant.

Ou que mon cœur pouvait encore battre 100 000 fois par jour, alors même qu'il est brisé.

5

Malheureusement, disparaître a aussi des effets secondaires. Et, au moment où je m'engage discrètement sur l'allée qui mène chez moi, j'en repère deux. Debout devant ma porte. Sans un bruit, je plonge dans un buisson tout proche. Il y a peut-être des avantages à se balader en chaussettes, tout compte fait.

« Vous êtes sûre ? » est en train de dire Nat en passant d'un pied sur l'autre. Ses cheveux bruns forment de jolies boucles qui pendent dans son dos tels des serpents bien dressés. « Vous êtes certaine qu'Harriet n'est pas là ?

— Absolument certaine, confirme aimablement Annabel. À moins qu'elle ait escaladé le mur et soit rentrée par la fenêtre de sa chambre, mais étant donné sa phobie du sport, ça ne me paraît pas vraisemblable. »

C'est peu dire. Franchement, il y aurait plus de chances que je me fasse pousser des ailes pour rentrer en volant.

« C'est pourtant plus facile qu'il n'y paraît », intervient gaiement Toby. (Même à plusieurs mètres de distance, je lis facilement l'inscription en lettres orange dans le dos de son tee-shirt : « ÉLU MEILLEUR CANDIDAT AU VOYAGE DANS LE TEMPS, PROMO 2057 »). « Regardez le premier pot de fleurs à gauche : il y a une petite prise où placer le gros orteil dans le mur juste au-dessus, et ensuite il suffit de grimper dans la vigne vierge. » Une pause. « Vous feriez sans doute bien de revoir vos plantations, madame Manners. Ce n'est pas très sécurisé, tout ça ! »

Annabel a un tic nerveux au coin de la bouche. « Bonne idée, on va y penser.

— Si vous voulez, la prochaine fois que je viens, je collerai un mot à la fenêtre pour dire aux autres harceleurs de passer leur chemin. »

Ma belle-mère éclate de rire : visiblement, elle croit que Toby plaisante. Mais moi, je sais qu'il n'en est rien.

C'est décidé, je ne rouvrirai plus jamais les rideaux de ma chambre.

« Arrête de te disperser, Pilgrim ! s'énerve Nat en lui donnant un petit coup dans le bras. Et quel harceleur tu fais ! Tu ne sais même pas où est Harriet !

— Pour être honnête, ma concentration a été un peu perturbée par une quantité astronomique de devoirs, et aussi par le TARDIS que je construis dans mon jardin. »

Il montre ses doigts bleus de peinture en guise de preuve. Nat le dévisage avec dégoût pendant quelques secondes. « Mais c'est quoi, ton problème ?

— Excellente question, je te remercie de me l'avoir posée. Je galère pour faire en sorte qu'il ait l'air d'avoir réellement voyagé dans le temps et l'espace. Des suggestions ? »

Il y a un silence, après quoi ma meilleure amie soupire et se retourne vers Annabel. « Je n'ai pas eu de nouvelles d'Harriet de tout le week-end. Elle ne décroche pas son téléphone, ne répond pas aux SMS, et elle ne m'a pas rappelé sept fois de suite qu'il y avait un documentaire sur les perroquets à la télé. Il faut vraiment que je lui parle.

— Elle est en plein décalage horaire, tu sais. Il lui faut un peu de temps pour se réadapter, c'est tout.

— Et vous n'avez pas une idée d'où je pourrais la trouver ? »

S'ensuit un très bref silence. « Non, désolée.

— Bon. » Les épaules de Nat se voûtent un peu. « Bon, bon. » Elle jette un regard inquisiteur vers la fenêtre de ma chambre, puis donne quelques petits coups de pied dans la marche du perron. Nous sommes rentrés depuis six jours, et ma Pire Pote n'est pas idiote : il n'y a que cinq heures de décalage avec New York, je ne reviens quand même pas d'un autre Système solaire. « Il faut que j'aille en cours. Vous lui direz que je suis revenue la voir ?

— Bien sûr. Et toi, Toby, je lui dirai aussi que tu es passé.

— Inutile ! clame-t-il fièrement. Elle le saura. Je lui ai laissé ma nouvelle carte de visite. » Il indique une gommette ronde, vert pomme, collée sur le mur. « C'est écrit : TPEPI™, ce qui signifie "Toby Pilgrim est passé ici, marque déposée".

— Très impressionnant, commente Annabel avec un sourire. Organisation et efficacité ! »

C'est bien simple, rien ne l'étonne. On dirait Gandalf, en moins barbue.

Nat regarde une fois de plus vers ma fenetre.

Elle redonne quelques coups de pied dans le perron.

Puis, avec un soupir audible, ma meilleure amie tourne les talons et redescend dans l'allée, avec ses chaussures argentées.

Suivie de près par mon harceleur personnel.

6

La culpabilité me tord légèrement l'estomac quand je regarde Nat partir. Après quoi j'attends le plus longtemps possible.

Je suis invisible. Je suis indétectable. Je suis un ninja furtif, dissimulé tel un dragon de mer feuillu, cet hippocampe qui imite parfaitement les algues de son environnement, rien ne me distingue de…

« Tu peux sortir, maintenant, Harriet. »

Ah. Bon… peut-être pas.

Lentement, je sors de mon buisson et chasse de mon bas de pyjama la terre séchée et les feuilles mortes qui s'y sont accrochées.

« Tu sais, me dit Annabel en retirant délicatement une petite araignée de mon sourcil – apparemment, je me suis encore plus camouflée que je ne l'aurais voulu –, ces subterfuges ne me plaisent pas beaucoup, Harriet. C'est le style de ton père, ça.

— Je sais. Merci d'avoir encore menti pour moi. »

Dans la mythologie gréco-romaine, il y a un chien tricéphale appelé Cerbère qui monte la garde à l'entrée des Enfers pour empêcher les morts de sortir et les vivants d'entrer. Ces derniers jours, c'est exactement ce que ma belle-mère a fait pour moi.

Comme par un fait exprès, mon téléphone émet trois signaux en succession rapide :

Quand une porte se ferme sur le bonheur, une autre s'ouvre ! ☺ xx

Une rupture, c'est comme une vitre brisée : mieux vaut la laisser telle quelle que se blesser en essayant de recoller les morceaux ! ☺ xx

Si tu t'éloignes et qu'on ne te suit pas, continue d'avancer. ☺ xx

Et c'est précisément pour cela que j'évite Nat.

Depuis que je suis rentrée d'Amérique, c'est comme si j'avais mon psy personnel, mais un psy qui serait un pivert. Que s'est-il passé, exactement ? *Pic pic.* Qu'est-ce qu'il a dit, Nick, au juste ? *Pic pic pic.* Est-ce qu'il te manque ? *Pic pic.* Était-ce réellement la bonne décision ? *Pic pic pic.* Est-ce qu'on ne pourrait pas trouver une solution ? A-t-il essayé de te joindre ? Qu'est-ce que tu ressens ?

Pic pic pic pic pic pic, jusqu'à ce que l'arbre tombe.

Et j'ai beau lui répéter que je ne veux pas en parler, Nat a décidé que nous avions le cœur brisé, et elle est bien décidée à ce que nous nous en remettions.

Ensemble.

Sans trêve, sans relâche, encore et encore et encore et toujours.

Sans un seul instant de paix, et à grand renfort de citations trouvées sur Internet, sur des tee-shirts et sur des magnets de frigo. À ce stade, elle n'en est plus à crocheter ma serrure : elle essaie de m'ouvrir avec une barre à mine.

Je respire à fond avant de répondre :

Que de sagesse ! À bientôt ! ☺ x

Puis je remets mon téléphone dans ma poche et je regarde la maison avec envie par-dessus l'épaule d'Annabel. La prose de Terry Pratchett m'attend sur ma table de nuit. En montant l'escalier quatre à quatre, je pourrais me retrouver, dans les trente-cinq secondes, sur le dos de quatre éléphants voguant sur une tortue géante.

J'aime Nat. Elle est ma meilleure amie : celle qui me connaît par cœur, qui est capable de terminer mes phrases alors que je ne sais pas encore ce que je veux dire. Mais – comme un magnet pourrait me le rappeler – je ne passerai jamais au prochain chapitre de ma vie si je relis sans cesse les précédents.

Je veux une nouvelle histoire, c'est tout.

« Harriet ? » me hèle Annabel alors que je commence à fuir en courant.

Je me retourne. « Hmm ?

— Tu n'es pas obligée de tous nous exclure, chérie. Moi, ton père. Natalie. Tu peux en parler avec nous.

— Super ! » dis-je avant de repartir vers ma chambre.

Car, pour la première fois de ma vie, c'est précisément le problème : peut-être que je n'en ai pas envie.

7

Donc, mon plan pour le lendemain matin est le suivant:

1. Essayer de ne pas remarquer Toby, accroupi derrière une jardinière devant chez moi.

2. Ou debout derrière un arbre.

3. Ou couché dans l'herbe, pour se fondre dans la verdure.

4. Dire à Toby que, certes, il est mon harceleur personnel assumé qui est devenu un copain, mais que, à présent que nous sommes lycéens, il va devoir se trouver un autre hobby parce que son obsession pour moi commence à être un peu gênante.

5. Me rendre en cours à pied, en guettant sur le chemin tout panneau indiquant quelque chose comme: « LYCÉE FERMÉ POUR CAUSE DE JOURNÉE PÉDAGOGIQUE ».

6. Me faire des amis tout neufs.

7. Passer une journée épatante et intensément éducative.

D'accord, le dernier point est un peu vague, mais je m'en remets entièrement au corps enseignant. Les professeurs sont payés pour ça, non ?

Je me dis qu'hier n'était qu'une répétition en costumes. Une répétition spectaculairement ratée. D'après les statistiques, une première impression est généralement scellée en 7 secondes (même si, évidemment, il m'est arrivé de décevoir des gens bien plus rapidement que cela).

Cette fois, je ne prends aucun risque.

À 8 heures précises, sur le pas de la porte, je revérifie ma tenue, soigneusement composée. Une brève étude du symbolisme des couleurs m'a appris que des vêtements blancs évoquaient l'honnêteté, que les jaunes vous donnaient un air amical, et que l'orange dénotait une personnalité drôle et spontanée.

C'est pourquoi j'ai revêtu un pull blanc, un legging orange et des baskets jaunes. Si tout se passe bien, cet ensemble suggérera l'idée d'une personnalité formidable avant même que j'aie prononcé un mot. Il se peut même qu'il soit assez puissant pour me rendre attirante *après* que j'aurai parlé.

Puis je soupire devant l'énorme hortensia violet qui remue à ma droite. « Allez, sors, Tobz. On est copains, maintenant. Tu ne veux pas m'accompagner sur le chemin, au lieu de te cacher dans les buissons ? »

La plante bouge un peu, et un petit couinement en jaillit. Le chat d'Annabel, Victor, sort de derrière le pot avec un regard implacable qui veut dire : « Ne compte pas sur moi pour t'accompagner où que ce soit, espèce de dingue. »

Rougissant légèrement parce qu'un voisin me lance le genre de coup d'œil qu'on lance aux gens qui parlent aux plantes, je décide de simplement partir pour le lycée toute seule.

« Tobz, dis-je avec un sourire quand j'atteins l'arbre du bout de la rue, tu n'es pas très discret. Je te vois très bien… »

Un écureuil se sauve à petits bonds.

« Toby… » dis-je quand passe un joggeur.

« Tob… » Ce n'est qu'une feuille morte qui crisse par terre.

De plus en plus perplexe, je continue de marcher : je passe devant un banc derrière lequel Toby n'est pas accroupi, devant un lampadaire que Toby ne fait pas semblant de réparer à l'aide d'un petit tournevis, devant un vieux monsieur qui tient un journal grand ouvert devant lui…

« Ha ! Je t'ai eu ! » dis-je en baissant vivement le journal. « Oh, pardon, monsieur…

— Tss, les jeunes filles d'aujourd'hui ! » râle le bonhomme en se replongeant dans sa lecture.

Ce qui est totalement injuste : je suis sûre que j'aurais fait la même chose si j'avais été un garçon.

Lorsque, à l'approche de la rue du lycée, je repère un groupe d'élèves en uniforme scolaire – ce qui me rassure légèrement –, je commence à me sentir un peu déstabilisée. Je n'avais jamais compris à quel point le temps passé à faire semblant d'être irritée par Toby structurait mes journées.

Enfin, je le vois : accroupi à côté du portail, en tee-shirt marron clair moucheté de petites taches plus foncées. Visiblement, il essaie de se faire passer pour un rocher. Ou pour une très grosse tortue. Ou pour autre chose que jamais au grand jamais on ne risque de trouver devant un lycée britannique.

« Toby, te voilà ! je lui lance avec un soulagement immense. Tu sais, je ne pense pas que tu aies besoin de…

— Bonjour, Harriet ! » Il resserre le Velcro de sa chaussure avant de se mettre debout. Il a des sortes de rouflaquettes pâles et clairsemées, et je me rends compte qu'il a dû prendre quatre centimètres pendant l'été : il commence à être longiligne comme un éclair. « Sais-tu que le Velcro a été inspiré par les minuscules crochets des fruits de la bardane qui s'agrippaient aux poils du chien de l'inventeur dans la campagne ? Je le préfère aux lacets, même si on a retrouvé des traces de ficelle vieilles de 28 000 ans. »

Je le regarde avec un grand sourire. Voilà *exactement* ce qu'il me fallait pour me rassurer et me remettre les pieds sur terre ce matin. Une info historique fascinante, liée aux chaussures, avec un chien en *guest star*. « Très intéressant, dis-je avec enthousiasme, justem… »

Mais je ne poursuis pas ma phrase, car Toby lève les deux pouces et se met à foncer vers les portes, dans son pantalon légèrement trop court qui flotte autour de ses chevilles. « À plus, Harriet ! me crie-t-il par-dessus son épaule.

— Mais… mais… attends, Toby ! On n'a pas cours ensemble ? On ne devrait pas… entrer en même temps ? » Ou du moins, comme d'habitude… lui à dix pas derrière moi. C'est un peu une tradition.

« On n'est plus dans les mêmes classes, Harriet ! me lance-t-il joyeusement. Et en plus, faut que je bosse sur un projet très important avant d'entrer en cours. Passe une super journée ! » Et sur ces mots, mon harceleur disparaît dans le lycée.

Me laissant dix pas derrière lui.

8

Incroyable, comme les choses peuvent changer en vingt-quatre heures. Ou, enfin… quand un lycée est ouvert et qu'on n'a pas à y entrer par effraction.

En poussant les grandes portes vitrées, je sens naître au fond de mon estomac comme une appréhension. Un serpent met 50 heures à digérer entièrement une grenouille, et pendant une partie de ce temps la grenouille est encore en vie. Étant donné les spasmes de mon ventre en ce moment, je me demande si je n'en aurais pas avalé une par inadvertance.

Tout a changé.

Il y a désormais du bruit et du désordre partout. Les salles de classe et les couloirs sont remplis de lycéens qui gloussent, rient, crient, chantent. Des pieds de chaises raclent le sol, divers objets volent dans les airs – des gommes, des petits mots froissés en boule, des paquets de chips –, et il flotte dans l'atmosphère une faible odeur de marqueur et de cire à bois qui évoque autant un placard à balais qu'un magasin de canapés.

Des élèves que je ne reconnais pas déambulent dans les escaliers comme s'ils étaient chez eux, et d'autres que je connais se sont entièrement transformés. Des appareils dentaires ont disparu, des cheveux longs ont été coupés court, des cheveux courts ont reçu des extensions. L'acné a explosé ici, s'est volatilisée ailleurs. Quelques timides moustaches ont éclos telles des traces de moisissures au-dessus des lèvres. Tout ce qui était encore interdit l'an dernier – talons, minijupes, piercings, rouge à lèvres, crânes rasés – est exhibé de manière provocante, avec fierté et force hochements de menton.

C'est le même établissement, et en même temps ce n'est plus du tout le même. L'année scolaire n'a commencé qu'il y a quatre semaines, et on dirait que tout le monde s'est déjà approprié ce nouvel univers. Maintenant, c'est mon tour.

L'estomac secoué par un nouveau saut de grenouille, j'arrive devant la porte de ma salle de cours et je reste quelques instants sur un pied, à l'extérieur, en regardant à l'intérieur par la vitre.

40

Puis je sors mon téléphone avec angoisse.

Tu me manques carrément. H x

J'appuie sur ENVOI et j'attends quelques secondes. Un bip.

Toi aussi. Dévalise le distri de barres chocolatées pour moi. ;-) Nat x

Je souris – c'est évidemment ce que je comptais faire – et je prends une profonde inspiration.

Tu peux y arriver, Harriet. Tu es une déesse de l'intuition et de tous les possibles ; une guerrière du hasard et du destin. Un poisson rouge de l'optimisme et de la débrouillardise.

Mon Dieu. Mon cerveau est déjà en train de caler.

Puis, rassemblant tout mon courage, je retiens mon souffle, redresse les épaules et relève la tête bien haut.

Et j'entre dans ma nouvelle vie.

9

Ce qui est super dans le fait d'avoir la prof de théâtre comme prof principale cette année, c'est que, grâce à mon rôle dans le *Hamlet* de l'an dernier, je la connais déjà.

Ce qui est moins super ?

Elle aussi me connaît déjà.

« Harriet Manners ! » Mlle Hammond relève le nez de son bureau avec un tel enthousiasme que les franges perlées de son écharpe se prennent dans son pot à crayons. « Quelle joie de te revoir, pour la deuxième fois en deux jours ! »

Nom d'une sucette ! Pourvu qu'elle ne parle pas du livre que je lui ai donné. Je n'ai aucune envie que ma présentation à la classe contienne les mots « petit coin ».

« Écoutez tous ! » continue-t-elle gaiement en agitant la main. (Elle a tellement de bracelets qu'elle fait le bruit d'un Slinky géant.) « Pour ceux qui n'ont pas encore eu le plaisir de faire sa connaissance, Harriet Manners nous revient en boomerang après une prestigieuse aventure à Neeeeew York ! »

Je rougis encore un peu.

« Il paraît que les Américains mangent plus de bananes que n'importe quel autre fruit, dis-je nerveusement. Et que 25 % d'entre eux croient que c'est le Soleil qui tourne autour de la Terre. » Non mais qu'est-ce que j'ai dans le crâne ? Je m'empresse d'ajouter, avec un picotement dans la nuque : « Mais ce n'est pas pour ça que je suis revenue. J'aime bien les bananes. »

J'aime bien les bananes.

Eh oui. Notre langue compte plus d'un million de mots, et j'ai choisi ces cinq-là en particulier pour impressionner un groupe d'inconnus. Plus jamais de ma vie je n'ouvrirai un recueil d'anecdotes scientifiques.

« Salut, Harriet », murmurent les élèves de ma classe tout en tâchant, eux aussi, de comprendre ce que je raconte.

« Tiens, assieds-toi là, me dit Mlle Hammond en désignant une chaise libre. C'est parfait, nous allions justement commencer un exercice pour renforcer l'esprit d'équipe ! Tu vas retrouver ta place, comme un chaton dans un panier rempli d'autres chatons. Je vois ça d'ici ! »

Rougissant toujours, je me dirige prudemment vers le coin et pose mon cartable par terre. Puis, en m'efforçant de ne pas remarquer les trente-deux yeux qui n'ont pas cessé de m'observer, je sors mes nouveaux classeurs : trois couleurs différentes, avec des inter-calaires pour m'y retrouver plus facilement.

Et mon agenda tout neuf, suivi d'un assortiment de stylos à bille.

Cinq crayons, une gomme, trois surligneurs, de la colle, une trouilloteuse, une règle, des Post-it.

Un distributeur de bande adhésive, un compas. Une calculette et une équerre.

Une boîte de feutres complète, aux couleurs de l'arc-en-ciel. Un stylo-plume à l'ancienne.

Avec son petit encrier.

Enfin, j'ajoute deux blocs-notes immaculés, à la couverture décorée de dinosaures.

Quoi ? J'aime être bien préparée, c'est tout.

Une fois que tout est méticuleusement disposé, parfaitement aligné, sur mon bureau, je commence à me sentir plus calme. Je croise donc les mains sur mes genoux et j'observe, avec un enthousiasme croissant, la classe qui se remplit rapidement.

Je connais déjà vaguement quelques élèves.

Les deux rôles principaux de la pièce de théâtre de l'an dernier sont assis à deux extrémités opposées de la salle : Christopher (Hamlet), boudeur en pull à col roulé noir, et la jolie Raya (Ophélie, évidemment), avec sa queue-de-cheval sombre luisante, ses cils longs comme ceux d'une chamelle et ses lèvres qui font per-pétuellement la moue. Je reconnais également Eric, capitaine de l'équipe de foot, qui se la joue légèrement pirate avec son crâne rasé et son anneau doré dans l'oreille, et mon ancien camarade de classe Robert, qui s'est apparemment découvert une passion pour le gel : ses cheveux, sur le devant, donnent l'impression que s'il courait très vite la tête baissée, il pourrait décapiter quelqu'un avec.

Deux des pires sbires d'Alexa – Olivia (Liv, pour faire court) et Ananya – sont ensemble dans le fond : l'une au teint pâle, avec un petit chignon décoloré, l'autre à la peau plus mate, avec un gros chignon brun. Elles portent la même combinaison-pantalon à fleurs, dans des couleurs différentes mais assorties, et sont unies par une même expression d'ennui intense.

Mais, et c'est bien plus intéressant, il y a aussi quelques visages que je ne reconnais pas du tout. Laquelle de ces personnes sera ma nouvelle âme sœur ?

La fille aux lunettes roses ? Une habituée de l'ophtalmo, comme moi. Celle aux cheveux violet fluo et au piercing multicolore dans le nez ? Moi aussi, j'adore les couleurs. Ou bien le garçon aux taches de rousseur et au sac rouge ? J'ai des taches de rousseur et un… Bon, d'accord, je crois que je me raccroche un peu trop au moindre point commun.

Presque toutes les places, sauf celle qui jouxte la mienne, finissent par être occupées.

« Oh, zut de flûte ! lâche Mlle Hammond en se cognant légèrement le crâne avec son poignet.

Quelle idiote je fais ! J'ai oublié le registre dans la salle des professeurs. » Elle se lève en carillonnant de tous ses bracelets. « Je reviens tout de suite, les amis. »

Et, véritable tourbillon d'orange et de rose, notre prof principale disparaît dans le couloir. Le vacarme revient aussitôt dans la salle, et je commence, avec soin, à tenter de capter le regard de divers individus en leur adressant mon sourire le plus amical. Le genre de sourire qui signifie : « J'ai hâte de te poser des tas de questions et de me souvenir en détail de tes réponses ! »

Quelques-uns me sourient en retour, pour de vrai.

Vous savez quoi ? Le lycée, ça me plaît déjà. On m'adresse des regards, mais je ne ressens pas d'hostilité. Je ressens plutôt de la curiosité ; une curiosité un peu perplexe, mais sincère.

Mon corps entier commence à se détendre. J'avais raison : c'est exactement ce qu'il me fallait. Un nouveau départ. Une page tournée, une nouvelle ère qui s'ouvre. Une histoire toute différente, prête à s'écrire.

Sauf que non.

Car, juste au moment où je me félicite d'avoir fait une première impression si réussie – quoiqu'un peu trop fruitée –, la porte se rouvre. Et je vois entrer mon capitaine Crochet, mon Voldemort, ma Cruella De Vil à moi.

Alexa.

10

Non.

11

Non non non *non non non*.

12

Non non non non non non non non non non non non non non non non non non non non non non.

13

En hurlant continûment pendant 1 an, 7 mois et 26 jours, on pourrait produire l'énergie sonore nécessaire pour chauffer une tasse de thé. Branchez ma cervelle tout de suite et je devrais pouvoir en faire bouillir 10 en 3 secondes chrono.

Ce n'est pas possible. Ce n'est pas en train d'arriver.

Alexa n'a aucune matière en commun avec moi. Son emploi du temps est complètement différent du mien : anglais, histoire, géographie. J'étais certaine que nous n'avions pas la même prof principale. J'ai même appelé Mme O'Connor pour vérifier que nous ne partagerions pas la même classe, juste au cas où.

Et demandé confirmation par mail. Cinq fois. Avec des SMS en renfort.

Moi qui me croyais enfin libre !

En agitant ses cheveux, qui ont repoussé – après que Nat les a coupés, en mon nom, parce qu'elle avait été horrible avec moi, il y a presque un an –, Alexa entre d'un pas tranquille et nous regarde entre ses paupières lourdement maquillées. « Salut ! fait-elle avec un petit sourire de chat. Comment va tout le monde ? »

Elle est la seule personne de ma connaissance qui soit capable de donner à une salutation générale les intonations d'une menace de mort ciblée.

Ananya se redresse sur sa chaise et lève une main en l'air. « Alexa ! Lexi ! Ici ! Heureusement que t'es là… les autres sont trop soûlants, dans cette classe.

— Huhuhuhuhu ! couine Liv en sautillant sur sa chaise, Lexic'estdinguet'estropbelleaujourd'hui-j'adoooooretajupej'enaiuneexactementpareillemais-enrougeetpasdelamêmelongueurnidelamêmeforme-maisc'estquasimentlamêêêême ! »

Couché, un éléphant n'a besoin de respirer que 4 fois par minute. Chaque fois que Liv est surexcitée, je me demande si elle possède la même capacité pulmonaire.

Alexa les ignore royalement et pivote dans ma direction. Je ne blague pas : son visage entier vient de s'illuminer. On dirait qu'elle a six ans, que c'est Noël et que je suis un vélo en or massif que quelqu'un a mis sous son sapin. Dans mon estomac, la grenouille ne bouge plus du tout.

« Ça ne te dérange pas, que je m'assoie là ? me demande-t-elle en s'approchant de moi dans ses bottes noires à talons aiguilles (le genre de talons avec lesquels on pourrait embrocher l'âme de quelqu'un).

— Si, dis-je le plus clairement possible. Ça me dérange énormément. »

Mais, apparemment, sa question n'attendait pas de réponse, car elle s'assoit, se renverse en arrière et pose les pieds sur notre bureau commun, faisant tomber mon compas au passage. Je vais le laisser par terre. Il ne tombera pas plus bas. Et je ne crois pas que ce soit bien malin d'attirer l'attention de mon bourreau sur un objet métallique très pointu.

« Quelle joie de te revoir enfin, me dit-elle froidement tout en s'emparant d'un de mes blocs-notes pour contempler, en plissant le nez, le T-Rex dessiné dessus. Ça me rend folle de bonheur.

— Ah oui ? fais-je, crispée.

— Grave. (À présent, elle tripote mon encrier.) Le bahut, c'est trop soûlant quand on n'a personne avec qui jouer. »

Ce qui serait plutôt gentil si nous avions cinq ans et si elle ne voulait pas dire « jouer » comme un tigre joue avec une chèvre à trois pattes ou comme un chat joue avec une souris juste avant de l'étriper.

L'ensemble des muscles squelettiques se compose de 600 paquets de fibres striées, attachés aux os, et je suis si rigide et glacée en ce moment que chacune de mes fibres me semble être en acier inoxydable.

C'est un désastre.

En fait, non : c'est une catastrophe, un cataclysme, une calamité. Une météorite pourrait être sur le point de rayer l'Angleterre de la carte, eh bien, cela arriverait quand même en deuxième place sur la Liste du Pire Qui Pourrait M'Arriver Aujourd'hui.

Je ne me ferai jamais de nouveaux amis et je ne commencerai jamais une nouvelle vie si Alexa est toujours là à me mordiller les mollets. Elle va pousser tout le monde à me détester avant même que j'aie eu ma chance.

Une fois de plus.

« Et j'adore ton look aujourd'hui, ajoute-t-elle d'une voix si forte qu'elle pourrait faire cloquer la peinture. Les canards, c'est trop *hype* en ce moment. »

Les canards ? Perplexe, je baisse les yeux sur mon pull blanc, mon legging orange et mes pompes jaunes, après quoi je vire au rouge tomate. Elle a raison : la ressemblance avec un membre de la famille des Anatidés est frappante. Moi qui voulais passer pour quelqu'un de chic et sophistiqué… Indéniablement, c'est raté.

« Dites, les autres ! » continue Alexa d'une voix de stentor, en gesticulant avec un de mes crayons dans la main. Tout le monde nous observe désormais en silence. « Pour ceux qui ne connaissent pas encore Harriet Manners, nous, on se connaît depuis très longtemps, pas vrai ? » Ma grenouille intérieure, à ce stade, est carrément statufiée. *Non. Non non non non.*

« Très, très longtemps. Onze ans, pour être exacte.

— Alexa…

— Oh, ils vont adorer nos souvenirs d'enfance, Harriet. C'est trop mignon ! Tu te rappelles, quand on avait cinq ans ? Quand tu as fait pipi sur le tapis à histoires et qu'ils ont dû racheter toute la collection de livres de contes ?

— Hou ! s'esclaffe Ananya derrière moi. Moi, je m'en souviens, Lexi ! C'était à mourir de rire !

— Dégueu, couine Liv. Baaaah ! »

J'ai envie de vomir.

« C'était du lait, j'ai juste serré ma brique trop fort.

— Et la fois où tu as retiré ta jupe, en CM1, pendant la représentation de *Cendrillon*, et où tu t'es baladée en culotte sur la scène ? »

Oh là là. Oh là là, oh là là là là là là…

« Je n'avais pas vu que le bouton s'était défait.

— Et attendez, c'est pas tout ! me coupe Alexa en prenant sa respiration, le temps de dégainer ses griffes pour déchiqueter mes intestins, du moins au sens figuré. Attendez que je vous raconte la fois où Harriet Manners… »

La porte s'ouvre brusquement.

14

« Regardez-moi ça! lance Mlle Hammond en entrant avec environ vingt-cinq rouleaux de papier toilette dans les bras. Je viens de tomber là-dessus, et ça m'a donné une idée fantastique pour notre jeu d'équipe. On va s'amuser comme des fous, et… »

Elle s'interrompt soudain pour nous regarder par-dessus ses rouleaux. Comme protégée par la muraille la plus douce, résistante et absorbante du monde.

« Alexa Roberts?

— Bonjour! Waouh, vous avez des problèmes de transit? C'est pour vous, tout ça? »

Mlle Hammond est en train de changer lentement de couleur. Il y a six mois, Alexa a tenté de massacrer à elle seule notre représentation d'*Hamlet*, suite à quoi elle a été collée tous les soirs pendant un mois. Les ondes électriques qui grésillent entre elles en ce moment semblent indiquer qu'elles ne l'ont oublié ni l'une ni l'autre.

« Qu'est-ce que tu fais là ? demande sèchement la prof en lâchant sur le bureau tous ses rouleaux à la fois, si bien que quelques-uns roulent au sol. Ceci est la classe de première A. Tu es en première C, avec M. White.

— Ah oui ? » Alexa se lève en rejetant ses cheveux en arrière. « Zut, alors, j'ai dû me perdre en chemin. À moins qu'une force invisible et irrésistible ne m'ait attirée ici. »

Elle sourit, et je ne peux pas m'empêcher de penser que si elle mettait autant d'énergie obsessionnelle dans son travail scolaire, elle aurait déjà son diplôme depuis longtemps. Elle aurait même terminé ses études. Et obtenu au moins un doctorat.

« Dehors, lance Mlle Hammond en désignant le couloir. Tout de suite.

— Mais, mademoiselle…

— J'ai dit tout de suite !

— Je crois pourtant…

— Tout de suite !

— Bon, bon, d'accord ! » Mon ennemie jurée se dirige lentement vers la sortie, puis se retourne. « Mais il faudra vraiment que je vous raconte la fois où Harriet…

— Tout le monde s'en fiche, Alexa ! tranche Mlle Hammond en s'appuyant des deux mains sur son bureau. Et si tu t'approches encore de cette salle, tu récolteras une exclusion immédiate. Est-ce que c'est bien clair ?

— Mais…

— Il n'y a pas de "mais". File ! »

Mlle Hammond traverse la salle à grands pas, claque la porte derrière Alexa et baisse le store pour que nous ne puissions plus la voir. Puis elle se retourne vers une classe stupéfaite, réduite au silence, et lisse sa jupe. On dirait une guerrière en coton 100 % bio. « Bien, dit-elle doucement, d'une voix qui évoque à nouveau le soleil et des chatons dans un panier. Prenez un rouleau chacun, et sortons dans la cour pour former des équipes et créer des liens authentiques. »

Je n'ai jamais apporté une pomme à un professeur, mais, étant donné que presque toute la classe me sourit avec sympathie, j'envisage de le faire.

Je vais l'avoir, finalement, mon nouveau départ !

15

Voici quelques informations à propos du papier toilette :

1. Il fut inventé par les Chinois 600 ans avant Jésus-Christ.

2. Les Britanniques en utilisent 110 rouleaux par an, soit 11 kilomètres de papier.

3. 72 % des gens préfèrent que le rouleau soit présenté avec la première feuille *devant*.

4. L'armée des États-Unis a utilisé du papier toilette pour camoufler ses chars en Arabie saoudite pendant l'opération « Tempête du désert ».

5. Parmi les papiers fantaisie, on trouve les variétés suivantes : phosphorescent, imitation billets de banque, mot du jour, Sudoku.

Comment je sais tout ça ?

Disons juste que, il y a quelques mois, j'ai eu un mauvais rhume, combiné avec un long voyage en voiture avec Toby, dont je ne me suis jamais complètement remise. J'ai juré de ne plus jamais me moucher à proximité de lui.

Mlle Hammond semble encore plus enthousiasmée que Toby par les possibilités qu'offre le PQ. Ivre de joie, elle nous conduit dehors. Nous passons devant le grand jeu de tir à la corde organisé par Mme Baker, derrière un M. Bott taciturne et des petits groupes qui construisent des tables en papier journal, loin de M. White et de ses cercles d'élèves qui se passent en riant des ballons de baudruche entre les genoux. (Toutes les deux minutes, on en entend un éclater, et je soupçonne Alexa d'y être pour quelque chose.)

« Bien ! lance gaiement Mlle Hammond, qui plante dans le sol un bâton surmonté d'une chaussette rose à rayures. La journée pédagogique d'hier a été très instructive, n'est-ce pas, Harriet ? » La classe entière se tourne vers moi. Formidable : voilà que je passe pour une formatrice de profs clandestine. « Quelqu'un nous a rappelé que nous faisions tous partie du même puzzle magnifique. Un puzzle qui tient grâce aux fils invisibles de l'harmonie et du bonheur. » Une pause. « Cesse de frapper Robert avec ce rouleau de papier toilette, Eric.

— Mais on crée des liens, mademoiselle ! proteste le garçon en recommençant. Notre fil du bonheur en dépend.

— Très bien ! C'est ça, vous avez tout compris ! »

Elle nous sourit largement, puis fait signe à une blonde de retirer son rouleau de sa tête. « Donc, nous allons jouer à un petit jeu qui nous aidera à créer des liens pour la vie. Rappelez-vous, il n'y a pas de "je" dans le verbe "jouer"!

— Si, objecte Christophe. Il y a justement un J et un E.

— Et "jour".

— "Joue." "Roue." "Rouge."

— Il n'y a pas de « g », andouille. »

Mlle Hammond tape dans ses mains. « Vous voyez comme vous collaborez bien, déjà ? Vous m'inspirez tellement que je vais appeler ce jeu *L'Énigme de la momie.* »

Liv lève la main. « Ma mamie est à Las Vegas en ce moment, mademoiselle. Elle y va tous les ans après les vacances qu'elle passe avec nous, pour se remettre.

— Euh… très intéressant, Olivia ! Et ta venue tardive, jeune King, est toujours un plaisir intense, quoique imprévisible. »

Un garçon en tee-shirt jaune, qui vient en effet d'arriver, hausse les épaules et va se placer à l'arrière du groupe.

« Donc, continue Mlle Hammond, je vais vous poser des devinettes, et, par équipes de trois, vous allez tenter d'y répondre le plus vite possible. La première équipe à donner la bonne réponse fait trois pas en direction de la Chaussette de la Survie. »

Un picotement de joie commence à parcourir ma nuque. J'adore les devinettes ! C'est la même chose que les anecdotes scientifiques, mais inversées, et il faut les résoudre, alors c'est encore mieux. En outre, la compétition m'aiguise l'esprit et fait ressortir le meilleur de moi. Mlle Hammond n'aurait pas pu trouver mieux pour que je me fasse de nouveaux amis, même si je leur avais envoyé une demande écrite.

Ce que je n'ai pas fait, juste pour être claire.

« Et afin de corser un peu l'affaire, ajoute-t-elle en commençant à enrouler le bout d'un rouleau autour de sa cheville, je vais me transformer en momie égyptienne et vous poursuivre, afin de vous motiver à aller de l'avant ! Si je vous tape sur l'épaule, vous vous transformez en momie. Si je vous touche deux fois, c'est l'élimination. »

Oh, mon Dieu. C'est de mieux en mieux. J'adore *aussi* l'histoire ancienne (bien que les momies, si on veut être exact, soient originaires d'Amérique du Sud, mais ce n'est peut-être pas super pertinent par rapport au jeu, là, tout de suite).

Mlle Hammond continue de s'entourer de PQ jusqu'à avoir les jambes collées ensemble, tel un pingouin après une opération des genoux.

« L'équipe qui atteint en premier la Chaussette de la Survie – sans être entièrement momifiée – sera la gagnante ! »

Une forêt de mains se lève immédiatement.

« Qu'est-ce qu'on gagne, mademoiselle ?

— La satisfaction de savoir que vous y êtes arrivés ensemble ! »

Un silence, pendant lequel les mains redescendent, et Mlle Hammond ajoute, à contrecœur : « Et un bon d'achat d'une valeur de 10 livres utilisable au kiosque à friandises du lycée. »

Un murmure d'approbation fait le tour de la classe. Pour ma part, je vibre tellement de surexcitation que je me sens comme remplie d'abeilles, ou de brosses à dents électriques, et pas seulement parce que la récompense est en sucre.

Nous y sommes. Ce jeu va tout changer. À dater de cet instant, je ne serai plus jamais Harriet Manners qui fait pipi sur les livres, abandonne sa jupe et professe un amour irrationnel pour les bananes. Non. Je serai la Maîtresse des Devinettes. La Gagneuse de Bonbecs. La Sauveuse de Chaussettes. L'Éviteuse de Momies et Destructrice de Rouleaux de PQ.

Ça va être fantastique !!!

Mlle Hammond commence à former des groupes, puis sautille vers moi. « Harriet Manners ? Je t'ai mise avec India Perez et Olivia Webb. »

Je souris timidement à la fille aux cheveux violet fluo, et Liv s'approche de moi. India me retourne mon sourire, et la grenouille refait un petit bond dans mes entrailles : et c'est ainsi que commence ma nouvelle amitié à la vie à la mort, complice et irremplaçable !

Pour être honnête, elle me fascine déjà un peu. Il paraît que la reine Élisabeth Ire s'imaginait qu'il y avait une vitre entre elle et le reste du monde, afin de se sentir plus royale, et on dirait qu'India aussi en voit une. Sous ses cheveux à la *My Little Pony* et ses sourcils boudeurs, elle a les yeux noirs et dégage une sorte de noble dignité. Elle me fait penser à une puissante princesse d'Égypte. C'est sûr, maintenant, on ne peut que gagner !

« Ananya ! s'écrie Liv (nous sommes maintenant debout derrière une corde à sauter tendue pour délimiter le terrain). Anya ! Ani ! Par ici ! On partage les réponses, évidemment, hein ? »

India se rembrunit (tandis qu'Ananya fait comme si elle avait temporairement perdu le sens de l'ouïe). « Pas question, dit-elle avec autorité, avant de se tourner vers moi. Ils font souvent ce genre d'exercices, dans ce lycée ? me demande-t-elle. Parce que ça m'aurait été très utile que l'info soit dans la brochure.

— Mmm, je crois que la brochure dit quelque chose comme : "Notre établissement met l'accent sur l'exploration créative de l'individualité des élèves." Page 8. À mi-hauteur de la page, sous la photo des gens qui construisent des forteresses avec des cartons. »

India arrondit un de ses sourcils noirs, qui du coup ressemble à un point d'orgue. « Tu as appris par cœur la brochure du lycée ?

— N… noon. J'ai juste, euh… » Essaie d'être moins ringarde, Harriet. « Je me suis servie de la page pour allumer un feu vraiment cool… comme ça, sans raison, parce que… je, euh… je brûle les trucs qui ne m'intéressent pas, tout ça… »

India redescend son sourcil. « Ah, d'accord », fait-elle.

Je me détends. Je crois que je viens de réussir mon premier test d'aptitude aux relations sociales.

« Bien, mes intrépides explorateurs de devinettes ! nous crie alors Mlle Hammond, qui est à présent couverte de PQ blanc des pieds à la tête – on dirait un jeune labrador surexcité. Prêts à remonter 5 000 ans en arrière, vers une époque de mystère et d'intrigues ? »

Il y a comme un chœur de « ouais », « faut croire », « si vous voulez », « bof », « allons-nous recycler tout ce papier toilette, parce que ça n'est pas très écologique, tout ça ? » (Ce dernier commentaire est de moi.)

« Alors… » Elle agite un tambourin qui s'est matérialisé comme par magie. « C'est parti ! »

16

Tout commence à la perfection.

« Jusqu'où peut-on s'enfoncer dans une forêt? » demande Mlle Hammond en parcourant la filc des yeux.

Il y a un bref silence, puis tout le monde chuchote.

« On ne connaît pas la surface de la forêt, murmure India entre les têtes rapprochées de notre groupe. Il doit manquer une information. La question ne peut pas se réduire à ça. »

Je souris largement aux deux autres pendant que ma cervelle carbure allègrement. C'est déjà trop génial! Tellement intime. On est complètement liées! Je me sens bien intégrée dans l'équipe. « J'ai la réponse, dis-je à voix basse, sur un ton de conspirateur, avant de lever la main. Jusqu'au milieu, mademoiselle! Parce que si on va plus loin, on commence à en ressortir.

— Bravo, Harriet Manners ! Avancez de trois pas ! »

Je tape dans les mains de Liv et d'India comme si on était déjà les meilleures copines du monde, et nous avançons vers le but. Mlle Hammond ferme les yeux, sautille avec un petit gémissement de cadavre embaumé, et tape sur l'épaule de Robert.

« Oh, c'est pas vrai, fait-il en commençant à s'entortiller dans du PQ. Quelles conner…

— Pas de gros mots, Robert. » Mlle Hammond tape dans ses mains. « On me trouve au début et à la fin de l'éternité, dans toute création et en chaque lieu. Qui suis-je ?

— Dieu ! crie le groupe de Christopher.

— Le père Noël !

— Taylor Swift !

— Eh non ! répond Mlle Hammond aux trois groupes. Désolée, tout le monde recule d'un pas ! »

J'envoie un clin d'œil triomphal à mon équipe pendant que deux personnes de plus vont à regret rejoindre l'Égypte ancienne. « Vous êtes la lettre E, mademoiselle ! dis-je d'une voix forte.

— Très bien, Harriet ! » Nous avançons de nouveau. « Qu'est-ce qui perd la tête le matin mais la retrouve le soir ? »

Je lève la main à la vitesse d'un ninja des devinettes. « Un oreiller ! »

Et, question après question, réponse après réponse, mon groupe avance à toute vitesse vers le but. Je trouve ce qui est tellement fragile que le seul fait de dire son nom le brise (le silence). Je trouve ce qui a six cordes mais ne peut rien attacher (une guitare) et l'objet qui se mouille quand il sèche (une serviette).

À nous trois, nous trouvons même dans combien de mois il y a vingt-huit jours. India baisse la tête pour chuchoter, même si nous avons tellement d'avance sur les autres que ce n'est plus nécessaire.

« Dans tous l…

— Quatre ! fais-je à pleine voix. Septembre, avril, juin et novembre ! Même pas besoin de compter sur mes doigts !

La réponse était "dans tous", je le crains, me dit gentiment Mlle Hammond. Dans tous les mois, il y a au moins vingt-huit jours. Un pas en arrière ! »

Oups…

Heureusement, ce n'est pas grave que nous commettions une erreur de temps en temps, car plus personne ne peut nous rattraper. Nous sommes tellement loin que les momies sont incapables de nous atteindre.

Enfin, nous arrivons tout près de la chaussette.

Des études ont prouvé que lors d'une compétition, les niveaux de cortisol, de prolactine, de testostérone et d'hormone adrénocorticotrope montaient de manière spectaculaire. En ce moment, je suis tellement surexcitée que je flotte, en gros, sur l'immense nuage de mon propre cocktail chimique.

Il ne reste plus que mon équipe, Christopher et Raya.

« Quelle pièce n'a ni porte ni fenêtre ? »

Mon cerveau se met à turbiner, à tressauter, à faire des bonds. Une cellule de prison ? Non, car comment ferait-on pour y entrer ou en sortir ? Une cave, peut-être, si une trappe ne compte pas comme une porte…

Y aurait-il un jeu de mots ? Une nièce, une pierre, une…

« Un placard ? » suggère Raya, mais soudain je pige. *Bam*, comme ça ! C'est comme si mon cerveau avait été dans le noir et que soudain on avait allumé la lumière : une fois qu'on a vu la réponse, c'est l'évidence même.

Je donne un coup de poing en l'air.

« Je sais ! Je sais ! dis-je en braillant. Une pièce de monnaie ! » Je gratifie Liv et India d'un sourire énorme.

Puis, en trois petits bonds, j'atteins la chaussette et me lance automatiquement dans ma danse de la victoire : les mains en l'air, les genoux ployés, je remue le popotin.

« On a ga-gné ! Les doigts dans le nez ! Wooo-hooooo !!! »

17

J'ai les joues rouges et les genoux qui tremblent. Réactions normales liées à la réussite, à l'adrénaline et à une activité physique imprévue.

Je le savais, je le savais ! Le plus beau jour de ma vie !

C'est exactement comme au goûter d'anniversaire de Rebecca, il y a onze ans, où j'ai gagné à tous les jeux. On a joué au facteur et j'ai réexpliqué la règle à tous ceux qui gardaient le paquet trop longtemps, et aux chaises musicales, où j'ai encouragé tous ceux qui marchaient trop lentement à se dépêcher, et à 1, 2, 3, Soleil, où je me suis fait une joie de dénoncer tous ceux qui bougeaient, et… et…

… et jamais plus personne n'a voulu jouer avec moi.

Le concombre est à 95 % composé d'eau. Sans transition, j'ai soudain l'impression de m'être transformée en cucurbitacée. Les cellules de mon corps sont en train de se liquéfier.

Non. Non non non *non*.

Je cesse brusquement de remuer le popotin. Avec une lenteur infinie, je me retourne.

Et voilà.

Tous mes camarades sans exception me regardent en silence. Les bras croisés, l'air sévère. Ils me dévisagent avec les paupières plissées ou les sourcils haussés. Indifférents. Agacés. Ou morts d'ennui parce qu'ils n'ont pas pu participer au jeu.

C'est exactement comme quand nous avions cinq ans, sauf que maintenant ils sont nettement plus grands, et aussi plus énervés parce que, cette fois-ci, ils sont couverts de débris de PQ sans trop savoir pourquoi.

Oh non ! J'ai recommencé. Je voulais tellement faire gagner mon équipe que je n'ai pensé à rien d'autre. Je me suis donnée à fond, mais ce faisant, j'en suis arrivée à ce que le jeu entier tourne autour de…

Hum. De moi, je crois bien.

Avec un haut-le-cœur, je comprends soudain que je n'ai même plus besoin d'Alexa pour me rendre impopulaire. Bah, qui voulais-je tromper ? Peut-être que je n'ai jamais eu besoin d'elle pour ça.

Une boule dans la gorge, je pivote lentement vers Liv et India. Elles aussi ont les bras croisés. Je lève une main pour taper gauchement dans les leurs.

« On a gagné, les filles. Youpi ? »

Toutes deux regardent fixement ma main en l'air. La main la plus esseulée qui ait jamais existé depuis 65 millions d'années, quand nos ancêtres primates ont commencé à en avoir.

« Pas tout à fait, me répond enfin India. Toi, tu as gagné, Harriet. Toi toute seule. »

Et, pendant qu'elle fait demi-tour en silence et s'en va vers le bâtiment, suivie de tous les élèves de ma classe, je ne peux que contempler l'ironie du sort.

Car, malgré mes efforts, je me retrouve effectivement seule.

18

« Nul homme n'est une île », a écrit le poète John Donne. J'aimerais ici remettre sérieusement en question la véracité de cette affirmation.

Au milieu de l'océan Atlantique sud, à 2 700 kilomètres de l'Antarctique, se trouve l'île Bouvet. D'une superficie de 49 kilomètres carrés, elle est couverte d'une épaisse couche de glace et inhabitée depuis toujours. D'après Wikipédia, c'est l'île la plus solitaire du monde.

Après mes mésaventures du jour, cette île est malgré tout une destination plus prisée que moi-même.

Le restant de la matinée se résume à ceci :

1. Je m'excuse auprès d'India et de Liv et leur donne ma part du bon d'achat que nous avons gagné.

2. Elles me répondent que ce n'est pas grave, vraiment, puis m'évitent.

3. En cours de maths, j'entends une fille dire que je suis « toujours aussi prétentieuse, bizarre et pimbêche ».

4. J'envisage un instant de lui apprendre qu'en espagnol, *bizarro* signifie « courageux ».

5. Je me rends compte que cela lui donnerait raison sur toute la ligne et je m'abstiens.

La nouvelle de mon attitude arrogante et de ma danse de la victoire, qui a été perçue comme condescendante, se répand dans le lycée à la vitesse d'un feu de broussailles. Lorsque je sors des deux heures de physique avec M. Harper, elle est sur toutes les lèvres.

J'essaie de la devancer – en tentant d'engager la conversation le plus vite possible avec des inconnus –, mais c'est peine perdue. Les flammes sautent d'un élève à l'autre à grand renfort de chuchotements et de coups d'œil effarés, jusqu'au moment où je ne peux plus que tourner en rond dans le foyer des élèves tel un écureuil qui a la queue en feu. Je souris en m'efforçant de me trouver des points communs avec mes camarades, de leur poser des questions et de retenir les détails de leurs réponses.

Mais il est trop tard. Mes sept secondes sont écoulées. J'ai laissé ma première impression, et à chaque tentative pour l'effacer, je m'enfonce un peu plus. Ce que je peux faire ou dire n'a plus aucune importance.

Je suis la tarée du lycée.

Comme d'habitude.

Lorsque mon sixième essai de conversation échoue lamentablement. (« Tu sais que les pirates portaient un anneau d'or à l'oreille parce qu'ils pensaient que c'était bon pour la vue ? »), c'est officiel, je renonce.

Je n'ai pas vu Toby de la matinée. Je devrais sans doute concentrer ce qu'il me reste d'énergie sur l'unique personne qui soit encore disposée à me parler.

Mais il n'est pas au foyer ni au réfectoire, alors j'emporte mon déjeuner jusqu'à son coin officiel, dans le buisson derrière la salle de gym, mais il n'y est pas non plus.

Sérieusement. Pour un harceleur, Toby devient ridiculement difficile à repérer.

Avant de le découvrir dans un coin de l'atelier d'arts plastiques, je suis résignée à jouer au morpion toute seule par terre dans la cour. J'ai déjà deux craies de prêtes dans la poche, au cas où j'arriverais à convaincre un élève de cinquième de jouer avec moi. Et encore, à la vitesse à laquelle mon statut de lépreuse se répand dans le bahut, même cette perspective est optimiste.

« Toby ! » dis-je en poussant la porte de l'atelier.

Il relève la tête et me regarde avec des yeux un peu fous, tel un Einstein miniature mais sans la moustache ni le prix Nobel. Il retire les écouteurs de ses oreilles et retourne vivement un papier devant lui.

« Harriet Manners ! Quelle surprise exquise ! »

Je suis heureuse de le voir, vous ne pouvez pas savoir ! Je bondis vers lui et jette avec enthousiasme mon cartable sur sa table. « Tu déjeunes ici, aujourd'hui ? je lui demande. Tu sais qu'au cours d'un déjeuner moyen, tu absorbes 150 000 kilomètres d'ADN ? Quoiqu'il doive y en avoir un peu moins que ça dans mon sandwich au fromage, vu l'état des feuilles de salade. » Puis je m'assois sur un bureau en face de lui. « On partage ? »

Toby repousse doucement mon sandwich de son papier et balaie quelques miettes. « C'est très gentil à toi, Harriet, mais maman m'a fait des sushis. » Il tapote la boîte à déjeuner *Thomas et ses amis* posée sur une chaise à côté de lui. « Sauf que comme on n'avait pas de poisson, c'est du bœuf, et que comme je n'aime pas trop le wasabi, c'est de la moutarde. » Il ouvre la boîte et regarde à l'intérieur. « Avec du pain à la place du riz.

— Donc… ce sont des sandwichs au rosbif, en fait.

— Absolument, convient Toby en en prenant un. Sauf que maman a retiré la croûte et a fait des boulettes avec la mie pour me donner l'impression de vivre une expérience culturelle inédite. »

Je ris et parcours rapidement la pièce du regard.

Grâce à mon désintérêt total pour les arts – et à une absence de don artistique encore plus abyssale –, j'ai toujours passé le moins de temps possible dans cette partie du lycée. Il y a des tubes de peinture et des pinceaux partout, des toiles vivement colorées appuyées contre les murs, et une ambiance générale de créativité. Ça ne me plaît pas. Les matières notées de manière entièrement subjective me mettent mal à l'aise.

Toby a l'air encore moins à sa place que moi, à supposer qu'une telle chose soit possible. Son tee-shirt marron déclare : « J'aime bien le vendredi, mais je préfère le Jedi », et il a un pantalon avec un clavier électronique incrusté en travers des genoux, bien qu'il ne soit branché sur aucun ampli. Du moins, pas en ce moment.

« Alors, qu'est-ce que tu fais ? » je lui demande en m'asseyant sur le bord de son bureau pour tendre la main vers son papier. Toby l'écarte de moi. « C'est mon projet pour la Fête de la Science.

— Ooooh ! » La Fête de la Science n'est que dans trois mois, mais je devrais peut-être m'y mettre aussi. « C'est quoi ? Je peux voir ?

— Non, tranche-t-il en rangeant le papier dans son sac. Te le montrer gâcherait sa nature absolument secrète puisque ce ne serait plus un secret du tout. »

Je me rembrunis. « C'est vrai. Mais alors, si c'est un projet de sciences, qu'est-ce que tu fais dans l'atelier d'arts plastiques ? »

S'ensuit un mini-silence, le temps que Toby se fourre un sushi-rosbif dans la bouche, après quoi il me répond : « C'est calme, ici, et à l'abri des… des gens.

— Cool. » J'observe les rayons du soleil qui entrent par les grandes fenêtres. « Je pense consacrer le mien, de projet, à l'effet de la musique sur le comportement animal, en utilisant Hugo et Victor comme sujets volontaires, ou peut-être étudier le nuage d'Oort, parce que sa limite est à 7,4 trillions de kilomètres du Soleil, si bien que je pourrais explorer la composition du…

— J'ai une question à te poser, m'interrompt une voix derrière moi. Tu pourras l'ajouter à tes recherches, pendant que tu y es. »

Stupéfaite, je fais volte-face.

Quelqu'un est assis dans un coin, à côté de la porte, presque entièrement dissimulé par une énorme sculpture en plâtre, argile et fil de fer représentant un ange. Je ne me doutais pas une seconde qu'il y avait quelqu'un avec nous : c'est dire à quel point ce quelqu'un était silencieux et à quel point la sculpture est grande. Et à quel point je me désintéresse de l'atelier d'arts plastiques, évidemment.

« Humm », fais-je en clignant des yeux. Mais après tout, c'est vrai que j'adore les questions. « Vas-y, cogne !

— Est-ce qu'il t'arrive, parfois, ne serait-ce qu'une fois de temps en temps, de penser à quelqu'un d'autre que toi ? »

Et je ne sais même pas encore qui me parle ! Mais je lui ai demandé de cogner, et on dirait bien qu'il ne s'est pas gêné pour le faire.

19

Environ 6000 langues sont parlées dans le monde, et il paraît que la moitié auront disparu d'ici à la fin du siècle. Je suis tellement sans voix, en ce moment, que je soupçonne mon cerveau de croire que l'anglais est l'une d'elles.

Je finis par parvenir à bredouiller : « Pa-pardon ? » Après quoi je fais quelques pas afin de voir le garçon caché derrière la statue.

Il est grand et pâle, avec des cheveux ternes, de gros sourcils épais, un visage rond et, sans que je sache dire précisément en quoi, un air quelque peu magique. C'est seulement en m'approchant encore que je comprends : ses iris sont de deux couleurs différentes, l'un bleu pâle, l'autre marron clair. Un phénomène appelé *heterochromia iridis*, totalement dû à une différence de taux de mélanine, et non à un enchantement ou à un sort tiré d'*Harry Potter*. Malheureusement. J'ai vérifié depuis.

« Sérieux, grommelle-t-il en prenant de l'argile pour l'ajouter à la jambe de son ange. Jamais vu personne d'aussi égocentrique. C'est étonnant, à ce point-là. »

Son air magique en prend encore un sérieux coup.

« Pardon ? On ne se connaît même pas, si ? Je ne crois pas t'avoir croisé une seule fois dans ma vie. »

Il me regarde sans ciller pendant quelques secondes. « Je suis dans ta classe. J'étais dans l'équipe à côté de la tienne ce matin. Pendant une bonne heure. »

Je me rapproche un peu, et, maintenant que je ne suis plus perturbée par l'idée qu'il soit peut-être un sorcier, je le vois bien, oui, pas de doute : c'est le type en tee-shirt jaune qui est arrivé en retard, sauf qu'à présent il a revêtu un bleu de travail. Et, à la réflexion, je crois que quand nous avons regagné la classe après le jeu pour faire l'appel, il était aussi assis pile en face de moi.

D'accord. La défense est en mauvaise posture. Annabel me conseillerait de plaider coupable tout de suite pour négocier une réduction de peine. Au lieu de quoi j'opte pour la contre-attaque.

Je pointe le nez en l'air et croise les bras. « Oui, eh bien, toi non plus, tu ne m'as pas dit bonjour.

— Si, réplique-t-il abruptement. Deux fois. Mais tu étais trop occupée à raconter à India ta réussite à l'examen d'anglais. Il y a quatre mois. »

Je pique un fard. L'examen portait sur la virilité et le genre dans *Othello*, et j'ai pensé que ce serait un bon moyen de faire la paix avec elle. Je doute que ça ait marché.

« Mais…

— Et maintenant, ce pauvre mec veut juste travailler en paix sur son projet, et toi, tu le suis jusqu'ici, il essaie de te faire comprendre de manière assez évidente qu'il veut être tranquille, mais tu refuses de le voir, et tu continues de déblatérer sur toi-même. »

Moi, suivre Toby ? Pardon ? Je m'insurge.

« En fait, sache que c'est Toby, qui me suit partout comme un caniche, et pas le contraire. » Je me tais un instant, en me disant que j'ai peut-être mal choisi mes mots. « Bon, ce n'est pas tout à fait ce que je… »

Le type aux yeux hétérochromes pouffe de rire. « Oui, pardon, dit-il tout en pliant un morceau de fil de fer en demi-cercle. Tu es charmante. Je comprends que tu te sois si bien adaptée à New York, avec toutes ces bananes. »

Ma bouche s'ouvre et se ferme plusieurs fois comme celle d'un poisson rouge : il n'était même pas là quand j'ai dit ça ! Je l'aurais parié, que les gens parlaient de moi et de mes bananes ! Puis je me retourne avec désespoir vers Toby. Pourquoi ne défend-il pas mon honneur ?

Parce qu'il n'a pas entendu un mot de cette conversation, voilà pourquoi. Il a de nouveau la tête penchée sur son papier, ses écouteurs enfoncés dans les oreilles, et il est perdu en plein Tobyland : il gribouille avec frénésie en fredonnant l'air de *Star Wars*.

Je cours vers lui et lui arrache un de ses écouteurs.

« Rebonjour, Harriet ! dit-il en croisant vite les bras sur son bureau. Je devrais peut-être t'encourager à porter un grelot autour du cou, pour que les gens soient prévenus quand tu arrives ? Mon chat en a un. C'est très pratique. »

J'ai les joues qui chauffent, très nettement. « Toby. Dis-moi… ce *mec*…

— Jasper. Pour la troisième fois de la journée, je m'appelle Jasper. »

Décidément, la situation ne fait qu'empirer. « Toby, dis à Jasper que je suis sympa, en fait, quand on me connaît ! »

Toby se tourne vers Jasper avec un air de reproche. « Harriet Manners, déclare-t-il avec une sincérité absolue, est la fille la plus adorable de l'Univers. Un exemple parfait de la bonté dont est capable l'espèce humaine. Si jamais nous devions envoyer un ambassadeur dans l'espace, je voterais pour elle. »

Une petite boule de reconnaissance et de gêne se forme dans ma gorge, et je me retourne, triomphante, vers Jasper. Je commence à parler : « T… », mais avant que je sois arrivée à « u vois », Toby continue : « Elle est tellement généreuse que, parfois, elle m'autorise à rester sur son perron quand il pleut et qu'elle est trop occupée pour me faire entrer. »

C'est pas vrai ! Il vient de rendre les choses un million de fois pires ! Mais enfin, si je le laissais entrer chaque fois qu'il est devant chez moi, je n'aurais plus jamais la paix.

Jasper s'empare d'un autre bout de fil de fer. « Ah, bon, dit-il. Toutes mes excuses. En effet, elle a l'air absolument charmante, et pas du tout pimbêche ni prétentieuse. »

Là, je sens ma colère monter en flèche. « Toby, dis-je en me retournant vers lui. Ce n'est pas vrai, que je te dérange, là, hein ? Je ne t'empêche pas de travailler, si ? »

Et je pivote de nouveau vers Jasper, prête à faire : « Ha ! »

« À vrai dire, si, tu me déranges un peu, Harriet. Ça m'aiderait si tu pouvais t'en aller, pour aujourd'hui. J'ai vraiment besoin de me concentrer sur mon projet. Et peut-être demain aussi, en fait.

— Mais…

— Et jeudi.

— Je…

— D'ailleurs, puisqu'on en parle, tu pourrais peut-être me laisser tranquille toute la semaine ? Et la semaine prochaine également, ça me rendrait bien service. »

Quelque chose se serre dans ma poitrine. Toby non plus ne veut plus me voir ? Quand je me tourne vers

Jasper, un coin de sa bouche remonte, laissant apparaître un petit sourire narquois.

C'est la goutte qui fait déborder le vase.

La foudre atteint une température de 30 000 °C, et j'ai l'impression qu'un éclair vient de me traverser : une colère chauffée à blanc se met à crépiter du sommet de mon crâne au bout de mes doigts, et retour. Je déglutis, relève la tête et me dirige vers la porte dans un silence plein de dignité.

Et, allez savoir pourquoi, je n'arrive pas jusqu'au bout.

« Tu ne me connais pas, dis-je en faisant volte-face. Tu ne sais pas qui je suis, ce que je pense, ni pourquoi je fais ce que je fais. Tu ne sais absolument rien de moi !

— Exact », me répond Jasper au moment où la cloche sonne la fin de la pause. Il se lève et retire son bleu de travail, rendant son tee-shirt jaune de nouveau visible. « Et tu sais quoi ?

— Quoi ?

— Ça me va très bien. »

Sur quoi, sans un regard en arrière, il passe devant moi et sort. Nous laissant, l'ange et moi, sans voix, livides et paralysés derrière lui.

20

*C*loîtrée. Isolée. Exclue.

C'est une bonne chose que j'aie apporté mon dictionnaire des synonymes au lycée, car je ne manque pas de temps *individuel*, pendant le reste de la journée, pour enrichir mon vocabulaire.

Durant les heures qui suivent, je suis complètement *esseulée*. C'est *en solo* que je mange mon sandwich dans un coin du foyer (et que je tache mon tee-shirt avec de la mayo), c'est *non accompagnée* que je loupe la dissection d'un rat en SVT parce que personne ne veut faire équipe avec moi, et c'est *par moi-même* que je fais rater mon expérience de chimie parce que je ne peux pas tenir deux éprouvettes en même temps.

J'essaie même de me remonter le moral en remplaçant ces mots par des synonymes positifs : je regarde par la fenêtre *en toute indépendance*, je me ronge les ongles *sans aide extérieure*.

Mais je peux bien employer tous les mots du monde, la réalité restera la même : c'est mon premier jour au lycée, et je suis complètement seule.

« Enfin, bref… » dis-je en attendant la dernière sonnerie. Je suis assise sur le muret, à côté du terrain de foot, balançant légèrement mes baskets couleur patte de canard.

L'agent d'entretien ramasse les morceaux de papier toilette par terre et les jette dans un grand sac-poubelle.

« Il ne me connaît même pas, dis-je à mi-voix. Quel crétin.

— "Je peux vous emprunter du papier toilette ?" qu'elle disait, grommelle l'homme de ménage en ramassant encore des débris de PQ. "Juste un peu", qu'elle disait. Et cinq minutes après, toute la réserve de papier du lycée est étalée dans l'herbe, et personne n'a plus rien pour se torcher de toute la semaine.

— C'est exactement ça ! je renchéris, triomphante. Enfin, presque. Quasiment la même chose. »

Morose, je cogne des talons contre le mur. Au moins, j'ai trouvé quelqu'un qui veut bien me parler. Je ne me serais pas attendue à ce que ma première âme sœur au lycée soit un monsieur de cinquante-sept ans en salopette avec une ceinture à outils, mais on ne choisit pas toujours.

En plus, il passe beaucoup de temps sous les tables et dans les placards, ce qui nous fait un énorme point commun.

Steve se baisse de nouveau. « J'étais censé m'entraîner à mixer, ce soir, pas faire des heures sup pour ramasser les ordures. La prochaine fois, elle s'occupera toute seule de ses fournitures, la hippie. »

Je secoue la tête avec compréhension. Puis je saute du mur pour ramasser quelques fragments de PQ et les jeter dans le sac. Moi aussi, j'aime bien les soupes. Il a peut-être un nouveau robot mixeur dont il veut explorer toutes les fonctions ?

Nous travaillons au coude à coude, dans un silence complice pendant quelques minutes, après quoi je me racle la gorge et dis : « J'ai un Scrabble miniature dans mon cartable… Ça vous dirait de faire une partie avec moi demain ? »

Steve réfléchit à ma proposition d'un air pensif. « Attends un peu… du fil de fer ? Tu m'as dit que la statue était en fil de fer ? Je savais qu'il m'en manquait un rouleau ! Le petit fumier !

— N'est-ce pas, que ce type est la personne la plus désagréable, la plus ignoble…

— Coin coin ! » fait soudain une voix que je connais bien.

Je m'immobilise, la main encore serrée sur une feuille de PQ, penchée vers le sol, le derrière pointé en l'air. Je ne peux pas m'empêcher de penser que ma position n'est pas optimale.

Lentement, je me redresse et pivote vers Alexa. Elle est à quelques mètres de moi, les mains sur les hanches. Flanquée d'Ananya et de Liv. Et India se tient juste derrière elles. Eh bien, ça n'a pas traîné : je vois qu'elle a déjà choisi son équipe.

Je regarde le PQ chiffonné dans ma main, puis le sac-poubelle noir. Puis le monsieur d'un certain âge avec qui je bavardais. Toute seule. Par choix, alors que j'aurais pu rentrer directement chez moi. J'ai un morceau de papier toilette collé au genou, un autre accroché à la chaussure. J'ai une grande tache de thon-mayo sur la poitrine, et une journée de sueur de nervosité qui commence à sentir.

Et Alexa est en train de remarquer précisément tous ces détails. « Tu traînes avec le personnel, maintenant ? Avec des gens qui sont payés pour passer leurs journées ici ?

— En fait, Steve… » *travaille seulement à temps partiel*, suis-je sur le point de dire, avant de me raviser.

« Alors, Harriet, où sont passés tes petits faire-valoir ? Qu'est devenue la Team Geek ? » Alexa regarde ostensiblement autour d'elle. « Je ne les vois pas. Ils se cachent ? » Elle soulève un long morceau de PQ et fait semblant de regarder dessous. « You-hou, les geeks ! Sortez de vos cachettes, le signal est donné ! »

— Nat est dans son école de stylisme, dis-je d'une voix aussi assurée que je le peux, bien qu'Alexa soit déjà au courant. Et Toby est hyper occupé par quelque chose d'hyper important. »

Elle plisse les paupières et repose le PQ. « Ah, mais oui, c'est vrai ! Tu te retrouves complètement seule, hein ? »

Elle a toujours eu le chic pour repérer les clous mal enfoncés et donner un grand coup de marteau dessus. Mes yeux commencent à me picoter. « Non, je réponds avec toute la dignité possible. Je ne suis pas seule. J'ai… » J'allais dire *Steve*, mais je me ravise pour la seconde fois.

« C'est pitoyable, même pour toi, fait Alexa d'un air sincèrement fâché. Ce n'est même plus marrant, Harriet Manners ! Où est le défi, la difficulté ? Tu as tout gâché. Ça ne vaut pas le coup, les filles. On a mieux à faire. » Elle fait claquer ses doigts et se détourne.

Comme si j'étais une de ces souris en tissu que nous donnons à Victor, et qu'il avait mâchouillé toute l'herbe à chat qu'elle contenait jusqu'à la rendre inutile et sans intérêt.

La sonnerie retentit, et Alexa se dirige à grands pas vers les grilles, suivie de ses fidèles acolytes. India m'observe avec dédain quelques secondes, puis prend le même chemin.

J'ai les yeux brûlants, ma vue commence à se brouiller, et j'ai l'impression d'avoir un coussin de canapé coincé dans la gorge.

À ce moment-là, mon téléphone émet un bip.

Alors, c'était comment, ta rentrée?? Raconte raconte! Nat xxx

Comment voulez-vous que je réponde à cela, si j'ai un tant soit peu de respect pour moi-même?

Gé-nial!! TROP SYMPA!!! Pouvais pas rêver mieux!!! Encore deux ans comme ça, ça va être trop bien!!!! H xx

Par un mensonge, voilà comment.

Je range mon téléphone en me cachant la figure sous mes cheveux pour que Steve ne voie pas mon menton se chiffonner. « T'en fais pas, va, me dit-il en me tapotant gauchement le dos tandis que je me dirige vers la sortie. Ces sales petites fouines le paieront un jour.

— Sûr qu'elles le paieront! » je lui lance par-dessus mon épaule, même si je sais que ce n'est pas vrai.

Car Alexa a raison.

Il y a une grosse différence entre ne pas être populaire et être impopulaire, et je ne l'avais jamais remarqué avant d'être passée de l'autre côté de la barrière. J'ai toujours eu du mal à me faire des amis à l'école, mais c'est la première fois depuis mes cinq ans que je n'en ai *aucun*.

Et entre ces deux options, je n'arrive pas à savoir laquelle est la pire :

a) descendre d'un cran ou deux chaque jour de votre vie pendant onze ans,

ou

b) se retrouver tellement au fond du trou qu'on ne peut pas tomber plus bas.

21

On dit qu'il y a toujours une lumière au bout du tunnel.

C'est faux, évidemment.

Déjà, la nuit, c'est-à-dire la moitié du temps, les tunnels sont entièrement plongés dans le noir. Sans compter la grande majorité des tunnels qui sont entièrement souterrains, et fermés par une porte ou une trappe. Si l'on prend tous ces éléments en compte, on voit bien que la lumière au bout du tunnel est, d'un point de vue statistique, largement minoritaire.

Toutefois, j'aime à me considérer comme le genre de personne qui cherche au moins à apercevoir la lumière. Une fille positive et optimiste, qui espère le meilleur, même quand la situation n'est pas folichonne.

Et, pour être honnête, elle ne l'est guère en ce moment.

Elle ne l'est même pas du tout.

Les premières écoles ont ouvert leurs portes en 425 avant Jésus-Christ. Je serais étonnée si on me disait que quelqu'un a connu une rentrée plus ratée que la mienne dans toute l'histoire de l'instruction.

La bonne nouvelle, c'est que je vais désormais pouvoir me concentrer à fond sur mes études. Fini les distractions, les discussions ou les débats intéressants. Toute la journée, tous les jours, pendant les deux années à venir.

La plupart des soirées aussi.

Et même sans doute une certaine quantité de weekends, si Nat est très prise par ses études de stylisme.

Mon Dieu.

De toutes les planètes du Système solaire, c'est sur Jupiter que nous pèserions le plus lourd. Je commence à me demander si je n'ai pas atterri là-bas par inadvertance.

Des fragments de la journée se mettent à rebondir sous mon crâne telles des boules de loto bariolées, et chaque fois que deux d'entre eux entrent en collision, une partie de moi s'alourdit encore un peu plus.

J'aime bien les bananes! Mes poumons. *Je sais!* Ma langue. *Une pièce de monnaie!* Mes reins, mon foie. *Est-ce que ça t'arrive de penser à quelqu'un d'autre? Tu pourrais peut-être me laisser tranquille?* Globes oculaires, vésicule biliaire, pancréas, veines, muscles.

Ça ne vaut pas le coup: tous mes os sans exception.

Jusqu'au moment où, organe après organe, je pèse tellement lourd que je m'étonne de ne pas avoir à ramper sur la chaussée en m'agrippant avec mes ongles.

Au bout d'un temps infini, j'atteins le banc du coin de la rue où Nat et moi nous sommes toujours retrouvées, tous les matins depuis dix ans, même à l'époque où nos parents nous accompagnaient à l'école. Je le contemple et constate à quel point il est désert. Puis je fais demi-tour et me dirige vers le seul endroit au monde où je pourrai peut-être me sentir un peu plus légère.

La laverie automatique.

22

La réponse est « non », au cas où vous vous poseriez la question.

Non, je n'y suis pas retournée depuis qu'Annabel et papa, après une rupture temporaire, ont vécu là-bas leur grande réconciliation romantique, il y a presque un an. Au début, j'ai pensé que c'était parce que cet endroit était devenu le leur, que ce n'était plus mon refuge à moi. Puis je me suis dit que c'était parce que je savais désormais laver mon linge gratuitement à la maison, comme un être humain normal.

Mais à présent, je me demande si ce ne serait pas simplement parce que je n'en avais pas besoin comme maintenant.

Maintenant, où je ne sais plus où me réfugier.

J'adore toujours cet endroit.

J'aime la lumière vive, les odeurs de lessive, le doux ronronnement des machines. J'aime la chaleur de la vitre luisante des séchoirs. Mais par-dessus tout, j'aime le fait qu'il soit impossible de se sentir seul dans un lieu où tant de choses sont mélangées entre elles.

Je me frotte les paupières et traîne une chaise jusqu'à ma machine préférée. La vitre est encore tiède, et il y a partout des paniers remplis de tas de vêtements abandonnés. Quelqu'un a même oublié une chaussure : elle dépasse derrière un monceau de pulls et de sous-vêtements particulièrement imposant.

Je sors une chaussette bleue de mon sac, et un souvenir m'assaille soudain : de la neige, des joues chaudes, une main froide pressant la mienne.

Alors j'avale ma salive et jette la chaussette dans le séchoir.

Puis je commence à chercher au fond de mon cartable les cinquante pence qu'il me faut pour le mettre en marche sur vitesse rapide. Et encore cinquante pence. Puis une livre, en petites pièces. Et une pièce de deux livres. Après la journée que j'ai eue, je risque de rester un bon moment ici. Je serai bientôt l'heureuse propriétaire de la chaussette la plus sèche et archisèche qui soit.

Je suis en train de gratter du chocolat fondu sur une pièce afin que la machine la reconnaisse pour ce qu'elle est, et non pour une friandise, lorsqu'un petit objet brillant traverse les airs et atterrit sur mes genoux.

Je regarde avec perplexité la pièce qui vient de tomber du ciel, puis le local désert. Il y a peut-être ici un étrange phénomène gravitationnel qui fait sortir les pièces des machines pour me les jeter à la tête. Ça pourrait faire un bon sujet pour mon projet scientifique.

Je replonge la main dans mon sac, en sors encore une pièce de dix pence, et ça recommence : de l'argent, volant dans les airs.

Sauf que cette fois c'est une livre : encore mieux.

J'observe la salle – toujours rien –, et j'en suis à calculer rapidement combien de temps il faudrait que je reste ici pour pouvoir me payer un château lorsqu'un rire résonne. « Tu as vraiment cru que c'étaient des pièces volantes, pas vrai ? »

Alors, je vois bouger la chaussure oubliée de tout à l'heure. Une chaussure pointue, argentée, qui a foulé l'allée devant chez moi hier matin, reliée à ma meilleure amie.

« Nat ? »

Une tête brune et bouclée apparaît de derrière une haute pile de pulls et pantalons propres. Apparemment, elle était couchée dedans, telle une sorte de chat géant. « Ben oui, c'est moi. Tu as mis le temps, purée ! Je commençais à me dire que j'allais devoir faire une lessive pour de vrai ! » Elle se lève, pose son *Vogue* et se débarrasse d'une large culotte couleur chair restée collée à son pull.

« Dégueu », ajoute-t-elle en la jetant dans un coin. La culotte heurte le mur avec un bruit mou : *ffffp*. Puis mon amie se retourne vers moi, qui n'ai toujours pas bougé, paralysée par la stupéfaction. « Alors, Manners, comment ça va ? »

23

Sérieusement. Il va vraiment falloir que je commence à regarder partout quand j'entre dans une pièce. Les caméléons et les libellules ont un champ de vision de 360 degrés : visiblement, je ne suis ni l'un ni l'autre. Si j'étais un petit insecte, je me serais déjà fait dévorer.

« Nat, qu'est-ce que tu fais là ? »

Elle saute s'asseoir sur une machine. « À ton avis ? Je te cherchais. J'ai un selfie avec Vivienne Westwood : je peux te dire qu'elle a été bien plus facile à coincer que toi. »

Je saute, avec nettement moins d'agilité, sur la machine à côté de la sienne. « Pardon.

— Qu'est-ce qui t'arrive ? Je m'inquiète tellement pour toi que je viens de passer une heure dans un panier à linge, recouverte de fringues de mémé. Je ne suis pas sûre de m'en remettre. »

J'inspire profondément et décide de prendre le taureau par les cornes. « Tout va bien, Nat. Je te jure. Nick a arrêté le mannequinat pour repartir en Australie, et nous avons décidé d'un commun accord qu'une relation à distance serait trop douloureuse. Je sais que nous avons pris la bonne décision. Simplement, je n'ai pas envie d'en parler, c'est tout.

— C'est vrai ?

— Vrai de vrai.

— Vrai de vrai de vrai ?

— De vrai de vrai.

— Alors ça va ?

— Oui », dis-je avec autant d'assurance que possible.

Nat observe mon visage avec attention, après quoi ses épaules se détendent très légèrement. « Eh bien tant mieux, parce que j'ai quelque chose à te dire, et si je ne le fais pas, je vais exploser et il va y en avoir partout sur ma deuxième plus belle robe, et là, on aura vraiment besoin de la laverie. »

Soudain, je remarque la perfection de ses boucles. Et d'ailleurs, maintenant que je ne suis plus planquée dans un buisson, à 50 mètres, et attaquée par des araignées, je remarque que Nat a une sorte d'éclat nouveau, comme si on venait de tremper ses entrailles dans des paillettes. Elle a les yeux luisants et les joues roses ; des petites fossettes aux coins de la bouche et un teint qui pourrait briller dans le noir.

Je regarde plus bas : tout son vernis à ongles est écaillé. Puis je me souviens de ses paroles d'hier : « Il faut vraiment que je lui parle. »

Nom d'un chien, pourquoi ai-je automatiquement supposé que c'était pour me parler de moi ? Argh, Jasper n'a peut-être pas tout à fait tort, tout compte fait.

« C'est François ? Tu t'es remise avec lui ?

— Qui ça ? Ah, le Français, là… Pouah, non. Il n'arrête pas de m'envoyer des cartes postales de lapins qui se font des câlins devant la tour Eiffel. Non, celui-ci s'appelle Theo. Il étudie la photo dans la même école que moi, et on s'est embrassés vendredi soir pour la première fois. Il est pas mal. Enfin, pour un garçon. »

Ma Pire Pote se la joue cool, mais son visage entier est illuminé, comme si on avait mis le feu à quelque chose derrière. Je la regarde sans comprendre. Elle a laissé pas moins de cinquante-six messages sur mon téléphone ces derniers jours, et pas un seul ne parlait de ce gars.

« Mais… pourquoi tu ne me l'as pas dit, tout simplement ?

— Parce que tu es ma meilleure amie, que tu viens d'avoir le cœur brisé, que ça tombe vraiment au mauvais moment et que je ne voulais pas te rendre encore plus triste. »

Tout à coup, j'aime tellement ma Pire Pote que j'en ai la gorge nouée. « Nat, tu sais ce qui se passe quand deux objets métalliques se touchent dans l'espace ?

— Ça fait un grincement horrible et l'Univers se bouche les oreilles en criant : "Aaaaaaarhhhh, arrêtez ça tout de suite"? »

Je souris jusqu'aux oreilles. « Il n'y a pas de bruit dans l'espace, donc non. Ce qui se passe, c'est que les deux morceaux de métal restent soudés à jamais. Rien de ce qui te rend heureuse ne pourra jamais me rendre triste, Nat. On est soudées. »

Elle enregistre la nouvelle, puis fait une grimace. « D'accord, alors fais-moi penser à ne jamais aller dans l'espace avec Toby ! »

Nous éclatons de rire, puis gardons un silence complice pendant quelques secondes, épaule contre épaule.

« Au fait, comment tu as su que tu me trouverais là ? »

Nat s'étire et bâille. « Je t'ai implanté une puce électronique pendant ton sommeil. Comme pour les chats. »

Ma main se porte automatiquement à mon cou.

« Mais non. Dès que j'ai reçu ton dernier SMS, j'ai su où tu serais, Harriet. Tu ne mets jamais de point d'exclamation dans un texto, sauf quand tu mens. J'en ai déduit que ta rentrée s'était mal passée et que tu allais foncer ici. »

J'en reste comme deux ronds de flan. Vous voyez ce que je voulais dire ? Nat a su avant moi que j'irais à la laverie.

Ça, c'est ce que j'appelle une amie.

« Bon… » je commence, prête à tout lui raconter : Toby, Alexa et Jasper, et le fait que personne ne m'aime. À quel point je me sens déjà seule sans elle et je voudrais qu'elle revienne au lycée pour qu'on soit à nouveau toutes les deux, comme avant, comme toujours.

Mais je m'arrête.

Si nous sommes soudées, ça marche dans les deux sens, pas vrai ? Ma tristesse va l'attrister, et je ne veux pas de ça. C'est à son tour d'être heureuse, maintenant. Moi, je l'ai eue, ma grande histoire d'amour géniale. Ma meilleure amie aussi mérite que le monde s'illumine pour elle.

« C'est tout le contraire, Natalie ! dis-je le plus légèrement possible, avec un geste rapide de la main. Je t'apprendrai que j'ai remporté un concours dès la première heure ! »

Cela n'a pas l'effet escompté. « Oh non, soupire-t-elle en mettant une main sur ses yeux. Il y a eu beaucoup de dégâts ? Plutôt du niveau Post-it dans le dos ou du genre tête dans les toilettes ? »

Une fois, rien qu'une fois, j'aimerais que Nat ne me connaisse pas par cœur. « Post-it », dois-je admettre. Il y avait en effet un Post-it marqué « PIMBÊCHE » collé sur mon cartable à l'heure de la pause. « Mais ne t'inquiète pas : ce n'est qu'un petit accroc. Je suis sûre qu'ils finiront par oublier.

— Bien sûr. » Nat m'entoure les épaules de son bras et appuie sa tête contre la mienne. « Beaucoup de gens ratent un peu leur rentrée, et tout le monde l'oublie très vite. »

Nous mentons toutes les deux, au fait : la science a prouvé qu'il était très difficile de revenir sur une première impression et que celle-ci, au contraire, devenait souvent permanente.

« Exactement ! » Je saute de la machine avec tout l'enthousiasme possible. « Et puis l'année scolaire ne dure que 190 jours, pas vrai ? 1 330 heures, je ne vais pas les voir passer ! »

S'ensuit un bref silence.

« C'est très long, Harriet.

— Bah, ça ne fait que 3 jours, sur Mercure. Et puis je vous ai, toi et Toby – enfin, dès qu'il aura terminé son projet –, alors franchement, qu'est-ce qui pourrait me manquer ?

— Mais Harriet, je ne suis pl…

— Bon, tu veux venir chez moi ce soir ? J'ai inventé un Monopoly de la mode, avec une petite machine à coudre de poupée que tu pourras prendre comme pion. »

Disons juste que je me suis vraiment barbée pendant la dernière heure de permanence.

Il y a encore un bref silence gêné. Puis Nat se rembrunit, saute de la machine et atterrit sur une boîte de lessive ouverte en soulevant un petit nuage de poudre blanche, comme un dragon de dessin animé. Elle regarde par terre pendant quelques secondes. « Je… je ne peux pas, ce soir. J'aimerais bien, tu sais. Mais si tu… si on… Une autre fois ?

— Ah, fais-je, légèrement sonnée. Je suppose que tu vois Theo, c'est ça ?

— Hm ? Oh. Mm-hmm. »

Je hoche la tête, assaillie par un autre souvenir : une mouette, une balançoire, une chapka.

Un baiser.

Puis je déglutis et m'empresse de chasser ces images. Je m'efforce de sourire. « Super ! J'ai hâte que tu me le présentes ! Amuse-toi bien ! »

Nat arrive jusqu'à la porte, puis fait demi-tour, se mord la lèvre et court me serrer dans ses bras, si fort qu'elle manque de peu me renverser. « Ne te décourage pas, Harriet. Ils finiront par t'aimer autant que je t'aime, je te le promets. Laisse-leur juste un peu de temps, d'accord ? »

Elle m'embrasse fort sur la joue.

Sur ce, ma Pire Pote ressort de la laverie et s'enfonce dans le noir, en laissant une brume de lessive blanche dans son sillage.

24

J'attends d'être sûre que Nat est bien partie.

Puis je me rassois sur la chaise, appuie ma joue contre le sèche-linge chaud et regarde la chaussette tourner sans fin.

Comme ma petite vie stupide.

Un bip de mon téléphone.

Bouchon-Boubou! Le visage fatal est sur toutes les lèvres! Ouistiti-Paillettes à gogo! Victoire pour la fée! Abeilles

Je contemple le message quelques secondes, puis retourne mon téléphone au cas où il serait plus lisible dans l'autre sens.

Ce n'est pas le cas.

Nous sommes mardi, et il est midi à New York en ce moment. Mon ex-agent farfelu a bu beaucoup trop de café, c'est clair.

Mais au moins, Wilbur, lui, garde le contact : nous avons beau ne plus travailler ensemble, il me parle davantage que mon agent actuel. Les trois dernières fois où j'ai appelé Infinity Models, je n'ai même pas passé le barrage de la standardiste.

Amusée, je réponds :

Wilbur, t'as encore mangé des paillettes ? xxx

J'attends quelques minutes – il a dû tomber dans les pommes, vaincu par l'excès de caféine –, puis remets mon téléphone dans mon sac et me promets de l'appeler demain, quand il aura assez dormi pour s'être remis.

Ensuite, je ferme les yeux et tâche de ne pas remarquer que, même ici dans mon refuge de bonheur, j'ai un organe dans la poitrine qui pèse encore comme sur Jupiter.

25

D'après la science, nous mettons 66 jours à prendre une nouvelle habitude. Visiblement, je vais avoir besoin de ces jours jusqu'au dernier.

En rentrant chez moi à pas lents, j'observe tous les buissons, regarde derrière tous les bacs à fleurs, vérifie tous les troncs d'arbres. À un moment, je me surprends même à faire un petit détour pour contourner une benne à ordures, au cas où quelqu'un se cacherait derrière. Très honnêtement, je n'ai pas eu un comportement aussi bizarre depuis le jour où, à six ans, je me suis follement lancée à la recherche de la Fée des fleurs.

Et jamais je n'ai été aussi bredouille. Car j'ai beau chercher, et marcher à une allure d'escargot, et chuchoter en boucle : « Je crois en toi », ça ne marche pas.

Personne ne me suit.

Personne ne m'écoute, personne ne m'épie.

Pour la première fois depuis cinq ans, Toby n'est pas là.

« Papa ? dis-je en passant la porte. Tabatha ? Vous avez passé une bonne j... »

Je m'immobilise. Le sol du couloir est jonché de journaux. Le canapé-lit est ouvert ; il y a des couvertures et des vêtements plein l'escalier. Un des rideaux du salon est fermé, les tiroirs sont béants, les placards aussi. La poubelle est renversée, et son contenu répandu par terre.

Il y a environ 35 000 cambriolages par mois au Royaume-Uni. Visiblement, nous venons d'alimenter cette statistique.

Je lâche mon cartable. « Papa ! Tabatha ! Est-ce que ça va ? »

Et si on m'avait volé mon ordi ? Personne ne verra jamais ma présentation sur des pandas faisant le poirier ! « Papa ! » Je fonce à la salle de bains. L'armoire à pharmacie est démantibulée. « Papa ! » Dans la cuisine, la porte du frigo est encore ouverte. « Papa ! » Le placard sous l'escalier est saccagé. « Pa... »

Il entre par la porte du jardin, Tabatha dans les bras. « Ma Fille N° 1 ! Le retour de l'héroïne conquérante ! » me lance-t-il.

Je me jette si fort contre eux que je crains de broyer ma petite sœur de manière irréversible. « Mon Dieu, mes pauvres! Ils vous ont fait du mal? Ils vous ont menacés? Vous auriez pu être enlevés! »

De fait, il est possible qu'ils aient été enlevés, puis libérés. Si j'étais cambrioleur, moi aussi, j'aurais rendu mon père assez vite.

« Qui nous a quoi que qu'est-ce?

— Les cambrioleurs!

— On a été cambriolés? s'alarme papa. Quand? Je suis resté trente secondes dans le jardin! Mince, ils sont rapides, hein? »

Je m'écarte de lui et observe le chaos qui nous entoure.

Maintenant que j'y pense, je n'ai pas l'impression que des choses aient disparu. On dirait plutôt qu'elles ont été… fortement redistribuées. Il ne reste plus une tasse dans le placard: elles sont toutes dans l'évier, à moitié pleines de thé froid. Les assiettes non plus n'ont pas disparu: elles sont simplement éparpillées dans le salon, et couvertes de ketchup.

« C'est toi qui as mis ce bazar? »

Mon père regarde autour de lui. « Quel bazar? Tu vois du bazar, toi? Je vais te dire, je ne comprends pas de quoi Annabel se plaignait tant. Les âneries qu'on entend sur le boulot des parents au foyer! Tu parles, c'est du gâteau! J'ai même écrit un poème après le déjeuner. Tu veux que je te le récite?

— Tu as écrit un poème?

— Mais oui. J'ai fait rimer *partisan* avec *tarte au flan*. Et avec *Tarzan*. » Il regarde Tabatha, l'air très content de lui. « On essaie juste de caser aussi *artisan*, pas vrai, Tabs ? *Je serais partisan d'un peu de tarte au flan en regardant Tarzan.* Il réfléchit encore. « S'il s'appelait Tartizan, ça sonnerait mieux. Dommage. »

Je rêve. La seule chose qui manque dans cette maison, c'est ce qu'il n'a pas entre les oreilles.

« Mais…

— Bon, mais là, je me sens un peu claustro, continue-t-il gaiement. J'irais bien promener Hugo, histoire de me dégourdir les jambes, de faire circuler un peu d'air autour de mon cerveau. Tu peux garder Tabatha, hein ? »

Et il me la colle dans les bras avant que j'aie pu lui dire qu'il a déjà bien assez d'air autour du cerveau. « Mais, papa…

— Oooh, *brosse à dents* ! » lance-t-il en prenant son manteau. Il siffle mon chien et sort d'un pas décidé par la porte que, dans ma panique, j'ai laissée ouverte. Hugo le suit en bondissant, ivre de joie. « Ça aussi, ça rime ! Quel génie créatif je fais. À plus dans le bus, les filles ! »

Et la porte se referme sur lui.

Ma sœur et moi échangeons un regard incrédule qui dure plusieurs secondes. Comme souvent, nous

nous comprenons. « Et tu crois que c'est le pire ? me disent ses yeux bleus et ronds. Tu n'as rien vu ! Ça fait onze heures que je supporte ça, et je n'ai que quatre mois. Je suis encore physiquement incapable de m'enfuir en rampant. »

Je regarde l'heure à la pendule de la cuisine. Il est 17 h 30, Annabel va rentrer de sa première journée de boulot dans une heure. Épuisée, lasse et impatiente de passer du temps avec son tout petit bébé. Je peux me tromper, mais je doute qu'elle ait envie de faire la vaisselle, de plier des serviettes dans un placard et de lire la poésie médiocre de papa.

Je n'ai donc pas le choix.

Avec un soupir, je donne un baiser à ma sœur et la remets dans son youpala pour qu'elle me tienne compagnie. Puis je me remonte les manches, au sens propre. Et je commence à ranger la maison.

26

Voici mes trois jours préférés de l'histoire :

1. Le jour de 1877 où S.W. Williston découvrit le premier fossile de diplodocus.

2. Le 12 mars 1610, jour de la publication du *Messager des étoiles* par Galilée, prouvant que la Terre n'est pas au centre du Système solaire.

3. Mon anniversaire. Évidemment.

Je me contenterai d'ajouter qu'aujourd'hui ne figure pas sur cette liste. Franchement, cette journée n'aurait même pas été sélectionnée dans le top 5 000.

J'avais tant de plans géniaux pour ma première journée de retour au lycée ! Des anecdotes, des statistiques, des équations et des explosions soigneusement contrôlées ; des rires, de l'introspection, des conversations sur la vie, la mort et nos arbres préférés (les miens : le dragonnier de Socotra, suivi de près par l'eucalyptus arc-en-ciel).

J'étais prête à tout pour ma première journée de lycéenne. Simplement, je n'aurais jamais imaginé que je passerais tellement de temps à faire du ménage.

Une fois que j'ai terminé d'aspirer dans le couloir, je n'ai plus qu'une envie : me traîner jusqu'à ma chambre, m'ensevelir comme un hérisson sous un tas de livres et ne jamais en ressortir. Je suis de ces gens qui disent : « La lecture est à l'esprit ce que la gymnastique est au corps », sans jamais bouger un muscle.

« Harriet ! » crie Annabel en entrant, abasourdie, alors que je suis dans l'escalier, Tabby dans les bras. Elle arrive plus tôt que prévu. « Alors, c'était comment, le lycée ? Je pensais que tu serais en train de participer à une activité sociale ou extrascolaire. » Puis elle se tait, se frotte les yeux et contemple la maison impeccable. « Zut alors, ajoute-t-elle avec une grimace. Je vais culpabiliser, maintenant. J'étais persuadée que ton père passerait la journée à tout saccager et à écrire des poèmes atroces. Il faut croire que je ne connais pas du tout mon mari. »

Je n'ai pas le cœur de la détromper. « Ça s'est super bien passé ! fais-je en m'accrochant un sourire sur les lèvres comme on fixe un Lego. Et toi, le boulot ?

— Génial. Franchement, j'avais oublié à quel point j'adore dire aux gens que je vais les traîner devant la justice. »

Elle est radieuse : dans son tailleur sur mesure et ses escarpins noirs, elle est de nouveau elle-même.

Puis je sors mon téléphone de ma poche et contemple l'écran vide. « Oooh, six appels manqués et sept SMS de gens qui pensent comme moi, qui ont les mêmes centres d'intérêt et qui ont envie de passer du temps avec moi. Il faut que je leur réponde ! »

Annabel me reprend Tabatha en lui soufflant à l'oreille : « Tu m'as manqué, ma puce. » Puis elle relève la tête, le regard sombre. « Ça me fait très plaisir que ta rentrée se soit bien passée, chérie. Je craignais que ce soit un peu difficile, pour toi, de t'intégrer si tard dans l'année. »

Je hoche la tête. Pour une fois, je suis contente que ma belle-mère soit trop épuisée pour pouvoir faire usage de ses superpouvoirs télépathiques. « Pas du tout ! C'était top !!!! » Oui, quatre points d'exclamation. « J'ai juste un peu de lecture à rattraper pour demain !! Donc, je te dis bonsoir !!! » Et hop, cinq de plus.

Je finis alors de monter l'escalier en agitant la main façon reine d'Angleterre, jusqu'à ce que je sois enfermée dans ma chambre.

Là, je me jette la tête la première sur mon lit.

Et je commence aussitôt à hyperventiler.

Quand on hyperventile avant de plonger en apnée, on peut retenir sa respiration bien plus longtemps parce qu'on abaisse son taux de CO_2 dans le sang. Vu comme je respire en ce moment, je pourrais être une sirène.

Comment dit-on, déjà ? Méfie-toi de tes souhaits.

Je voulais tout changer ; je pensais qu'ainsi, ma vie aussi changerait. Je ne suis plus si sûre que ce soit bien malin, comme ambition.

Les autres sont déjà tous passés à autre chose.

Nat a son école de stylisme et elle a Theo. Toby a un projet top secret tout neuf dont je ne fais pas partie. Annabel a son travail, papa sa « poésie », et Tabby va bientôt passer à la nourriture solide. Ma grand-mère Bunty peint des fresques murales dans une hutte sur une plage de Rio, Wilbur secoue toujours le monde de la mode à New York, Rin a déménagé dans le sud du Japon.

Moi, mon agence a oublié qui j'étais.

Nick est toujours loin.

Même Alexa et ses sbires ont trouvé mieux à faire que de s'occuper de moi.

Et pendant ce temps-là, je suis toujours la même, à répéter les mêmes choses, encore et toujours. À trimballer le passé avec moi, comme je l'ai toujours fait.

Il y a dans les océans une baleine à bosse qui chante sur une fréquence de 52 hertz : trop grave pour être entendue par ses congénères. Les savants ignorent si cette baleine est une anomalie génétique, ou l'unique survivante d'une espèce éteinte, ou si c'est juste une baleine qui se trompe de chanson. Tout ce qu'ils savent, c'est qu'elle est probablement le mammifère le plus esseulé de la Terre.

Je sais exactement ce qu'elle ressent.

Moi-même, j'ai l'impression de tourner en rond à l'infini, en chantant le plus fort possible, sans que personne m'entende.

Pour la première fois depuis que j'ai quitté l'Amérique, je mets mon oreiller sur ma tête. Et j'éclate en sanglots.

27

D'après une étude récente, une adolescente pleure pendant 2 heures et 13 minutes par semaine. Grâce au fait que j'ai gardé toutes mes larmes jusqu'à maintenant, je suis proche d'atteindre ce quota en une seule fois.

Je pleure jusqu'à ce que mes joues me fassent mal et que mon oreiller soit trempé.

Je pleure jusqu'à en avoir la poitrine endolorie et jusqu'à être à court de larmes : il ne me reste plus qu'un petit bruit épuisé, *ng ng ng*.

Oublions Jupiter : mon cœur est à présent sur le Soleil. Il est sur une naine blanche. Il est quelque part sur une étoile à neutrons, il pèse des millions de tonnes et il va se creuser un tunnel jusqu'au bout de mes orteils.

Car voici le mensonge énorme que j'ai sorti à Nat : un mensonge béant, avec un trou gigantesque au milieu.

En fait, je ne vais pas bien DU TOUT.

Finalement, je cesse de pleurer.

Je m'essuie le nez sur ma couette et je me rassois. Je prends une feuille de papier et un stylo sur ma table de nuit.

Et je commence à écrire.

Cher Nick,

Deux ou trois choses que je sais sur toi.

Depuis l'instant de ta naissance, il y a eu 276 séismes majeurs et 87 éruptions volcaniques ; 39 éclipses de Soleil et 85 superlunes. Le niveau des océans a monté de 5 centimètres, et la température moyenne de la Terre a augmenté de 0,2 °C.

Depuis 17 ans, la planète sur laquelle tu te trouves a parcouru 138 253 139 000 kilomètres dans la Voie lactée, s'est éloignée de 22 673 602 167 kilomètres de la sonde Voyager *et a parcouru 16 590 377 250 kilomètres autour du Soleil, en t'emmenant avec elle.*

Tu as eu 70 anniversaires sur Mercure, 27 sur Vénus, 9 sur Mars, 1 sur Jupiter (et tu auras 29 ans avant que ne survienne ton premier anniversaire sur Saturne).

Ton cœur a battu 654 millions de fois.

Mais rien de tout cela n'est immuable. Chaque jour, tu vas voyager un peu plus loin, prendre un petit peu d'âge ; la mer continuera de monter, les volcans de bouillonner. Et toutes ces choses que je sais sur toi cesseront d'être vraies.

Une seule le sera toujours.

Tu me manques, et ça, ça ne changera jamais.

Harriet xxx

28

Vite, je fourre la lettre dans une enveloppe.

Je gribouille une adresse dessus et j'y colle trois
timbres rares qui vont emporter cette lettre loin, très
loin : dans un lieu inconnu, étranger, où je n'ai jamais
mis les pieds. Puis je mets mes baskets et je dévale
l'escalier avant que l'orgueil, la honte ou l'espoir ne
puissent me retenir.

« Harriet ? appelle Annabel en me voyant dans le
couloir, courant vers la porte. J'ai cru t'entendre pleurer. Est-ce que tout va bien ?

— Oui, dis-je en refermant doucement la porte
derrière moi. Du moins, je pense que maintenant, ça
va aller. »

Je cours sans m'arrêter jusqu'à la boîte à lettres. Ce
qui n'est pas un exploit : elle est au bout de la rue.

Mais quand même.

Et tant que je cours, Nick court avec moi.

Chez moi, dans le Hertfordshire – Janvier (il y a dix mois)

« Tu sais que la neige n'est pas réellement blanche ? Elle est translucide, en fait. Mais comme elle renvoie la lumière de manière uniforme, on la voit blanche.

— Saute », m'a-t-il ordonné, en sautant lui-même par-dessus une grosse flaque de neige fondue et en pressant ma main de ses doigts chauds et secs. J'avais retiré mon gant gauche, en prétendant que c'était parce que, bizarrement, j'avais trop chaud précisément à cette main.

Un petit mensonge sans conséquence.

Mon estomac a fait un bond, et j'ai sauté trop tard pour éviter de me retrouver avec une chaussette trempée et glacée.

« Comme les ours blancs, pas vrai ? a continué Nick alors que nous courions vers la gare. Ils ne sont pas blancs non plus, c'est bien ça ? »

J'ai été impressionnée : je lui avais dit cela des mois plus tôt. Sa capacité à retenir des informations inutiles mais fascinantes commençait presque à égaler la mienne. « Exactement, ai-je dit en glissant quelque peu, ce qui l'a obligé à me rattraper par la taille. Nous ne sommes pas – je veux dire, ils ne sont pas du tout ce qu'ils paraissent. »

121

Là, j'ai toussoté, gênée. Oups. C'était une chose de me comparer dans ma tête, une fois de temps en temps, à un ours polaire égaré en pleine forêt tropicale ; c'en était une autre de le faire à voix haute devant mon chéri.

« J'avais douze ans la première fois que j'ai vu de la neige, m'a appris Nick alors que nous dévalions l'escalier pour rejoindre le quai. J'étais tellement surexcité que je suis sorti de mon lit à 3 heures du matin et que j'ai essayé de faire un ange de neige en short et en tee-shirt. »

J'ai levé les yeux au ciel.

« La moitié de la population mondiale n'a jamais vu la neige, Nicholas. Mais parmi tous ces gens, il n'y en a pas beaucoup qui seraient assez idiots pour faire ça. »

Il a bruyamment éclaté de rire, et mon cœur s'est serré pendant quelques secondes, comme la première fois, à Moscou. « Heureusement que maintenant, j'ai la plus grande Mademoiselle Je-sais-tout du monde avec moi pour me remettre dans le droit chemin. »

Et là, Nick s'est arrêté, m'a prise dans ses bras et m'a attirée contre lui, si près que je sentais son haleine me réchauffer le bout du nez. J'ai eu juste une seconde pour remarquer que tout était blanc, immobile et calme, comme une boule à neige juste avant que quelqu'un la secoue. Puis il m'a embrassée, et tout a disparu : la neige, ma chaussette mouillée, et mes deux pieds avec.

Quand nous avons enfin cessé de nous embrasser, le train était parti sans nous.

« Il faut que je te remette un peu mieux dans le droit chemin, alors, ai-je dit en riant, les joues ridiculement chaudes. Le prochain train part dans une heure, et maintenant tu vas rater ton casting pour Hilfiger.

— Ça en vaut totalement la peine. Dis-moi encore des choses sur la neige.

— Mmm, voyons… » Je me suis creusé la cervelle quelques secondes, pendant que Nick ouvrait son grand manteau gris et m'attirait dedans pour que je n'aie pas froid. « N'importe quelle chose ?

— Dis-moi n'importe quoi, miss Ours Polaire, a-t-il répondu en refermant ses bras autour de moi. Tout ce que tu veux.

— D'accord. » J'ai alors retrouvé ma meilleure info sur la neige, et je l'ai lissée pendant quelques instants, jusqu'à ce qu'elle soit toute propre et belle. « Si tu avais 1 million de flocons de neige devant toi et que tu en comparais 2 à chaque seconde, tu pourrais mettre presque 100 000 ans à en trouver 2 identiques. »

Nick a chassé un flocon de ma joue et m'a serrée encore un peu plus fort. Il s'était remis à neiger.

« C'est marrant, a-t-il dit. Je dois être moins idiot qu'on ne le pensait, alors. Moi, je n'ai mis que 17 ans. »

Et il m'a de nouveau embrassée.

Je cours, je cours, et me voici enfin devant la boîte à lettres rouge. Pendant une seconde perturbante, je peux presque croire que Nick est ici, et pas à l'autre bout du monde. Qu'il neige de nouveau, et que j'ai une chaussette glacée et deux joues brûlantes. Qu'il est encore avec moi.

Que je ne suis pas toute seule.

« Tu me manques », dis-je tout bas avant d'embrasser l'enveloppe et de la glisser dans la fente. Et c'est magique : je me sens immédiatement plus légère. Comme si j'avais arraché de moi tous les mots qui me pesaient et que je les avais envoyés loin, très loin, là où ils ne pourraient plus m'écraser. *Tu me manques* est parti et, d'un coup, comme ça, mon cœur remonte vers une naine blanche, puis vers le Soleil, puis vers Jupiter. Puis Neptune et Saturne.

Jusqu'à ce que je sois, enfin, de retour sur Terre.

Là où est ma place.

29

Vous savez quoi ?

Les gens peuvent raconter ce qu'ils veulent sur ma grand-mère hippie – et à en croire mes parents, ils ne s'en privent pas –, mais Bunty m'a dit un jour que, parfois, il suffisait de pleurer un bon coup et d'avoir un stylo dans la main.

Je crois bien qu'elle avait raison.

À 7 heures le lendemain matin, je me sens infiniment plus gaie et plus positive. D'ailleurs, j'ai trouvé la grosse faille que comportait mon jour de rentrée : *je n'avais pas de plan.*

Après avoir passé des années à mettre au point des stratégies soignées pour mener ma vie, je n'en reviens pas d'avoir tenté de m'intégrer dans une nouvelle existence sans autres soutiens, pour conquérir mon entourage, qu'un livre du petit coin et un intérêt apparemment pathologique pour les bananes.

Plus jamais je n'improviserai.

Heureusement, mon nouveau plan – ou Plan Pour Attirer les Gens et Faire en Sorte qu'Ils M'Aiment À Nouveau (PPAGFSIMAN, pour faire court) – est tellement bien conçu qu'il commence à fonctionner avant même que j'aie passé les portes du lycée. C'est vous dire s'il est puissant.

« Salut ! me lance une fille en robe jaune en me tapant sur le bras. On se connaît, non ? On n'a pas fait du volley ensemble l'an dernier ? Ou alors c'est toi qui dansais sur la table, à la soirée de Meg, en février ? »

Volley. Soirée. Danser sur la table.

« Ça ne me ressemble pas, je réponds, dubitative. Si j'avais été à cette fête, je serais plutôt restée sous la table. »

Elle rit, alors que je ne plaisantais pas, en fait. « Pas grave, ça me reviendra. À plus ! »

La fille s'éloigne, et je contemple, émerveillée, l'énorme sac que je transporte, avec le plan à l'intérieur. Mon Dieu. Et je ne l'ai même pas encore ouvert !

Deux autres élèves me sourient dans les couloirs, une fille que j'ai vaincue au club de débats l'an dernier me salue de la tête, et trois garçons groupés se taisent subitement quand je passe devant eux.

Je vous arrête tout de suite : non, je ne suis pas déguisée en abeille ni en canard ; mes deux baskets sont de la même couleur, et mes vêtements sont adaptés à la saison.

Pour la première fois de ma vie, j'ai vérifié tout cela avant de sortir de chez moi.

« Yo, Harriet ! » me lance Robert quand j'arrive en classe. J'ouvre mon sac et j'en sors un Tupperware en plastique rose. « C'est bien Harriet, ton prénom, hein ? Tu es très… en beauté aujourd'hui. »

Je le regarde, perplexe. « Pardon ?

— Oui, t'es… toute mignonne. »

Robert et moi sommes dans la même classe depuis cinq ans, et une fois il s'est assis sur mon pied. C'est dire à quel point je suis invisible pour lui, d'habitude. Je le dévisage donc avec stupéfaction, puis baisse les yeux vers la boîte que je tiens à la main, et soudain tout s'éclaire.

Seigneur, le pauvre, pauvre garçon.

Il est clair que ses parents ne le nourrissent pas correctement. Il doit être au bord de l'hypoglycémie.

« Merci, Robert, dis-je doucement. Toi aussi.

— Ah oui ? » Il sourit et se penche vers moi jusqu'à ce que ses pointes fixées avec du gel risquent de me crever un œil. « On pourrait peut-être être beaux tous les deux en déjeunant, un de ces jours ?

— Bien sûr, dis-je avec compassion en lui tapotant gauchement le bras. Je te garderai des biscuits.

— Ouais, tu vois ce que je veux dire, me chuchote-t-il en remuant les sourcils. Je suis sûr que tu me gardes un bon biscuit, rien que pour moi. »

Hein ? Mais comment a-t-il su ?

« En fait, oui, dis-je, étonnée, en poussant la porte de la classe. Et des cookies aux pépites de chocolat, aussi, et aussi au beurre de cacahu… »

Mais avant que je puisse aller plus loin, tous ceux qui sont présents dans la salle pivotent brusquement dans ma direction. Et la classe explose autour de moi.

30

Je n'entends plus que mon prénom, répété en boucle.

« Salut, Harriet ! » « Hé, Harriet ! » « T'as passé une bonne soirée, Harriet ? » « Comment ça va, Harriet ? » « Par ici, Harriet ! » Comme si ma classe s'était transformée en vol d'oiseaux bavards et surexcités. « Harriet ! m'apostrophe Ananya pendant que je m'assois, un peu sidérée. Ou tu préfères que je t'appelle Ret ? »

Ret ? Un nom qui irait mieux à un homme avec une fine moustache et un panama.

« Euh, bien sûr, dis je en bredouillant, tout en posant la boîte sur le bureau devant moi pour en sortir une encore plus grosse de mon sac. Ret. Retty. Ou alors… Harriet, c'est bien aussi.

— Désolée qu'on n'ait pas pu vraiment bavarder hier. La quantité de devoirs qu'on a en première, c'est dingue, non ? Je veux dire, où veulent-ils qu'on trouve le temps ? Ils pensent que ça pousse dans les arbres ?

— Non, le taon est un insecte diptère qui ne vit pas du tout dans les arbres », fais-je distraitement en contemplant le reste de la classe.

Ananya me dévisage sans comprendre, puis, soudain, lâche une cascade de rire. « Oh, mon Dieu, trop drôle ! Comment tu fais pour avoir ce sens de la repartie ? »

Je ne sais pas de quoi elle parle. Un seul neurone du cerveau peut s'activer 200 fois par seconde, mais aucun des miens n'a eu la moindre activité depuis que je suis entrée dans la classe.

Je savais que mon plan était bon, mais pas à ce point : là, ça frôle le ridicule.

« Oh wow-wow-wow, souffle Liv en pointant le doigt sur moi. C'estduChanelj'adooooorec'esttroprétroj'envoudraisunaussitul'astrouvéoù ? »

Un peu perdue, je baisse les yeux sur mon pull bariolé. Je ne connais pas grand-chose à la mode, mais il me semble que Coco Chanel n'était pas une grande fan des blaireaux en chapeau haut de forme et nœud papillon. « C'est ma grand-mère qui me l'a tricoté. »

Je parle de grand-mère Manners. Pas de Bunty, évidemment. Cette dernière aimerait mieux se crever les yeux avec un stylo bille que se faire prendre à tricoter des pulls jacquard.

« Ohpuréec'esttroppasjuste. Ma grand-mère est morte des années avant que les blaireaux deviennent tendance. C'est toujours comme ça, ma vie. »

Je ne vois pas bien quoi répondre à cela.

Alors, j'observe prudemment la classe. Tous les yeux sont encore fixés sur moi. Robert n'arrête pas de me faire des clins d'œil, cinq filles chuchotent entre elles, et même India m'adresse un bref signe de tête.

Ils doivent être affamés, tous autant qu'ils sont.

Je ne peux m'empêcher de remarquer que Jasper, lui, regarde vers le tableau, absolument indifférent.

On va voir s'il tient longtemps.

C'est avec un sentiment de triomphe que j'ouvre mon Tupperware. L'odeur réconfortante du beurre et du sucre chauds s'élève dans l'atmosphère. L'inspiration m'est venue hier soir, à peu près au moment où je marmonnais pour la cinquantième fois : « Nom d'une sucette au beurre de cacahuètes ».

Tout ce qu'il me fallait, c'était quelque chose de simple et de traditionnel. Une chose qui montrerait aux autres que je me souciais d'eux et que je voulais être leur amie. Que je ne suis pas aussi pimbêche que je les ai poussés à le croire.

Et donc, dans un éclair de positivité, j'ai couru jusqu'à un supermarché ouvert tard le soir. Après quoi j'ai passé toute la nuit à préparer, glacer et décorer trois cents biscuits sablés en forme de dinosaures.

Des *Isisaurus* roses et des *Tangvayosaurus* verts ; des *Argentinosaurus* violets et des *Camarasaurus* orange. Tous personnalisés, afin que chacun, dans la classe, ait son biscuit à lui : avec son nom écrit en billes argentées et bonbecs en gelée.

Et assez de rab pour conquérir le reste des premières aussi. Et peut-être encore quelques biscuits pour les profs.

Trois pour Steve, bien sûr : je suis sûre qu'il est gourmand.

Et je suis épuisée, et j'ai encore de la farine dans les sourcils, mais je m'en fiche. Le mot « copain » vient de l'ancien français *compain*, littéralement « celui avec qui on partage le pain ». Alors, ceci est peut-être ma meilleure chance de m'en faire, des copains.

Car en voyant tous ces gens se mettre à sourire et à bavarder avec moi en grignotant leurs biscuits, je me dis que j'ai réussi.

Enfin, je me sens intégrée dans l'équipe.

31

La réputation de mes fameux biscuits dinosaures se répand largement. D'ailleurs, sans vouloir sembler trop contente de moi, je me dis que je devrais peut-être repenser mes objectifs de carrière. Si j'avais su que mon talent pour la pâtisserie était si prodigieux, j'aurais choisi l'option cuisine au lieu de l'atelier menuiserie. Après tout, à moins de vouloir devenir croque-mort, on n'a pas besoin de fabriquer tant de boîtes en bois.

Pendant le cours de maths, Raya vient s'asseoir à côté de moi et me demande « comment j'y suis arrivée », parce que c'est « le genre de chose qu'elle a toujours voulu faire, mais elle n'a jamais osé ».

« Bah, dis-je. En fait, c'est étonnamment facile. » Je lui explique alors que le secret est dans la fraîcheur et que le blé est une composante essentielle du succès.

« Même si c'est possible de travailler avec du blé noir, c'est souvent le blé dur qui paie le mieux. »

Raya secoue la tête, impressionnée. « J'avais entendu dire que ça pouvait être dur, me dit-elle en ouvrant de grands yeux. Et est-ce que… tu sais… ça fait… beaucoup de blé ? »

Je réfléchis à une réponse honnête. « Ça dépend. Cette fois-ci en particulier, oui, des quantités énormes. Vraiment gigantesques. À un point grotesque. »

C'est vrai, quoi, on parle de trois cents biscuits, là.

Pendant la pause, les filles de l'équipe de volley viennent me dire que j'ai trop de chance parce que le résultat est « excellent ».

« Merci, mais ce n'est pas vraiment de la chance, dis-je avec toute la modestie possible. C'est énormément de travail, et il y a beaucoup de déchets. En plus, je dois empêcher mon chien de les manger.

— Ton chien ? Comment ça ?

— Je l'enferme dans la buanderie pendant une heure, en gros.

— Ah. »

Quand arrive l'heure du déjeuner, on m'a déjà proposé une virée à la patinoire, offert un stylo kitsch orné d'une licorne en plastique floqué, et donné un bracelet en élastiques roses et jaunes.

Il faut croire que je suis la reine des biscuits.

Sérieusement.

Des études récentes ont établi que la combinaison du gras et du sucre raffiné pouvait faire baisser les taux de neurofacteurs produits par l'hippocampe et, par là, ralentir les capacités mentales. Je m'inquiète quelque peu : aurais-je endommagé à jamais le cerveau de mes camarades de classe ? Bon, disons que je vais peut-être éviter de remettre la main à la pâte tant que je n'aurai pas quitté le lycée, voire terminé mes études. En plus, j'ai offert un de mes biscuits à Toby, et il ne l'a pas pris.

Je crois qu'il n'y a rien à ajouter.

Quand arrive la dernière heure, j'ai carrément un petit stand dans un coin du foyer des élèves. Et il y a foule : les élèves discutent en mangeant et en riant gaiement, couverts d'une fine couche de sucre glace, un peu comme des bonshommes de neige en plastique.

« Harriet ! Tu veux venir faire du shopping avec moi ce soir ?

— Ou au parc ?

— Hé, Harriet ! Si on allait au ciné voir un film avec des… des pingouins qui parlent ? » me propose Robert.

Je lui décoche un grand sourire. J'adore les films de pingouins.

« Hilarant, lance Ananya avec froideur en lui piquant un sixième biscuit. Tu plaisantes, ou quoi ? Je pense que Ret vise un peu plus haut qu'un mec de seize ans avec une tête qu'elle pourrait acheter chez Pizza Hut, merci bien. »

Liv apparaît derrière elle. « Comme si tu pouvais faire le poids, renchérit-elle. Dans tes rêves ! Compte là-dessus et bois de l'eau. » Elle se met à glousser. « Oh là là, j'adore cette expression. Je suis trop fun ! »

India, assise dans le canapé, regarde sévèrement Robert pendant quelques secondes. « Arrête d'être relou comme ça, lui dit-elle d'un ton glacial. Et aussi, à ta place, j'irais mollo sur le gel. Ce sont des cheveux, pas une arme fatale. »

Robert hausse les épaules. « Waouh, vous me faites trop peur, dit-il en reprenant un biscuit. À plus, les sorcières. »

Il s'en va tranquillement, en m'envoyant un clin d'œil, grignotant toujours, et je regarde fixement les trois filles qui me cernent : une devant moi et une de chaque côté.

Sans bruit, le reste du groupe proche de la table se disperse : quatre filles s'en vont dévaliser le distributeur de bonbons, Christopher décide qu'il a un monologue à apprendre quelque part, loin, et Raya, apparemment, a besoin d'aller se maquiller ailleurs. Pourquoi ai-je soudain l'impression d'avoir encore un Cerbère tricéphale à mes trousses ? Et surtout – beaucoup plus important –, de quoi parlent ces gens et que se passe-t-il ?

« Umm… fais-je, mal à l'aise. Tu n'avais peut-être pas besoin d'être aussi… »

Méchante, suis-je sur le point de dire à India, lorsque, soudain, j'aperçois deux yeux de couleurs différentes dans un coin de la pièce, qui fixent les miens. Il existe une plante appelée *Mimosa pudica*, qui se rétracte brusquement quand on la touche. Elle se replie sur elle-même pour se protéger. Il me semble que c'est ce que mon estomac est en train de faire. Jasper et moi nous regardons pendant quelques secondes, durant lesquelles mes entrailles se rétractent brusquement. Puis il détourne le regard d'un air boudeur, ramasse son sac et se dirige, le dos tout raide, vers la porte. À ce moment-là, ladite porte s'ouvre brusquement, et Alexa entre en trombe, les yeux rivés sur son téléphone.

« Hé, ho, dit Jasper en faisant un pas de côté. Fais gaffe où tu… »

Mais il est trop tard. Alexa continue d'avancer et, avec une violence peu commune, les deux personnes qui m'aiment le moins au monde entrent en collision.

32

Si, au zoo, on ne voit jamais des crocodiles et des anacondas dans le même enclos, c'est pour
une très bonne raison. La même logique doit pouvoir
s'appliquer à ces deux-là.

Le sac de matériel artistique de Jasper s'est ouvert
par terre, et des pigments se sont répandus partout.
Leurs boîtes se sont fracassées en morceaux sur le sol,
et les rouges, les bleus, les verts et les jaunes forment
un arc-en-ciel humide et poudreux sur la moquette.
Deux ou trois feuilles de papier blanc trempent dedans et absorbent les couleurs, comme des papillons
rectangulaires.

« C'est parfait, soupire-t-il en se baissant. Alors là,
vraiment… parfait. »

Il lève une feuille en l'air, et pendant quelques
secondes j'aperçois un croquis au crayon absolument
magnifique, qui représente une grande feuille d'arbre

avec une forêt d'automne dessinée à l'intérieur, dans des tons bruns, orangés et rouges. Le tout est à présent ruiné par une grosse tache noire et violette.

Alexa, pendant ce temps, finit de taper son SMS. « Regarde où tu vas, espèce de naze », dit-elle sans relever la tête.

Jasper jette avec humeur ses peintures dans son sac. « Oh, pardon ! J'avais oublié que j'étais l'homme invisible. Toutes mes excuses pour ton incapacité à me traverser. Je vais tâcher de corriger ça dès que possible. »

Puis il remet son sac sur son épaule, chiffonne les pages fichues, les flanque dans la corbeille et sort d'un pas furieux. Pour être honnête, c'est un peu réconfortant de voir que Jasper semble détester Alexa presque autant qu'il me déteste, moi.

J'ai bien dit : un peu réconfortant. Pas beaucoup.

Il ne l'injurie pas, elle, et ne refuse pas de manger ses biscuits maison au beurre de cacahuètes. Car, malgré tous mes efforts, il n'en a pas touché un seul.

« C'est ça, lui lance distraitement Alexa sans lever les yeux de son écran. Bye, drôles-de-zyeux. » Et enfin, elle presse un dernier bouton et relève la tête.

Lentement, elle observe le foyer avec une expression blasée, jusqu'à ce que son regard s'illumine en s'arrêtant sur mon coin. « Oooh, fait-elle en s'approchant de moi, le nez plissé. Dis donc, la geek, tu vends des biscuits en forme de furets obèses, maintenant? Trop mignon.»

Pardon? En forme de furets obèses?

Indignée, je me grandis au maximum et tâche de donner de l'autorité à ma voix. « Ce sont des sauropodes, en fait, Alexa. Ce qui signifie "patte de lézard", et ce sont des dinosaures à longue queue et long cou. Le diplodocus et le brontosaure en sont les représentants les plus connus, bien que, si l'on veut être exact, ce dernier n'ait jamais existé: c'était en fait un apatosaure mal identifié. C'est un mythe parmi les dinosaures.

— N'empêche qu'ils ressemblent à des furets obèses, lâche-t-elle en s'en fourrant un dans le bec. Et ils ont un peu le même goût, aussi. »

En fait, en les regardant de nouveau, je dois reconnaître qu'ils ressemblent un peu à des furets obèses. Zut et flûte. Je vais devoir investir dans des emporte-pièce de meilleure qualité.

Alexa se tourne vers ses sbires. « Qu'est-ce que vous faites là, les filles? Je vous avais dit de me retrouver sur les courts de tennis. Y a une fille de seconde qui est en train de péter les plombs avec son mec. À mourir de rire. Je veux qu'on aille se payer sa tête. » Elle fait demi-tour et repart d'un pas nonchalant. « Et je croyais vous avoir dit de ne plus perdre votre temps avec celle-là, ajoute-t-elle par-dessus son épaule pendant qu'Ananya et Liv se lèvent pour la suivre. Allez, on y va. Tout de suite. »

Sauf que, au moment où elle pousse la porte, pour la deuxième fois en deux jours mon ennemie jurée ne fait pas la sortie qu'elle espérait.

« Non, assène une voix dure derrière moi. En fait, Alexa, on ne va pas bouger d'ici. »

33

Les écrevisses se lancent des signaux d'alarme en vidant leur vessie au moindre signe de danger. Lorsque la personne la plus terrifiante que je connaisse pivote lentement pour nous faire face, j'ai un peu peur d'avoir le même réflexe.

Je connais Alexa Roberts depuis onze ans, et pourtant jamais je n'ai vu cette expression sur son visage. Celui-ci est très immobile et calme, mais je suis persuadée que quelque chose est sur le point de crever cette surface lisse.

Un alien, peut-être, ou un grand requin blanc.

« Pardon ? Tu veux bien répéter, la nouvelle ?

— Il y a un mot que tu n'as pas compris dans la phrase ? s'enquiert India, glaciale, en piquant une petite boule argentée sur un biscuit pour la manger. J'imagine que c'est "non", alors je vais te réexpliquer. On va rester ici avec Harriet, aujourd'hui. Toutes les

142

trois. C'est plus clair comme ça, ou tu veux que je te fasse un dessin ? »

Ananya et Liv sont paralysées un pied en l'air, entre India et Alexa, tels des faons pétrifiés dans une forêt enchantée. Elles regardent Alexa, puis India, puis de nouveau Alexa.

Puis moi.

Au point de donner l'impression qu'elles suivent une partie de ping-pong particulièrement compliquée et gênante.

Enfin, Ananya se racle la gorge. « En fait, dit-elle lentement en sortant de sa paralysie pour faire un petit pas en arrière, Indy a raison, Lexi. Il ne fait pas chaud, dehors, aujourd'hui. On ferait peut-être mieux de rester ici. Qu'est-ce que tu en penses, Olivia ?

— Grave. » Liv croise les bras et fait elle aussi un pas dans ma direction. « Et en plus, je pense que t'es un peu *over*, en ce moment, Lexi. Désolée. »

Pour la première fois dans l'histoire mondiale, mon ennemie jurée et moi-même faisons exactement la même tête. Deux séries de O en miroir : deux pour les yeux, un pour la bouche et deux tout petits pour les narines, écarquillées de surprise.

Elle se tourne lentement vers moi, et je suis sur le point de fuir, terrifiée, en laissant un trou en forme d'Harriet Manners dans le mur, lorsque son visage se transforme brusquement.

Muscle par muscle, Alexa se détend. Ses épaules s'affaissent d'un cran, ses yeux reprennent une forme normale, son nez se plisse, sa bouche tressaille et fait un petit *plop*. Mon estomac est tellement noué qu'il doit avoir la forme d'un bretzel.

Pire que la peur, plus dangereux que la vengeance. Alexa est… en train de *rire* ?

« Oh, dit-elle en se plaquant une main sur les yeux. Bien sûr ! Ça y est, j'ai compris. C'est génial. T'es complètement débile, ou quoi ? Tu crois vraiment qu'un arrêt de bus va changer les choses ? Que tout va être différent à partir de maintenant ?

— Un arrêt de bus ? je répète comme un perroquet. Je ne suis pas un arrêt de bus ! »

Du moins, je ne crois pas. Mais je suis tellement chamboulée, en ce moment, que je ne peux jurer de rien. Cela dit, Alexa ne me regarde même plus : elle se concentre à présent sur Ananya et Liv. « C'est toujours Harriet Manners ! La geek qui a apporté un cloporte en classe, une fois, et qui a voulu nous le mettre dans la main. »

D'accord : j'avais six ans, il s'appelait Malcolm et je le trouvais mignon.

« C'était il y a hyper longtemps, objecte Ananya en faisant encore un pas vers moi. Les gens changent.

— Ouais ! ajoute Liv. Peut-être qu'on l'aime bien, en fait.

144

— Personne n'aime bien Harriet, s'esclaffe Alexa. Même son petit harceleur hyper chelou, on ne le voit plus nulle part. Ce n'est pas un hasard si elle se retrouve toute seule. »

Mon bretzel stomacal se resserre encore un peu plus.

« C'est ton opinion, affirme India. On ne la partage pas.

— Exact. » Ananya fait encore quelques pas, jusqu'à se retrouver juste à côté de moi. « Et puis ça commence à être un peu soûlant, Lexi. C'est toujours la même chose, avec toi.

— Ouais ! renchérit Liz, qui est venue me rejoindre de l'autre côté. En plus, traîner sur les courts de tennis, c'est trop un truc de secondes. Grandis un peu, chérie. Lâche l'affaire. »

J'observe cet échange dans un silence abasourdi.

J'avais toujours considéré les sbires comme des figurantes sans visage ni voix ; existant uniquement pour animer le décor et mettre Alexa en valeur, mais sans identité propre. Il faut croire que je me trompais du tout au tout.

Je m'attends plus ou moins à ce qu'Alexa craque, maintenant, comme je le ferais – à ce qu'elle devienne toute rouge, voire qu'elle pleure et aille se cacher sous une table –, mais non, elle a toujours l'air de s'amuser comme une folle. Je ne peux pas m'empêcher d'être légèrement impressionnée malgré moi. Une telle confiance en soi, ça ne manque pas de panache.

« Vous avez raison, finit-elle par lâcher avec un haussement d'épaules. C'est vrai qu'on commençait un peu à se barber, pas vrai ? Là, c'est bien plus marrant. On va secouer un peu tout ça. »

Je la regarde sans comprendre. Quoi ? Qu'est-ce qu'on va secouer ?

Oh, Bon Dieu. À tous les coups, c'est moi.

« À plus, Harriet Manners, continue-t-elle. Profite bien ! »

Et la fille qui m'aime le moins au monde m'envoie un baiser avant de sortir. En laissant ses trois plus proches amies avec moi.

34

Voici quelques faits que je connais :

1. L'œil humain moyen peut distinguer pas moins de 500 nuances de gris.

2. Le Groenland est le pays le plus froid du monde.

3. Nous avons des muscles, dans les oreilles, qui servaient autrefois à les bouger.

4. La queue d'une comète pointe toujours dans la direction opposée au Soleil.

En revanche, je suis malheureusement incapable de comprendre quoi que ce soit à ce qui se passe en ce moment.

Mettez ça, si vous voulez, sur le compte de ma grande perspicacité (même si personne ne le fait jamais), mais je commence à me dire qu'il y a davantage qu'une histoire de biscuits là-dessous.

J'attends que la dernière sonnerie ait retenti et que les filles s'en aillent, non sans m'accorder une multitude de bises et d'accolades enthousiastes. Après quoi je prends un *Camarasaurus* et lui croque la queue. À moins que ce ne soit un *Giraffatitan* : honnêtement, maintenant, je trouve qu'ils ressemblent tous à des furets obèses.

Ce n'est pas fameux.

À vrai dire, pour être tout à fait franche : sur l'échelle des biscuits que j'ai mangés dans ma vie (c'est-à-dire beaucoup), celui-ci est assez proche du zéro. Je vais devoir renoncer à mon projet de booster mes revenus de paléontologue grâce à la pâtisserie.

Fronçant les sourcils, je sors mon téléphone de mon cartable, et là j'ai une telle surprise que je ne sens plus mes oreilles. J'ai dix appels manqués de Nat, et huit de Stephanie d'Infinity Models.

RAPPELLE TOUT DE SUITE C'EST URGENTISSIME. Nat x

Les mains déjà moites, je presse le 1, son numéro abrégé. Elle décroche à la première sonnerie, un signe certain de gravité.

« Retrouve-moi dans le centre-ville. Tout de suite.

— Mais…

— Je te jure, Harriet. Il faut que tu voies ça. »

35

Je n'arrive même pas jusqu'à la fontaine.

À côté de cette fontaine, donc, où une grande partie de mes camarades de classe vont traîner après les cours, manger des chips, jeter les paquets dans l'eau et être obligés par les passants à les y repêcher, il y a un arrêt d'autobus.

C'est par là que transitent la plupart des bus pour aller au lycée, puis pour en revenir, et aussi pour emmener des passagers vers les boutiques, l'hôpital, la piste de rollers, pour aller... partout, en fait.

Autrement dit : c'est en plein centre de tout.

En m'approchant, peu à peu, je commence à distinguer une fille que je reconnais. Elle a le teint très pâle et des taches de rousseur, de grands yeux verts, le nez et le menton légèrement trop pointus, et ses cheveux roux, dépeignés, forment une masse vaporeuse et désordonnée qui lui tombe sur les épaules.

Elle est assise dans un lac, entourée d'étincelles.

Sa robe blanche est illuminée par mille petits points de lumière, l'eau miroite et brille autour d'elle, et le ciel pourpre, au-dessus d'elle, est constellé d'étoiles. Derrière elle, on peut voir une immense montagne conique, au sommet blanc, et quelques nuages ici et là. Elle a les yeux luisants, et elle est immense : si elle se levait, elle mesurerait au moins 15 mètres de haut.

Et à côté de la fille qui brille, il y en a une autre, bien plus petite, que je reconnais aussi. Celle-ci est appuyée à l'arrêt de bus, contre l'affiche. Elle plisse ses yeux bruns et fronce les sourcils.

Je les rejoins toutes les deux sans rien dire.

« Et c'est pas tout ! jappe Nat au bout de quelques secondes en m'attrapant par la main. Attends un peu de voir le reste. »

Je suis, littéralement, partout.

Il y a un immense poster de moi au rayon mode du grand magasin du coin : cette fois, je flotte dans le lac Motosu, mes cheveux et les lumières tourbillonnant autour de moi comme si j'étais une sorte de Dame du Lac qui aurait pris feu.

Au rayon maquillage, une autre photo : moi, enfermée dans une boîte vitrée à Akihabara, les cheveux rose pâle, les yeux immenses comme une héroïne de manga, les lèvres brillantes.

La photo de l'arrêt de bus, où on me voit assise devant le mont Fuji, est déclinée sur des flyers qui sont, en ce moment même, distribués à tous les passants devant le centre commercial.

Dans la vitrine de la pharmacie, un gros plan extrême sur mon visage : le regard vif et intense, tourné légèrement vers la gauche, comme si j'observais quelqu'un d'important hors champ. Et c'était le cas, évidemment. Nick, en effet, se tenait derrière le photographe, et il venait de m'embrasser au milieu d'un lac au coucher du soleil : j'avais un peu de mal à me concentrer.

Avec un gros soupir, Nat clique sur Facebook et me montre son téléphone sans dire un mot. Je figure sur les bannières publicitaires qui courent le long de la page, en tutu doré, le visage peint en doré (les antisèches de physique que je m'étais collées sur les bras ont dû être effacées grâce à Photoshop).

Tout cela n'a aucun sens, aucun.

La majorité de ces photos ont été prises pour la nouvelle ligne mode de la styliste Yuka Ito – vêtements, accessoires, maquillage, tout le tralala – à Tokyo l'an dernier. Mais ce n'est plus d'actualité : la campagne entière a été annulée lorsque la marque Baylee a découvert que Yuka avait rompu son contrat pour monter sa propre marque.

Alors, qu'est-ce que je fais placardée partout comme ça ?

Soudain, j'ai un déclic dans le cerveau : le texto que j'ai reçu hier se met à avoir du sens. Comme si je l'avais tapé dans Google Traduction, qui proposerait « Wilbur » comme langue.

Wilbur	N'importe quel autre humain au monde
Bouchon-Boubou !	Bonjour !
Le visage fatal est sur toutes les lèvres !	Ta tête fait vendre du gloss sur beaucoup d'affiches.
Ouistiti-Paillettes à gogo !	Vraiment beaucoup d'affiches.
Victoire pour la fée !	Tu vois comme j'ai bien travaillé !
Abeilles	Bises (biz, bzzz)

Le ver de Pompéi, ou *Alvinella pompejana*, se protège des chaleurs extrêmes en se fabriquant une cuirasse de bactéries, ce qui lui permet de survivre à des températures supérieures à 80 °C. C'est l'animal le plus résistant à la chaleur sur la planète. À en juger par l'état de mes joues en ce moment, je vais peut-être devoir faire comme lui si je ne veux pas finir carbonisée.

Les conversations d'aujourd'hui commencent à repasser dans ma tête, mais avec une tonalité légèrement différente. Bon, d'accord : très différente.

*Oh, des quantités de blé énormes. Vraiment gigan-
tesques. À un point grotesque. Le blé, c'est hyper important.*

*Le secret, c'est la fraîcheur. Mais à un moment, il faut
faire monter la température. Ça peut devenir hyper
chaud! [Je pouffe de rire.]*

Oh, mon Dieu. On ne parlait pas du tout de biscuits, en fait!

Je reste bouche bée, les joues brûlantes. Pourquoi
est-ce qu'il n'existe pas une potion magique que je
pourrais boire pour arrêter d'être aussi idiote? Ou, du
moins, qui me rendrait assez minuscule pour que je
puisse me cacher sous un champignon où personne
ne m'entendrait dire des âneries?

Une fille passe près de nous et se retourne, puis regarde l'immense affiche au-dessus de ma tête. « Oh,
waouh! C'est toi? »

Elle indique du doigt la fille dans le lac: photo-
shoppée, sublimée et débarrassée de tout défaut, mais
encore reconnaissable, grâce aux cheveux orange vif,
au nez pointu et à l'absence de maquillage.

Et aussi à l'absence totale d'expression, bien sûr.

« Humm, dis-je en avalant ma salive avec difficulté.
J'imagine... Oui?

— Trop cool! T'es célèbre, quoi! »

Et avant que j'aie pu l'arrêter, elle me prend en
photo avec son téléphone et s'en va. La panique commence à m'assaillir comme un tsunami glacé. Qu'est-
ce qu'elle va faire de ça? Les Indiens d'Amérique

croyaient que chaque photo prise leur volait un peu de leur âme, et il me semble que je viens de donner un morceau de moi irremplaçable à une totale inconnue qui a un cœur en strass collé sur son sac.

Mon Dieu. Mon Dieu. Mon Dieu. Mon D…

« Harriet ? fait Nat en m'agrippant le bras. Ça va ?

— Mmm. » La panique continue de monter : jusqu'à mes chevilles, puis mes genoux, puis mon ventre et mes épaules. « Hmm. Impec. Fabulito.

— Ça n'existe pas, comme mot, me dit-elle d'une voix douce en me tapotant le bras comme si j'étais un petit chiot un soir de feu d'artifice. Tu veux dire que c'est complètement génial, H ! Je suis trop fière de toi ! » Elle me caresse encore un peu le bras – les yeux brillants, le regard lointain –, puis elle ajoute, dans un éclat triomphal : « Je savais que tu finirais par être une mégastar ! »

C'est le mot de trop. La panique dépasse mes épaules, et déferle dans ma gorge et par-dessus ma tête, m'empêchant de respirer. Ce qui ne me laisse pas le choix : je dois m'accroupir en vitesse par terre, devant la pharmacie, et me mettre la tête entre les genoux.

Pour m'adonner à une crise de panique pas géniale du tout.

36

Les experts prétendent que la meilleure chose à faire pour stopper une crise de panique, c'est de penser à autre chose. Par malheur, il y a une faille énorme dans ce raisonnement. Le seul fait de chercher à quoi penser m'angoisse tellement que je ne peux plus respirer.

En dernier recours, je ferme les yeux et commence à réciter le tableau périodique des éléments d'une voix forte : je commence par les métaux alcalins et je continue vers la droite, jusqu'à ce que je constate que je m'apaise un peu : lithium, sodium, potassium, rubidium.

Puis les métaux alcalino-terreux : béryllium, magnésium, calcium, strontium.

Puis les métaux de transition : scandium, yttrium, titane. Je dois aller jusqu'aux gaz nobles avant d'être assez stable pour relever la tête. L'ironie de la chose ne m'échappe pas.

« Tu sais quoi ? » commence Nat, assise sur son manteau à côté de moi. Elle me tend un demi-biscuit aux pépites de chocolat qu'elle a dû trouver au fond de mon cartable. « Tu es peut-être la seule top-modèle au monde qui récite tout le tableau périodique des éléments quand elle est stressée.

— Je n'ai pas tout récité, dois-je admettre, penaude. Il me reste encore les lanthanides et les actinides. Et l'ununoctium. » Après quoi je me fourre le biscuit entier dans la bouche et postillonne avec angoisse : « Et je ne suis pas top-modèle, Nat. »

Sauf qu'on entend en fait : « Éffuifachofhoèl, fffgnat.

— Peut-être pas encore tout à fait, mais là, tu es tout près de le devenir », me répond-elle, radieuse.

Quelques vagues de terreur reviennent me traverser.

Et savez-vous ce qui est ridicule, dans tout cela ? Il y a bientôt un an que je fais du mannequinat – depuis que j'ai été repérée sans le faire exprès lors d'un salon de la mode auquel Nat m'avait traînée. Dix mois à être payée pour me tenir devant un objectif, vêtue de fringues magnifiques, dans des pays lointains – d'abord la Russie, puis le Japon, puis New York –, et c'est la première fois aujourd'hui que tout cela devient réel pour moi. Pendant tout ce temps, je me suis servie du mannequinat pour fuir – pour m'échapper, me trouver, me perdre, me transformer –, mais je ne l'ai jamais vécu comme une fin en soi. J'étais tellement obnubilée par ma recherche d'une vie meilleure que j'ai complè-

tement perdu de vue le sens premier du mot « mannequin ».

Harriet Manners : mannequin.

Et j'ai oublié aussi que mon visage pouvait un jour
être utilisé publiquement. Pour vendre des choses.

Car il semblerait que je sois une jeune fille intelligente mais sans aucune notion des liens de cause à
effet, qui pensait pouvoir vivre toutes ces aventures
fantastiques sans qu'il en reste aucune trace ensuite.
Pouf ! Comme les contes de fées magiques qu'ont été
ces voyages.

Non, mais vraiment. Je suis pourtant censée devenir
plus intelligente en grandissant. Personne ne m'avait
prévenue que ce serait le contraire.

« Elle est en quoi, cette robe ? continue Nat, les
yeux rivés sur le flyer. Comment font-ils pour qu'elle
soit lumineuse comme ça ?

— Ce sont des fibres optiques, incluses dans le
tissu, dis-je d'une voix lointaine. Comme elles sont
creuses, les photons rebondissent à l'intérieur et... »

Un souvenir soudain. Nick, qui ressemble à la plus
belle banane du monde dans son ciré et ses bottes en
caoutchouc jaunes. Je me rappelle précisément le froid
de l'eau, la chaleur de mon ventre, de mes doigts et de
mes orteils. La position des étoiles et des lumières ; les
contours de la montagne et du lac. Ses yeux brillants
de bonheur.

Les miens aussi.

Désormais immortalisés et placardés dans toute la ville pour me rappeler justement ce que j'ai perdu chaque fois que j'irai acheter du déodorant.

Sans égal.

Oh, non. Sur toutes les photos pour lesquelles j'ai posé, pourquoi faut-il que ce soit celle-ci qui soit affichée dans la vitrine de la pharmacie ? Tant pis, je vais sentir sous les bras jusqu'à la fin de l'année.

En chancelant légèrement, je me remets debout. Tout à coup, j'ai besoin de m'éloigner le plus loin et le plus vite possible du quartier commerçant en général et de cette photo en particulier.

« Harriet ! me lance Nat, qui se lève aussi. Je sais que tu es en train de flipper, en ce moment, mais je crois sincèrement que tu as juste besoin d'un petit peu de temps pour comprendre à quel point tout ça est fantastique. C'est énorme, H. Épique ! Félicitations ! »

Je regarde bêtement ma meilleure amie.

« Tiens, ajoute-t-elle en me fourrant un flyer dans la main. Pardon, mais il faut que je fonce à l'école pour un cours du soir sur les robes du soir, précisément. J'étais juste venue en ville pour me racheter du matériel. »

Elle sort de son sac un coupon de satin noir pour me le montrer, me serre affectueusement dans ses bras, puis se met à trotter vers l'arrêt du bus. « Tu m'appelles quand tu auras réalisé, hein ? » me crie-t-elle par-dessus son épaule.

Je fais « oui » de la tête, mais, très franchement, elle risque d'attendre longtemps. D'après mon *Grand Dictionnaire universel*, le mot « épique » peut signifier « impressionnant » ou « remarquable ». Il peut aussi vouloir dire « héroïque » ou « grandiose ». Depuis l'âge de cinq ans, j'ai beaucoup réfléchi à tous les moyens me permettant de laisser une trace dans le monde. Aux dragons que je pourrais combattre, aux chevaux ailés que je pourrais… chevaucher (ou piloter ?), aux éléments que je pourrais faire apparaître par magie entre mes mains nues. Puis, en grandissant un peu, j'ai rêvé de maladies à guérir, de squelettes de dinosaures à déterrer, d'étoiles que je pourrais découvrir et auxquelles je donnerais mon nom.

J'ai passé onze années de ma vie à travailler le plus possible dans l'espoir qu'un jour, à force de connaissances, de persévérance et d'application, j'arriverais à accomplir quelque chose qui en vaille la peine. Quelque chose d'héroïque. Quelque chose de grandiose.

Quelque chose d'épique.

Jamais je n'ai imaginé une seule seconde que mon exploit le plus tangible, je l'accomplirais à seize ans en restant assise dans un lac, habillée avec les vêtements d'une autre, devant un appareil photo. Sans rien faire du tout.

37

La bonne nouvelle, c'est que quelqu'un d'autre s'est souvenu de moi, du coup. Aussitôt Nat partie, je titube comme je peux jusqu'au banc du bout de ma rue, me laisse tomber dessus et rappelle par politesse. J'ai les mains qui tremblent, la tête qui tourne. Mes doigts sont tellement moites que je dois m'y reprendre à quatre fois pour faire autre chose que prendre des selfies accidentels de mes trous de nez.

« Hey, ma belle ! Comment ça va, chérie ? Ça fait une éternité qu'on ne s'est pas parlé ! »

J'éloigne le téléphone de ma joue et contemple la voix de Stephanie pendant quelques secondes. On ne s'est pas parlé depuis une éternité parce que la dernière fois que j'ai appelé chez Infinity Models, je l'ai entendue dire : « Qui ? Dites-lui que je suis sortie.

— Mais je l'entends, ai-je fait observer à la standardiste, qui a transmis le message.

— Dites-lui que je suis morte. Un tragique accident de polo.

— Je l'entends toujours, ai-je lâché tristement. Mais merci quand même. »

J'ai appelé chez Infinity Models treize fois en quatre mois, depuis mon retour de Tokyo, et c'est la première fois que la remplaçante de Wilbur décroche. Ce n'est pas évident de faire connaissance avec les gens quand ils essaient de vous faire croire qu'ils sont tombés de cheval.

« Ça va bien, merci. » Je suis tentée un instant de lui faire remarquer qu'elle a l'air en forme, pour une personne récemment décédée.

« Nickel! gazouille-t-elle. Et comment va ton… » Elle se tait le temps d'essayer de se rappeler un détail ou un autre de ma vie. « Enfin, bref, j'allais te rappeler pour te dire que mon téléphone est en feu depuis ce matin : tout le monde adooore mon meilleur mannequin. Ces photos sont sublimissimes! Tu as dû te ré-ga-ler, en Chine.

— Au Japon.

— C'est ce que je dis. J'adooore le Kilimandjaro.

— Le mont Fuji.

— C'est ça. J'ai de très grands stylistes qui veulent te voir ASAP, chérie. Gucci, Prada, Versace, tout le monde! Passe lundi, on fixera des rendez-vous.

— Désolée, Stephanie, mais je suis au lycée, tu sais.

161

« — Ah bon, chérie ? C'est adorable ! Pour quoi faire ?

— Hum. » Je n'avais jamais eu à expliquer le concept d'instruction. « Pour apprendre. Savoir des choses. Les livres, mon avenir, tout ça.

— Ah, ouiiiii ! Et ça ne peut pas s'annuler, ça ? »

Je n'ai jamais rencontré Stephanie en chair et en os, mais je me rappelle soudain que Wilbur ne l'aime pas trop, loin de là.

« Ben non parce que… enfin… c'est le lycée, quoi.

— Ah, ça tombe mal, ça. On devrait peut-être essayer de te faire arrêter progressivement. Tu sais, un petit peu moins chaque semaine, pour te désaccoutumer. » J'entends qu'on tape sur un clavier. « Oui, non, ouais, bon. Je vais trouver une solution. En attendant, que dis-tu de demain matin à la première heure ?

— Pour faire quoi ?

— Trois jours à Marrakech. Un shooting fabuleux pour Levaire, ça vient de tomber aujourd'hui. »

Nous clignons des yeux en moyenne 6,25 millions de fois par an, mais si je ne fais pas attention, cette conversation va user ma ration de l'année et je devrai me balader les yeux fermés jusqu'à Noël.

« Levaire ? Comme Jacques Levaire, le joaillier ? » Même moi, j'ai entendu parler de lui. Nat essaie tous les ans, en vain, de se faire offrir un collier Levaire depuis le jour où elle a compris que le père Noël était sa mère. « Et Marrakech… comme dans Marrakech ?

— Ben oui, chérie. L'Espagne, l'Europe. La chaleur. Le sable et tout.

— Le Maroc, dis-je machinalement. L'Afrique du Nord. »

Je commence à me demander s'il ne faudrait pas que je lui envoie un atlas.

« Exactement, Hannah chérie. C'est ce que je viens de dire. »

Je regarde mon téléphone d'un œil vide.

Il y a encore une heure, je pensais que ma carrière de mannequin était morte et enterrée. Et voilà que ma tête est affichée dans toute la ville et qu'on m'invite en Afrique du Nord pour poser pour Jacques Levaire !

Mon cœur bondit soudain, comme il en a l'habitude, telle une baleine à bosse joueuse : droit vers le ciel, saut périlleux. J'adorerais aller au Maroc ! Je sais déjà beaucoup de choses sur ce pays : c'est celui qui est situé le plus à l'ouest du monde arabe, et on raconte que c'est Hercule en personne qui sépara l'Europe de l'Afrique, à mains nues, formant ainsi le détroit de Gibraltar. C'est aussi une destination considérée comme l'une des plus spectaculaires, exotiques et fascinantes qui soient, et j'ai déjà lu de bout en bout tous les guides touristiques qui en parlent.

Juste au cas où, quoi.

Et puis cela implique de recommencer à poser, ce qui me manquait un peu. Et ce serait une aventure.

Et surtout, cela me donnerait autre chose à faire que rester assise devant chez moi, à attendre en regardant le ciel.

« Je… »

Après cette amorce de phrase, je me tais brusquement. La baleine retombe à l'eau dans une grande gerbe d'éclaboussures. Je ne peux pas continuer à me servir du mannequinat pour fuir, pas vrai ? J'ai des polynômes à étudier et des fonctions à développer, moi, demain.

Mes parents vont être fous de rage.

Sans parler du fait que je viens de découvrir que je n'aime pas trop voir ma tête affichée partout, en réalité. Cela me donne des crises d'angoisse par terre en plein centre-ville.

Mais… le Maroc !

« Stephanie, peux-tu me laisser deux minutes pour y réfléchir ?

— Bien sûr. Et, Hannah chérie ?

— Harriet.

— Oui, bon. Sur ce coup-là, c'est quinze. »

Quinze quoi ? Quinze ans ? Quinze carottes ? Quinze kilomètres à pied, ça use, ça use ?

« Livres ? »

Ce n'est pas une somme énorme, mais il est vrai que je n'ai pas beaucoup d'expérience, je n'ai pas travaillé depuis un mois, l'avion doit coûter très cher, et puis il y a l'hôtel, et…

« Quinze mille, chérie. Penses-y. »

Fin de la communication.

Stephanie a beau être partie – mais sans doute pas encore pour un monde meilleur –, je continue de contempler fixement mon téléphone. Quinze mille livres ? Quelqu'un veut me donner quinze mille livres sterling pour un travail que j'accomplirais volontiers gratuitement ?

C'est énormément d'argent.

Et pas seulement pour une jeune fille de seize ans. C'est trois ans de revenus pour un célibataire à la tête d'une belle fortune, d'après *Orgueil et Préjugés*. C'est 911 fois la somme pour laquelle Jo March vend ses cheveux dans *Les Quatre Filles du docteur March*. C'est – chiffre sans doute plus intéressant – un an et demi de scolarité à l'université de Cambridge.

La tête me tourne, mes mains tremblent plus que jamais. J'inspire donc à fond et je décide d'appeler la seule personne au monde qui soit susceptible de pouvoir répondre à mes questions.

C'est dire où j'en suis arrivée.

Wilbur.

38

Il me faut dix-huit tentatives pour réussir à le joindre, mais je le rappelle simplement jusqu'à ce qu'il décroche. De toute manière, j'ai toujours été stressée, je ne vais pas commencer à prétendre le contraire. Surtout maintenant.

« Papattes-d'Écureuil! couine-t-il enfin. Attends, retiens ton poney shetland, le garçon s'est trompé en écrivant mon nom sur mon *latte* épices-citrouille. » Sa voix s'éloigne de l'appareil. « C'est *-bur*, pas *-iam*. Oui, comme le cochon dans *La Toile de Charlotte*… Pardon? » Puis il revient vers moi. « Mon Susucre, ce *barista* amerloque a beau être joli garçon, je te jure que s'il me fait encore *groin groin*, je le dénonce à la SPA. »

J'ai soudain l'impression d'avoir un morceau de pomme coincé dans la gorge. Quand Wilbur a quitté l'Angleterre pour un nouveau job dans la mode aux

États-Unis, je ne me doutais pas qu'il laisserait un si grand vide dans mon existence.

« Wilbur, comment es-tu habillé ? » J'ai vraiment besoin de le visualiser. « À cet instant précis, qu'est-ce que tu as sur le dos ? »

Il me répond sans se formaliser de cette question pourtant hyper louche. « Un poncho en fausse fourrure de panda à oreilles et un pantalon rose fluo, chérie. Une tenue qui hurle : "Je sais, je suis à croquer comme une chips au wasabi." Un look fabuleux. Tout le monde veut être moi, ou sortir avec moi, ou me lyophiliser pour me garder à jamais. Comme une figue, ou un raisin sec, à la limite. »

Je souris de satisfaction. Je voudrais être à New York en ce moment, pour le serrer dans mes bras comme un chaton arc-en-ciel géant.

« À part ça, quoi de neuf, la p'tite meuf ? Tu as reçu mon SMS ?

— Humm... oui. » Avec horreur, je constate que ma voix vacille légèrement. « En fait, c'est pour ça que je t'appelle. Wilbur, je ne comprends pas. Qu'est-ce qui se passe ? Pourquoi est-ce qu'on voit ma tête partout ? Je croyais que la campagne de Yuka était annulée. »

Wilbur s'étrangle de rire. « Oh, mon Pissenlit-Chéri. Ça n'a jamais été à l'ordre du jour ! Tu penses bien que Yuka a immédiatement traîné Baylee devant les tribunaux, tel le rottweiler enragé de la mode qu'elle est. Et une fois qu'elle a gagné, elle a décidé de frapper un grand coup avec sa marque. Un coup énormissime. Immensissime, gigantissime, colossalissime. »

Un jour – quand nous aurons moins urgent à faire –, je demanderai à Wilbur pourquoi il ne dit pas simplement « grand ».

« Mais pourquoi avec moi ?

— Je pensais que c'était évident, Monster-Munch. Tu as toujours été sa grenouille-rouquine préférée. C'est ça, l'amour ! »

Au cours de ma carrière de mannequin, Yuka Ito m'a crié dessus, a éteint et rallumé un projecteur au-dessus de ma tête, m'a enfermée dans une boîte en verre, m'a jetée dans de l'eau froide, m'a entourée de choses mortes, et m'a virée avec perte et fracas. Les mannequins qu'elle n'aime pas, je suppose qu'elle doit les mettre au four et les dévorer.

« Mais… et la photo où je suis peinte en doré ? C'était pour Baylee, ça, non ?

— Tout à fait, répond Wilbur, hilare. Yuka t'a piquée à eux, en plus : je pense qu'elle s'est dit que ça leur ferait les pieds. Oh, ça me fait penser : elle avait un message pour toi, ça va me revenir dès que la caféine sera passée dans mon sang. C'est un triple, donc ça ne devrait pas tarder. »

Je l'entends souffler sur son café à 5 567 kilomètres de distance : un grand ciel bleu au-dessus de lui, Central Park plein de feuillages jaunes et orangés en toile de fond, l'Empire State Building dressé non loin.

Le pont de Brooklyn est soudain si proche que je peux presque le voir. J'éprouve une bouffée de mal du pays. Ce qui est pour le moins curieux, puisque je me trouve dans le pays qui a toujours été le mien.

« *Boum* ! continue Wilbur en jubilant. Elle m'a dit : "Fait."

— "Fait" ? Qu'est-ce que ça veut dire ?

— Bonbec-Pastèque, si je comprenais un mot de ce que raconte Yuka Ito, je serais unique au monde, et j'aurais une tout autre carrière, très lucrative, d'homme-qui-murmurait-à-l'oreille-des-Yuka. »

Je m'interroge. Elle a sûrement voulu dire « fée », parce qu'elle se considère comme ma bonne fée – même s'il est très facile de la prendre pour la méchante reine.

Et soudain, je comprends.

En décembre dernier, j'étais chez Infinity Models, un projecteur allumé au-dessus de la tête, et j'ai dit à Yuka que je voulais devenir mannequin pour changer les choses.

Et plus précisément : pour me changer, moi.

Et c'est cela qu'elle a fait : elle m'a donné exactement ce que je demandais. Simplement, les choses n'ont pas suivi le timing que j'avais prévu, c'est tout. Je commence à comprendre qu'elles ne le font sans doute jamais.

« Et donc… » Je suis en train de me ronger les peaux autour des ongles. « Qu'est-ce qui va se passer, maintenant, Wilbur ? Qu'est-ce que je dois faire ?

— Mon Hamster-Angora, rit-il. Je suis ta bonne marraine, pas ton biscuit chinois. Dis-moi, est-ce que Stephanie porte encore des chouchous sans aucun second degré ? Celle-là, il faudrait lui interdire de travailler dans la mode. Tu te rends compte ? À cause d'une seule femme, le velours ne redeviendra jamais tendance. »

Je prends conscience seulement maintenant que je n'ai jamais fait ce métier sans lui et que je ne sais pas bien comment m'y prendre.

« Wilbur, si j'accepte le job au Maroc, tu viendras avec moi ? S'il te plaît ?

— J'adorerais, Galipette-Choupette, soupire-t-il. J'en ai tellement ma claque de New York que je pourrais courir un 110 mètres haies en talons aiguilles pour m'enfuir. Mais nous, les bonnes marraines, on ne va pas au bal, même quand on en meurt d'envie. On vous prépare, et quand vous êtes prêtes, on vous regarde partir. »

Je contemple le trottoir, parce que c'est peut-être bien ça, le problème. « Mais si je ne suis pas prête ?

— Alors n'y va pas, me conseille Wilbur avec plus de douceur. La gloire, l'argent, la réussite : tu as le choix, Bébé-Bébé-Panda. Nous, on t'a donné le conte de fées. Après, ce que tu en fais, c'est ta décision. »

39

Toujours en proie à un léger vertige, je dis au revoir à Wilbur. Puis, lentement, je lisse la photo chiffonnée, humide de sueur, que je serrais dans ma main.

Je contemple la fille qui scintille dans le lac. En dessous de YUKA ITO en petits caractères dorés : un flacon de parfum qui imite une flamme, en verre dépoli d'une couleur or sombre dans le bas, qui s'éclaircit peu à peu jusqu'au bouchon en volute. Une minuscule ampoule incluse dans la base rend le flacon lumineux.

Encore en dessous, un seul mot, en grandes lettres argentées : BRILLANCE.

Et soudain, j'ai l'impression de me déchirer en deux dans le sens de la hauteur.

D'un côté, Harriet Manners la geek. Timide, maladroite, angoissée et impopulaire. Mal à l'aise, s'excusant tout le temps. Collectionneuse de phasmes, inventrice de jeux de Monopoly personnalisés, sécheuse de chaussettes. Qui s'habille en canard, hyperventile assise par terre, se cache sous les tables. Et se plonge dans les histoires écrites par les autres au lieu de vivre la sienne. Brisée par le chagrin, seule et abandonnée.

De l'autre, Harriet Manners le mannequin. Voyageant dans des pays exotiques, toujours prête à saisir sa chance et à poursuivre l'aventure. Douée et intéressante. S'habillant couture, très demandée dans le monde de la mode, exploratrice de villes inconnues et fiancée adorée de Nicholas Hidaka.

Aimée, recherchée et inoubliable.

Ma journée au lycée défile soudain devant mes yeux.

C'est *ça* qui a changé, pas vrai ?

Grâce à ces superbes photos sur papier glacé, tout le monde a vu un autre aspect de moi. La geek qu'ils connaissaient depuis des années s'est volatilisée, remplacée par cette version de moi pleine de succès et d'assurance. Hardie et mystérieuse. Intrépide et courageuse.

Ils ont vu cette fille qui brille, et ils l'aiment.

Et vous savez quoi ?

Je crois bien que moi aussi, je l'aime.

Je contemple la photo encore quelques secondes, et *crac !* Je sais soudain laquelle de ces deux filles je veux être. Un indice : ce n'est pas celle qui se cache sous sa couette en pleurant et en priant pour avoir une autre vie.

« Stephanie ? dis-je lorsqu'elle décroche à la seconde sonnerie. J'accepte le job. D'ailleurs, à partir de maintenant, je les prends tous.

— Su-peeer ! me répond-elle en tapotant sur son clavier. Je viens de parler avec Gucci, Wang et McQueen : on arrangera quelque chose avec eux pour après. Ce n'est que le début, chérie. Tu vas être *énorme*. Je te maile les détails. »

Lorsque je raccroche, un nouveau raz-de-marée me passe dessus, sauf que cette fois ce n'est pas une vague de froid ni de panique. Au contraire, c'est une vague de chaleur et d'espoir, et j'irradie de bonheur.

Tout, dans ma vie, a déjà changé, et ceci est ma seule chance d'accompagner le changement. De prendre ma propre histoire en main et d'en tourner les pages.

De recommencer à aller de l'avant.

Car, que je le veuille ou non, il y a presque un an, je me suis divisée en deux. Il y a désormais deux Harriet, deux vies, deux personnes que je peux être.

Wilbur avait raison : c'est mon choix.

Et je choisis celle qui brille.

40

Bien, voici quelques faits intéressants
à propos du mensonge :

- Dès l'âge de 4 ans, 90 % des enfants comprennent
  le concept de dire des choses qui ne sont pas vraies.
- 60 % des adultes ne tiennent pas 10 minutes une
  conversation sans dire au moins un petit mensonge.
- Mentir de manière compulsive rend scientifiquement plus intelligent.
- Nous avons beaucoup plus de chances de mentir à
  ceux que nous aimons qu'à des inconnus.
- Je le pratique beaucoup.

  Vraiment, beaucoup beaucoup.

  Pas volontairement, bien sûr. Mais j'ai juste compris, en seize ans d'existence, que le risque de fâcher
les autres, de ne pas obtenir ce que l'on veut et de se
retrouver dans le pétrin tendait à augmenter considérablement si l'on disait la vérité.

Toutefois, j'ai aussi appris que tisser une toile complexe de contre-vérités m'amenait presque toujours à me retrouver prise dedans, telle l'araignée la plus idiote du monde.

Je reste assise quelques minutes sur mon banc pour réfléchir intensément. Je fais une petite recherche sur Internet. Je prends quelques décisions importantes. Puis je décide d'essayer quelque chose de tout nouveau. Un acte sans précédent ; une chose à laquelle personne ne s'attendrait jamais, venant de moi.

Pour la première fois de l'histoire mondiale, je prends la résolution de ne pas m'affubler d'un costume brillamment adapté à la situation ni de concevoir une présentation PowerPoint intensément pertinente. Je ne vais pas taper d'arguments imparables ni d'exemples inspirés de la vie des insectes, pas plus que je ne vais dessiner des camemberts, des courbes ou des ensembles pour les imposer de force à mes parents.

Je ne vais pas fuir en courant, ni pleurer, ni me couvrir de faux boutons dessinés au rouge à lèvres et d'une fine couche de talc pour feindre la maladie, et je ne vais pas non plus faire semblant de tomber dans l'escalier, de me casser le bras, ou simuler ma propre mort à l'aide d'un aspirateur très bruyant.

Eh non.

Cette fois, c'est vraiment important, il faut donc que je sorte l'artillerie lourde. J'ai besoin de concentrer mon pouvoir de persuasion et de tout donner.

Par conséquent, j'opte pour un comportement inédit chez moi : je rentre calmement à la maison ; je pénètre calmement dans le salon ; je m'assois calmement en face de mes parents.

Et je leur dis tout.

Enfin, bon, presque tout.

Je leur montre le flyer, leur explique en détail l'impact que cette campagne va avoir sur ma carrière de mannequin, et je les informe que Jacques Levaire désire que j'aille poser pour lui au Maroc. Mais je garde pour moi ma nouvelle mission. La vérité peut être une arme puissante ; ce ne serait pas raisonnable d'en abuser.

« Je ne comprends pas bien, dit Annabel une fois que j'ai terminé, les yeux rivés sur la fille scintillante du flyer, qu'elle serre toujours entre ses doigts. Où est la présentation PowerPoint ? Que se passe-t-il ?

— C'est une ruse, diagnostique mon père en scrutant les coins de la pièce. Il y a une caméra quelque part, qui nous humilie à la télé en direct, je vous le dis, moi. »

Il fait un clin d'œil et envoie un baiser au lecteur de DVD.

« Ce n'est pas une ruse, dis-je encore plus calmement. D'un point de vue statistique, les parents constituent la catégorie démographique à laquelle on ment le plus, et je pense pouvoir dire, sans me tromper, que, en temps normal, je me situe en tête de cette tendance. J'ai juste eu envie d'essayer une autre approche pour cette fois, c'est tout. »

Un silence. Papa inspecte le dessous de la table basse. Et, soudain, il bondit en l'air.

« WOUUUUU-HOUUU, ma fille est top-modèle et je pars pour le MAROC ! braille-t-il en se ruant dans le couloir pour attraper sa valise dans le placard sous l'escalier. Enfin ! Les casinos, la Formule 1, Grace Kelly ! J'ai toujours voulu m'habituer à cette vie-là !

— Tu confonds avec Monaco, Richard, dit Annabel, qui contemple toujours le flyer.

— Ah. Est-ce qu'il y a des jets privés au Maroc ? Si oui, pas de problème, je serai heureux là-bas aussi. »

Ma belle-mère relève enfin les yeux et se met à m'observer avec attention, comme si j'étais un film étranger qu'elle essayait de traduire et que c'était bien plus difficile que prévu.

J'ai de nouveau les mains moites. Toute ma vie, j'ai essayé d'embobiner mes parents. C'était très risqué d'arrêter précisément maintenant. Je serre mes mains entre elles encore un peu plus fort. Franchement, je sais précisément qui je dois convaincre, et ce n'est pas mon père. Lui, j'aurais pu le persuader avec un paquet de chips et un Pépito.

« S'il te plaît, Annabel. Le mannequinat me manque, c'est une opportunité incroyable, beaucoup d'argent, et je rattraperai les deux jours de lycée que je vais rater. Je serais même prête à emmener papa. »

J'ai bien dit : « Je serais prête ». Ce qui n'est pas la même chose que : « Je souhaite ».

« WOUUUU-HOU ! crie mon père dans le couloir. Des yachts ! Des hélicoptères ! Un paradis fiscal rempli de fêtes et de paillettes et…

— Tu parles toujours de Monaco, là, Richard. » Annabel me rend le flyer. « Cette photo est magnifique, Harriet. Tu es belle comme tout. La réponse est oui. »

Je hoche lentement la tête. « Je comprends. Merci quand même de m'avoir écout… Pardon, quoi ?

— Tu peux y aller. Absolument. Oui. »

Tout mon calme s'est évaporé. « Mais… que… Pourquoi ?

— Pourquoi pas ? Tu viens de me prouver que tu n'étais plus une petite fille. Tu as tout expliqué de manière logique, tu t'es montrée honnête, et c'est parfaitement raisonnable. Tu as manqué les quatre premières semaines du trimestre par notre faute, alors je ne crois pas que deux jours de plus fassent une grande différence. D'ailleurs, je pense qu'un peu d'aventure au Maroc, c'est exactement ce qu'il te faut en ce moment, étant donné… étant donné tout. Tu as mon soutien sans réserve. »

Je n'en reviens pas. Elle plaisante, non ? Je n'arrive pas à croire que j'aie passé tant d'années à claquer les portes : j'aurais cassé beaucoup moins de charnières si j'avais essayé cette approche plus tôt.

Je ferme les yeux très fort pendant quelques secondes, envahie par le soulagement. Puis, prise d'une impulsion, je me jette sur le canapé et j'enfonce le nez dans l'épaulette du tailleur à fines rayures de ma belle-mère.

« Merci, dis-je tout bas en me pendant à son cou. Tu vas voir comme je vais bien me tenir, Annabel. Je ferai tout ce qu'on me demande, je ne casserai rien, je ne m'attirerai pas d'ennuis, et je… » Je trouverai le moyen de semer papa. En l'échangeant contre un chapeau, peut-être, ou contre un repose-pieds en cuir extrêmement utile.

« Oh, j'en suis sûre, me répond-elle calmement, en repliant ses mots croisés pour m'embrasser sur la tête. Parce que, cette fois, je viens avec toi. »

41

Papa boude toute la soirée.

« Tu as accompagné Harriet en Russie ; c'est normal que ce soit mon tour, non ? lui explique-t-elle en sortant nos vêtements d'été de leur rangement sous son lit.

— Si j'avais su qu'on pouvait choisir, j'aurais pris ce voyage-là, rouspète mon père. Il faisait un froid de canard, là-bas, et on n'a mangé que du chou. En plus, aucun des mannequins ne m'a adressé la parole. C'est trop injuste ! »

La phrase « C'est trop injuste » est ensuite répétée en boucle pendant le restant de la soirée.

C'est trop injuste quand nous faisons nos valises, et trop injuste quand nous rassemblons nos cartes, atlas et guides touristiques. C'est trop injuste quand nous sortons la crème solaire du placard, et trop, trop, trop injuste quand nous consultons la météo et découvrons qu'il fait 26 °C au Maroc et que les températures sont à la hausse. C'est trop injuste quand nous mettons nos valises dans la voiture le lendemain matin, et trop injuste quand papa nous conduit à l'aéroport.

Lorsque nous le quittons pour passer le contrôle de sécurité, il semble avoir enfin fait la paix avec la décision. « Le bon côté, dit-il gaiement en nous embrassant toutes les deux, c'est que quand Harriet ira aux Maldives, je serai prem's, pas vrai ?

— Tout à fait », confirme Annabel en lui rendant son baiser et en caressant la tête de Tabatha.

Je donne aussi un petit baiser à ma sœur, qui couine de manière tellement adorable que je suis tentée un instant de la mettre dans mon sac pour l'emmener.

« Prends soin de mon bébé, d'accord ? »

Là, très franchement, je ne sais pas bien duquel des deux parle Annabel. Mais bref : pendant ce temps, mon impatience augmente rapidement et de manière exponentielle. Plongée dans mes guides de voyage, mes recueils d'anecdotes, mes manuels de langue et mes plans détaillés de Marrakech, j'ai passé à peu près les quinze dernières heures à étudier.

Je connais l'existence des rochers préhistoriques gravés de la région de Figuig. Je connais l'existence des restes d'un garçon de Neandertal de seize ans, qui datent de 50 000 ans et ont été découverts dans une grotte près de Rabat. Et la cité magique, entièrement peinte en bleu pour symboliser le ciel et le paradis, n'a plus aucun secret pour moi.

Je sais également que, à part moi, tout le monde s'en fiche : le vieux monsieur assis à mes côtés fait semblant de s'endormir pendant que je lui lis un résumé de l'histoire politique du Maroc, à la page 4 de mon plus gros livre.

Mais, lorsque l'avion traverse les nuages gris au-dessus de Londres avant de surgir dans un ciel bleu vif et lumineux, les bulles d'excitation se multiplient en moi à vue d'œil – ce qui me rappelle une expérience de SVT que nous avons faite l'an dernier avec des bactéries dans une boîte de Petri. Sauf que chez moi, j'espère que c'est un peu plus glamour. Avec un peu moins de moisissure verte.

« *Salaam aleikoum* », dis-je de manière expérimentale à l'hôtesse de l'air quand elle nous apporte des cacahuètes. (Ça veut dire « bonjour » en arabe.) « *Sbah kheir* », j'ajoute gaiement quand elle me tend une serviette humide (salutation matinale). Et, quand elle nous propose un petit déjeuner : « *Bessalami!*

— Nous n'avons pas de salami, fait-elle, légèrement revêche. C'est sandwich au fromage ou sandwich au bœuf.

— J'essayais de dire "au revoir" en arabe.

— Ah, alors c'est *bessalama*. »

Je cherche rapidement « merci » dans mon mini-guide de conversation, et je me lance :

« *Choukran bézef !*

182

— Au bœuf, très bien. » Et elle flanque un sandwich sur ma tablette.

Lorsque les vastes étendues de terre poudreuse que l'on voit par le hublot commencent à se moucheter de constructions exotiques aux tons ocre et orangés, je suis tellement shootée d'adrénaline que j'ai envie de partir en courant dans l'allée entre les sièges en tapant dans mes mains et en braillant à tue-tête. Sauf qu'il y a déjà un gamin de quatre ans en train de faire ça et que cela ne le rend pas très populaire. Je vais donc plutôt m'abstenir.

Enfin, nous atterrissons sans heurt, et tous deux – le gamin et moi – applaudissons à tout rompre. Après quoi Annabel et moi traînons nos valises dans un aéroport tout blanc, décoré d'une délicate dentelle de pierre, qui ressemble à un gros gâteau de mariage, et nous nous approchons d'un homme qui tient une petite pancarte marquée : « HANNAH MANNERS ».

Je suis bien trop enchantée pour le corriger.

D'après mes recherches, il y a trois Harriet Manners dans le monde, et pendant la demi-heure qui vient, ça ne me dérange pas d'être quelqu'un d'autre.

Le chauffeur nous fait franchir en silence les immenses portes en verre du terminal, et nous nous retrouvons dans un air chaud, dense, odorant. Puis j'hésite quelques secondes en tripotant nerveusement un papier plié dans ma poche.

Annabel me regarde droit dans les yeux.

Elle m'a laissée déblatérer pendant tout le trajet : six bonnes heures. Et même, quand la dame assise devant nous s'est retournée pour me lancer un regard noir accompagné d'un gros soupir, Annabel a retiré ses lunettes et l'a dévisagée jusqu'à ce qu'elle rougisse et redisparaisse.

À présent, j'ai l'impression que ma belle-mère lit en moi avec autant d'attention que j'ai lu mes guides de voyage. Simplement, je ne sais pas trop ce qu'elle cherche.

Je me racle la gorge. « Hum. Annabel, pourrais-je m'isoler quelques secondes ? J'ai quelque chose à faire en vitesse avant qu'on arrive. »

Ma belle-mère m'observe encore un petit moment, puis remet ses lunettes de soleil. « Absolument. Prends ton temps. Je t'attends dans la voiture, je vais en profiter pour vérifier que ton père n'a pas déjà échangé ta sœur contre une PlayStation. »

Elle me fait un clin d'œil, que je lui retourne. Puis je traverse un large trottoir inondé de soleil pour aller me mettre à l'ombre d'un énorme palmier. Il y a des semaines que je ne m'étais pas sentie si pleine d'espoir. Cette fois, peut-être, j'arriverai à me passer de Wilbur.

42

Avec prudence, je contourne le tronc du palmier jusqu'à ce qu'Annabel ne puisse plus me voir. Puis je déplie la feuille de papier chiffonnée que je serre dans ma main depuis que je l'ai imprimée ce matin : le résultat de la recherche en ligne que j'ai faite hier soir. Autrement dit : la portion de vérité que j'ai cachée à mes parents.

<u>Comment trouver ta star intérieure !!!</u>

1. *Aie confiance en toi !* Tu es quelqu'un d'unique qui ne ressemble à personne !
2. *De l'audace ! Prends des risques !* Il n'y a pas de limite à ce que tu peux faire !
3. *Du style avant tout !* Secoue tes habitudes, essaie quelque chose de nouveau !
4. *Sois une source d'inspiration !* Ne suis pas les autres, c'est toi qui mènes la dance !

5. *N'en fais pas trop!* Cela n'inspire que mépris et pitié!!!!

6. *Crois en toi!* Et bientôt tout le monde croira en toi!

Depuis que j'ai trouvé cette liste, je la relis et l'apprends par cœur en cachette.

Ce n'est pas moi qui l'ai écrite, évidemment. Si c'était moi, j'aurais écrit « danse », pas « dance », et j'y serais allée mollo sur les points d'exclamation. Cette ponctuation revient, grammaticalement, à attraper quelqu'un par le col et à le secouer en lui criant les phrases à la figure.

Et c'est précisément pour cette raison que j'ai fait une capture d'écran et gardé la ponctuation d'origine. C'est d'une importante cruciale, et je ne voudrais pas tout rater bêtement à cause d'une correction typographique.

Et puis ce genre d'énergie agressivement positive est peut-être exactement ce dont j'ai besoin dans la vie en ce moment. Quelque chose qui me mette sur les bons rails, quand je ne sais pas les trouver moi-même. C'est un peu comme avoir un mini-coach de vie bondissant dans ma poche, ou peut-être un minuscule sergent-major.

Le cœur gonflé de joie, j'embrasse la liste qui va changer ma vie. Puis je la remets dans ma poche, rejoins la voiture et grimpe à l'arrière avec un mouvement de tête plein d'assurance. Et, pour faire un peu plus d'effet, je chausse mes lunettes noires. Qui sont rouge vif et couvertes de paillettes brillantes. Je les ai achetées à l'aéroport et elles me rappellent les chaussures magiques de Dorothy dans *Le Magicien d'Oz*. Sauf que je n'ai dû tuer personne pour les obtenir.

Heureusement.

« Prête ? me demande Annabel au moment où la voiture quitte l'aéroport pour commencer son trajet sinueux et poussiéreux vers le centre de Marrakech.

— Prête ! Je suis prête », dis-je avec un grand sourire.

Car si on refait sans cesse les mêmes choses, il ne faut pas s'attendre à ce que le résultat change. Si je veux vraiment que ma vie change…

… il faut que je commence par me changer moi-même.

43

À l'âge de dix ans, j'ai été opérée des amygdales.

Et j'ai quand même réussi à dire à tout le personnel de l'étage que les amygdales humaines peuvent rebondir plus haut qu'une balle en caoutchouc si on les jette par terre pendant les 30 minutes qui suivent leur ablation.

Ce que j'essaie de vous expliquer, c'est qu'il en faut beaucoup pour me faire taire. Eh bien, en trois minutes, le Maroc y parvient. Lorsque nous entrons lentement dans l'ancienne médina, le monde, derrière les vitres de la voiture, commence à se déployer en un carnaval de couleurs et de bruits. Les ruelles étroites et poussiéreuses sont remplies de gens en longue djellaba turquoise, écharpe rose, bonnet bleu, rouge ou vert, broderies blanches, grises, pourpres. Il y a des voitures partout, qui klaxonnent et se garent n'importe comment, le temps que leurs chauffeurs se parlent, se hèlent, rient ou se crient dessus, et les Mobylettes slaloment habilement entre elles. Ici et là, des animaux : des chevaux qui tirent des petites carrioles vertes ; des chats au regard apeuré, qui filent dans les ruelles sombres ; des ânes bruns chargés de sacoches tissées aux couleurs vives, et des dromadaires ruminant avec patience par petits groupes.

Et lorsque nous descendons de voiture et commençons à traîner nos valises à roulettes sur les pavés, la sensation s'intensifie encore. Des tissus de toutes les couleurs de l'arc-en-ciel pendent à des murs irréguliers, jaunes et ocre ; des sacs rouges et jaunes, des bijoux en argent, des rangées de babouches étincelantes dans des tons verts ou orangés, des lanternes de verre, du bois sculpté, des céramiques vernissées.

Le soleil peint des rayures jaunes sur les murs et les sols, et l'odeur change à chaque instant : fruits, encens, fleurs, un mélange d'urine et de cuir.

Les bruits se mélangent aussi – on entend du français, de l'arabe, de l'anglais, de l'américain, des rires, de la musique, des cris – et les étals sont chargés de victuailles : cônes d'épices odorantes, plateaux de figues, montagnes d'oranges soigneusement empilées en pyramide. Partout où je tourne la tête, il y a quelque chose à voir, une odeur à flairer.

Enfin, le chauffeur s'arrête devant une petite porte bleue en bois lourd et frappe. Elle s'ouvre dans un grand grincement.

Et là, une fois de plus, le monde se transforme.

Le chaos a disparu, comme par magie.

Une longue piscine bleu turquoise s'étire à nos pieds, éclairée par en dessous. Des lanternes sont disposées à intervalles réguliers sur le marbre du sol, les portes sont voûtées, une flûte carillonne discrètement, et des colonnes ornées d'une dentelle de pierre s'élancent vers les hauteurs pour soutenir des balcons de fer forgé. D'immenses lustres en verre coloré pendent du plafond, et on voit partout des fleurs, des miroirs, de l'encens, des meubles aux peintures délicates et des coussins de soie qui évoquent un carnage de papillons fatigués. J'ai l'impression que nous nous sommes introduites dans la lampe d'un génie particulièrement fondu de déco.

« Bon, lâche Annabel après quelques minutes d'un silence émerveillé, en se laissant tomber avec un petit soupir sur un canapé de velours. C'est ma nouvelle maison, ici, Harriet. Si ton père me cherche, tu lui diras que je ne bouge pas d'ici pendant trois ans.

— Comme cela fait plaisir à entendre! » Un homme en tunique et pantalon blancs s'approche de nous. Il apporte deux verres minuscules d'un liquide fumant, couleur de miel, qu'il pose calmement devant nous.

« Je me réjouis que vous vous plaisiez ici. *Ahlan wa Sahlan*. Du thé à la menthe ?

— Cinq ans ! se corrige Annabel en prenant son verre avec joie. Six, s'il y a un biscuit au gingembre avec.

— Bonjour, Alan, dis-je en posant ma valise pour lui tendre la main avec assurance. Ravie de vous rencontrer, et je dois dire que c'est vraiment cool d'avoir un nom et un prénom qui riment. Vos parents devaient être des poètes. »

Il éclate de rire. « *Ahlan wa sahlan* signifie "bienvenue" en arabe. Je m'appelle Ali, et je tiens ce riad. Un proverbe berbère dit qu'il faut calmer la surface du lac pour en voir le fond. » Il embrasse les environs d'un geste gracieux. « C'est ce que j'essaie de faire ici. Tout ce que vous désirez, je me ferai un plaisir de vous le procurer. »

Je le regarde, radieuse : on dirait bien que nous avons trouvé le génie de la lampe.

« Huit ans, souffle Annabel en se levant pour mieux admirer le plafond de pierre sculptée. Neuf, s'il y a un jardin.

— Malheureusement, je crois bien que vous n'avez que quelques minutes pour vous rafraîchir, continue Ali en faisant pivoter nos deux valises avant de nous entraîner dans un petit couloir de marbre pour rejoindre une chambre bleu pastel, remplie de fleurs, de soieries lilas et de peintures colorées. L'équipe est en train de s'installer à Jemaa el-Fna en ce moment même. »

Il y a un lit à baldaquin, sur lequel je m'assois immédiatement pour rebondir joyeusement. « Ali, savez-vous que le Maroc abrite une des plus anciennes civilisations du monde ? C'est ici qu'on a trouvé le plus vieux crâne d'enfant connu. Il remonte à 108 000 ans, c'est-à-dire au Pléistocène. Fantastique, non ?

— En effet, me répond Ali avec un petit sourire. Le réalisateur et la styliste vous attendent au salon. Dès que vous êtes prêtes, je vous y emmène.

— Merci beaucoup. » Je rebondis encore un peu. « Et savez-vous que le Maroc compte 40 écosystèmes distincts, et qu'il y a eu des lions et des ours et… » Je me tais subitement. Attendez une minute. « Pardon, vous avez dit "le réalisateur"? Vous voulez dire… le photographe ?

— Toutes mes excuses, fait-il avec une petite inclinaison du buste. Je ne suis pas entièrement familiarisé avec le vocabulaire de la mode. Comment appelez-vous celui qui réalise un film de publicité pour la télévision ? »

Un certain Ashrita Furman détient le record actuel de galipettes enchaînées en une heure (1 330). Il détient aussi le record des sauts périlleux les plus rapides, du plus long enchaînement de pirouettes, du saut de grenouille, du saut en étoile, et c'est sans aucun doute un homme très flexible et bondissant. Je pense que mon estomac vient de surpasser tous ses records. Mon Dieu… Je suis là pour tourner dans un film de pub ?

Je bondis pour rattraper Ali par la main. « Je… je crois qu'il doit y avoir une erreur, dis-je en bégayant. Je suis mannequin, pas comédienne, et je suis venue poser pour Jacques Levaire, et…

— Pardon, nous n'avons pas le temps de discuter, me coupe-t-il en me tendant trois feuilles A4 couvertes d'une écriture serrée. À tout de suite, Hannah Manners ! »

44

Voici une petite sélection d'occasions où j'ai échoué à me mouvoir comme prévu en public :
- La fois où je me suis assise au milieu d'un podium à Moscou devant 300 représentants de l'élite de la mode.
- Celle où j'ai fracassé une vitre pour m'extirper d'une boîte en verre à Akihabara.
- Celle encore où j'ai détruit une robe de haute couture, à cause de l'irritation d'un poulpe qui m'a éclaboussée de son encre.
- Toutes les fois où j'ai voulu prendre une paille dans ma bouche sans être bien concentrée.
- Environ un milliard d'autres occasions.

Très franchement, ma maladresse est un fait acquis et bien documenté. Je ne vois pas bien pourquoi il nous faudrait encore des preuves. Surtout en vidéo.

Tandis que mon cerveau cliquette dans le vide, je contemple avec horreur les papiers que l'on vient de me donner. Il s'agit apparemment d'une sorte de feuille de route. En titre, il est écrit : « CAMPAGNE INTERNATIONALE MONTRES JACQUES LEVAIRE ». Avec un CV et une photo agrafés dessus.

Pas de doute, c'est bien moi : je reconnais les taches de rousseur, les yeux trop écartés, le nez pointu, l'absence d'expression. Et pourtant, en dessous, on peut lire :

HANNAH MANNERS
Mannequin/artiste/interprète/danseuse/comédienne

Quatre slashs rien que pour moi ? Même du fond de ma panique, je ne peux pas m'empêcher d'être un peu impressionnée : mon ambitieuse collègue américaine Kenderall serait totalement jalouse, si elle voyait ça.

« Formée à l'Académie royale d'arts dramatiques ? commente, le sourcil froncé, Annabel, qui lit par-dessus mon épaule. Diplômée du Conservatoire royal des arts ? Un été passé avec la Royal Shakespeare Company ? Harriet, aurais-tu un prix Nobel quelque part au fond d'un tiroir, dont tu aurais oublié de me parler ? »

Le document entier n'est qu'une liste de réussites et d'exploits. De courts métrages dans lesquels j'ai joué, de prix reçus, de chansons que je suis, paraît-il, capable de chanter *a cappella*. Il y a un bref récit de mon triomphe dans *Le Fantôme de l'Opéra*, et un paragraphe entier consacré à la perfection de mon grand écart et à la rapidité de mon flip arrière. Ma palette d'émotions, aussi, est exceptionnelle, d'après ce papier.

Sauf que, bien sûr, rien de tout cela ne parle de moi. J'imagine que, me connaissant depuis près d'un an, vous l'aviez déjà compris.

« Stephanie leur a envoyé la mauvaise fiche, dis-je d'une voix blanche. Elle me prend réellement pour Hannah Manners. » *Exactement, Hannah, chérie. C'est ce que je viens de dire.*

Je regarde Annabel, les yeux écarquillés. Je ne peux pas continuer. Je ne peux pas jouer pour une campagne publicitaire internationale comme si je savais ce que je fais. J'ai déjà du mal à me comporter comme un humain normal en privé, alors vous imaginez, si c'est enregistré pour la postérité et montré à des millions de gens ?

Je parcours de nouveau la feuille de route.

Des millions de gens, pour de vrai : ce n'est pas une façon de parler. Ce film doit être diffusé en Angleterre, en France, en Italie, aux États-Unis, en Amérique du Sud, en Espagne, au Portugal, en Russie, en Austral…

Mon Dieu. MonDieumonDieumonDieumonDieumon…

Hydrogène. Lithium. Sodium. Potassium…

« Harriet, chérie. » Annabel se rassoit à côté de moi sur le lit et écarte doucement ma main de mon visage. « C'est exactement pour ce genre de choses que je suis là : pour dissiper les malentendus comme celui-ci. Laisse-moi juste quelques minutes, je vais tout leur expliquer. »

Elle se lève et empoigne sa mallette : toujours prête à se lancer dans un combat judiciaire, même en vacances. Seulement… que va-t-il se passer ?

Annabel leur dit que j'ai la palette émotionnelle d'une palourde, et ensuite ? Il est trop tard pour qu'on me renvoie chez moi. Je devrai poser quand même, sauf qu'avant même de crier « moteur », ils sauront que je n'ai pas le niveau.

Et puis… n'est-ce pas ce que je voulais ? Une chance de devenir quelqu'un de meilleur ? Quelqu'un de plus… brillant ? Même si cela implique, temporairement, d'être quelqu'un d'autre ? Hannah va peut-être pouvoir m'apprendre deux ou trois choses qui sont sur ma liste, tant que j'y suis.

Et cela emporte ma décision. Je me lève et me force à calmer ma respiration. « Ne leur dis rien. Annabel, si c'est cette fille-là qu'ils veulent, c'est elle qu'ils auront. » J'agite les feuilles en l'air. Je peux prendre des risques. Je peux être sûre de moi. Je peux être audacieuse.

Annabel, visiblement dubitative, m'observe avec attention pendant quelques secondes. « Tu es sûre ? Chérie, vraiment, tu n'es pas obligée.

— Je sais, dis-je en posant les papiers sur la table. Cette fois, je le veux. »

45

Dans les forêts d'Afrique centrale pousse une plante appelée *Pollia condensata*. Elle produit un petit fruit iridescent qui renvoie la lumière à un point tel que les biologistes l'ont élu organisme vivant le plus brillant au monde.

Jusqu'à présent, en tout cas.

Ali accompagne poliment Annabel au hammam du riad pour un massage gracieusement offert pendant que je me « prépare ». (« Quinze ans, me dit-elle avec un grand sourire. Dis à ton père qu'il faudrait qu'il me traîne par les ongles des pieds pour que je rentre. ») Puis il m'emmène, moi, dans l'atrium, pour me présenter à une petite maquilleuse blonde aux traits anguleux qui s'appelle Helena.

Durant l'heure qui suit, l'être humain que je suis est transformé en quelque chose qui pourrait être fixé sur le côté d'une voiture pour servir de rétroviseur.

À coups de points de colle, Helena me recouvre, des pieds à la tête, de paillettes et de petits miroirs, de perles, d'argent et d'or, de colliers, de bracelets, de barrettes et de faux cils violets. Ma robe est étincelante : rouge et rose et or et argent. Même mon visage et mes mains ont été si fortement pailletés à la bombe que quand je baisse les yeux, je vois des points lumineux, comme les gens qui souffrent d'un glaucome.

Sérieusement : il faudrait peut-être dire à la revue *National Geographic* d'envoyer quelqu'un. Je suis sûrement en train de battre un record de luminosité.

Enfin, Helena me tartine d'un gloss rouge poisseux, d'ombre à paupières bleue et de dix centimètres de fond de teint très pâle, après quoi elle me fixe au poignet une énorme et lourde montre en or. Cette chose semble conçue pour localiser un sous-marin dans les profondeurs.

« Essaie de ne pas la perdre, me glisse-t-elle à l'oreille. À supposer que ce soit possible. Elle doit avoir un GPS intégré.

— Elle n'en a pas, intervient une voix à la porte. Et c'est dommage, car ce serait super utile. Oh, Hannah, tu es une véritable fantasmagorie ! Exactement ce dont je rêvais. Bien joué, jeune femme dont j'ai oublié le nom.

— Je n'ai fait que suivre tes instructions, répond Helena en indiquant un croquis sommaire, qu'elle a en effet consulté pendant tout le processus. (Et que je prenais pour un dessin de sa fille de cinq ans, vu qu'il représente un bonhomme-bâton et des taches de couleur.) Tout le mérite te revient, Kevin, ajoute-t-elle. Je t'en prie. Prends tout pour toi.

— Ça m'est venu tout seul, comme ça, tu sais ? Je voulais un croisement entre Bollywood et *Danse avec les stars*, et je crois qu'on a réussi. Enfin, que j'ai réussi. Toi, tu as juste mis les points de colle. »

L'homme, jeune, mince, ressemblant un peu à une chèvre, entre avec un petit bond et me tend la main. Il porte des bottines fourrées marron, un tee-shirt blanc, un jean slim marron, une écharpe à motif écossais et une petite barbe bouclée, et il me rappelle tellement le faune Tumnus, dans *Le Monde de Narnia*, que, pendant quelques secondes, j'ai envie de chercher ses cornes et de le mettre en garde contre les dangers de la fraternisation avec les humains.

« Kevin Holland, le réalisateur. Mais bien sûr, tu le savais déjà. »

Je serre prudemment la main tendue. Comment pourrais-je déjà le savoir ? Porterait-il un badge que je n'ai pas vu ?

Sois sûre de toi, euh… Hannah. « Ah, oui. Kevin Holland, bien sûr.

— C'est infernal d'être reconnu partout où on va, continue-t-il en passant une main sur sa barbe.

Je n'étais pas préparé à ce degré de célébrité, tu sais. Recevoir tous ces prix, attirer l'attention comme ça… À la même époque l'an dernier, j'avais trente followers sur Twitter. *Trente*. Tu imagines ? » poursuit-il d'un air aussi choqué qu'indigné.

La recherche ayant montré que l'on aime davantage les gens quand ils nous renvoient nos actes comme un miroir, je me frotte moi aussi le menton (et me griffe avec une paillette par la même occasion). « Non, Kevin, car ce n'est pas imaginable.

— Maintenant, j'ai le statut "compte vérifié" et trente-cinq mille followers. Mais qui sont tous ces gens ? Qui sait ? Quelle importance ? »

Je suis tentée de répondre : *trente-cinq mille personnes qui savent sans doute qui elles sont, et pour qui c'est important*, mais je tiens ma langue.

« Et puis voilà que je rencontre Jacques Levaire dans une grosse soirée hollywoodienne à Hackney, et il me sort : "Hé, Kev, Kevin, Kevin Holland. Je sais que, d'habitude, tu fais des films artistiques profonds qui font sens, mais j'aimerais t'offrir une somme OBS-CÈNE pour que tu mettes un peu de cet incroyable talent créatif dans ma nouvelle ligne de montres hors de prix." »

Je dévisage Kev-Kevin-Kevin Holland avec des yeux ronds. Hum. C'est peut-être comme ça que les gens parlent à Hackney.

« J'vois totalement ce qui échappe au péquin lambda, tu comprends ? continue-t-il avec gaieté. Comme un super-héros doté d'une vision aux rayons X, sauf que moi, je vois direct à travers le cœur humain, c'est encore plus utile. »

Ça ne l'est pas du tout. À moins d'être chirurgien, et, vu l'état de ses ongles, ça ne semble pas très probable. Mais comme ce serait une réponse typique d'Harriet Manners la geek, je choisis plutôt de renverser la tête en arrière pour rire.

Tu peux y arriver, Harriet. Tu as tout pour être une star.

Je m'esclaffe bruyamment. « Absolument ! Et quel va être ton… ton *modus operandi* pour ce tournage en particulier ? J'aimerais beaucoup canaliser ta vision créative. Tu te considères plutôt comme shakespearien ? Marlowien ? Millerien ? Un peu Stoppardien avec un je-ne-sais-quoi de Wildeien ? »

Kevin bat des paupières plusieurs fois. Non sans raison. Je ne sais absolument pas de quoi je parle : je ne fais que nommer des dramaturges que je connais en ajoutant un suffixe pour rallonger les mots.

« *Modus operandi ?* répète-t-il d'une voix faible. Vision créative ? Stoppardien ? Millerien ? »

Je pique un fard. « Enfin, je voulais dire…

— Oh, je vois exactement ce que tu voulais dire ! s'exclame-t-il en prenant mes deux mains pour les embrasser. Enfin, on m'envoie une professionnelle avec qui je peux vraiment travailler ! »

Il me traîne en remorque jusqu'à la sortie du riad, pousse la porte d'un grand geste et ouvre largement les bras dans le soleil. « Et maintenant, Hannah, allons faire de l'art ! Tu viens ? »

46

Jemaa el-Fna est une place très ancienne située dans le centre de la cité fortifiée de Marrakech. C'est un vaste espace ouvert, fréquenté par les tou ristes comme par les autochtones. L'origine de son nom n'est pas très claire. Il peut signifier « la place devant la mosquée », « la mosquée de la mort » ou « le rassemblement au bout du monde ». Je vote pour cette dernière interprétation.

Nous arrivons au crépuscule, et j'ai l'impression de pénétrer dans quelque lointain monde féerique. Pendant la journée, la place est envahie par les marchands d'orange pressée, les femmes qui vous font des tatouages au henné sur les mains, les guérisseurs qui vendent potions et lotions, les arracheurs de dents, avec des ribambelles de molaires disposées devant eux, et les vendeurs de petits verres à thé avec l'inscription

MAROC, au cas où quelqu'un aurait oublié dans quel pays il se trouve.

Mais le soir, tout change.

Le soleil se couche et la ville se transforme : la musique commence et les lieux se peuplent d'acrobates, de danseurs et de musiciens. Les conteurs sont assis par terre, les diseuses de bonne aventure sous des ombrelles, les serpents se battent, les singes dansent et les tambours résonnent.

Il y a des lumières partout : par terre, sur des nappes recouvertes de bougies et de lanternes, et, de temps en temps, une fusée bleue est lancée en l'air par un enfant enthousiaste.

Marrakech de jour est merveilleuse, mais Marrakech de nuit ? Absolument magique.

« Mon Dieu ! » s'exclame Annabel pendant qu'Ali nous guide en silence entre les échoppes. Elle est rayonnante et détendue, et elle jette aussi beaucoup de petits coups d'œil à mon maquillage et à mon costume. « Harriet, tu es très… » Elle se tait au moins trente secondes, le temps de consulter son dictionnaire intérieur des synonymes. « … éblouissante », conclut-elle enfin.

Je fais la grimace, parce que je sais précisément ce qu'elle veut dire. Si on me tenait sous l'angle adéquat, je pourrais servir à allumer un petit feu.

Ali sourit légèrement et nous fait passer devant un vautour posé au sol, une chaîne autour du cou, puis devant un groupe d'acrobates, jusqu'à ce que nous atteignions une zone isolée par un cordon. Au milieu de cette zone, il y a d'énormes projecteurs blancs et des tas de gens qui tiennent des caméras et regardent de petits écrans. Et autour d'eux, un cercle encore plus large de touristes. Qui bavardent, rient, prennent des photos. En attendant patiemment le début de la représentation.

Soudain, j'ai un peu mal au cœur. Il y a beaucoup d'attractions fascinantes à Jemaa el-Fna, et on dirait bien que je viens d'en devenir une.

« Complètement navré, me dit Kevin en s'avançant pour me traîner à travers la foule. Ils ont dû apprendre que j'étais là. On n'a plus de vie privée une fois qu'on est célèbre, pas vrai ? Aucun respect pour l'intégrité de l'artiste.

— Est-ce que c'est Steven Spielberg ? murmure quelqu'un. Ils tournent le prochain *Indiana Jones* ?

— C'est pas la blonde de *Twilight* ? Elle est moins bien en vrai, non ? »

Kevin me pousse, de manière assez agressive, dans un espace ouvert et me laisse là pour aller ramasser un clap à côté d'une caméra. « Bon ! Je tiens vraiment à ce que ce soit frais, et surtout pas guindé. Il faut que tu ressentes l'instant, tu vois ? Alors je vais commencer à tourner tout de suite, et voir comment ça se passe entre vous deux. Voir s'il y a une bonne alchimie. »

Abasourdie, je regarde la foule avec inquiétude. Entre nous deux ? Oh, non, ça ne va pas recommencer !

Au cours des dix derniers mois, j'ai posé avec un bel Australien, un chaton blanc appelé Barry, une New-Yorkaise autoritaire, une jeune fille triste nommée Fleur et un poulpe très peu patient avec moi.

Je suis tombée amoureuse du premier, j'ai à moitié strangulé le deuxième et je me suis fait détester de tous les autres. Niveau alchimie, ce n'est pas fameux, comme départ.

« Qu'on amène Richard ! crie Kevin en actionnant son clap. ACTION ! »

Je me retourne, encore hébétée – je m'attends à demi à voir débarquer mon père –, et de la foule se détache une petite créature brune à quatre pattes. Deux yeux marron tout ronds, une longue queue dressée en l'air.

Non… ils plaisantent, là ? Car j'ai déjà dit ce qui va suivre, évidemment, mais cela n'a jamais été à prendre au pied de la lettre. Du moins jusqu'à maintenant.

Richard est un singe.

47

Ne nous y trompons pas : j'aime les singes.

Les singes partagent 95 % de leur ADN avec les humains. Ils se parlent avec des accents, jouent, reconnaissent leurs amis en photo et expriment leur affection en se faisant des câlins. On en a même déjà vu mentir : par exemple, en criant : « Attention au tigre », pour inciter les autres à grimper dans les arbres et se garder une friandise pour eux tout seuls.

Les singes comptent parmi les espèces les plus charmantes, curieuses et fascinantes de la planète, et ils figurent en troisième position sur la liste de mes animaux préférés, juste derrière les éléphants et les pandas.

Mais ce que je n'aime pas, c'est les voir avec une chaîne autour du cou. Ni les voir traînés sur les pavés d'une place de marché. Et j'aime encore moins qu'on m'en fourre un dans les bras en attachant la chaîne à

mon poignet pendant qu'un petit barbu me crie :
« Allez, Manners ! Fais quelque chose ! »

Richard passe ses minces bras velus autour de mon
cou et me regarde avec ses immenses yeux tristes, au-
dessus de son petit nez de cuir. Et soudain, j'ai envie
de pleurer. « C'est un magot, dis-je en me dégageant
doucement de ses mains minuscules.

— Arrêtez de tourner ! » crie Kevin. Richard, lui, se
met à tripoter avec curiosité un fragment de plastique
brillant collé à ma robe. « C'est un singe, je te dis.

— Tu ne comprends pas, j'insiste, la gorge serrée.
Les magots sont des singes. Ce sont les seuls ma-
caques qui ne vivent pas en Asie, et c'est une espèce
menacée. Il en reste moins de 6 000 dans la nature. »
Kevin se renfrogne. « Eh bien, il n'est pas dans
la nature en ce moment, alors de quoi tu te plains ?
ACTION ! »

Je desserre la chaîne, et Richard – le singe, pas mon
père – grimpe sur mon épaule, puis monte fermement
s'asseoir sur ma tête.

« Vous le perturbez, dis-je farouchement tandis que
sa queue velue se déroule dans ma nuque. Il n'a rien à
faire ici. Il devrait être dans la montagne avec ses
parents. Ou sa copine.

— COUPEZ ! braille Kevin. Je croyais que tu avais
l'habitude de travailler avec des animaux ! Et tout ce
temps que tu as passé dans un cirque, alors ? » Il fait

de nouveau claquer son clap. « Je ne te paie pas pour te plaindre. ACTION ! »

La foule des badauds commence à grogner. « Je ne crois pas qu'elle soit célèbre, en fait, râle quelqu'un.

— Non, moi non plus, ajoute un autre. En tout cas, elle n'est pas du tout assez jolie pour jouer dans *Twilight*. Ni dans *Indiana Jones*, d'ailleurs. »

Richard redescend dans mes bras et se remet à me dévisager, une main posée sur mon menton. Paniquée, je cherche des yeux Annabel, qui se tient à l'avant de la foule, en chemise blanche éclatante et pantalon gris, les bras croisés. Elle semble largement aussi furieuse que moi, et il est clair qu'elle n'attend qu'un signe de ma part pour passer à l'action.

À l'aide, lui dis-je par télépathie. Aussitôt, d'un mouvement rapide, ma belle-mère va se placer pile devant la caméra, bloquant totalement la vue.

« Cessez de tourner, dit-elle froidement. Je suis avocate, et si ce tournage n'est pas interrompu sur-le-champ, les associations de défense des animaux seront contactées. Ce ne serait pas une bonne publicité pour votre client. Suis-je parfaitement claire ? »

Kevin la regarde avec haine, tel un gamin de sept ans contrarié. D'une seconde à l'autre, il va se mettre à trépigner, lui dire qu'il la déteste et clamer qu'il aurait préféré ne jamais venir au monde, avant de filer dans sa chambre. Je ne sais même plus comment j'ai pu trouver Yuka Ito insensible. Par comparaison, Yuka était un Bisounours.

« Très bien, finit-il par souffler avec hargne, en jetant son écharpe par terre. Remballez ce foutu singe. Il jouait comme un pied, de toute manière. »

Un homme vient me reprendre Richard. Le singe s'accroche à moi pendant quelques secondes, ses yeux chocolat toujours plongés dans les miens, puis il lâche prise. Je le regarde partir, une boule dans la gorge.

Je me secoue enfin et tâche de retrouver une humeur un peu plus conciliante. Après tout, je suis ici pour travailler. « Désolée d'avoir gâché ton film, Kevin, vraiment. Veux-tu que je… euh… » Que lui proposer ? « Que je fasse le poirier ? La roue ? Une guirlande de cygnes en origami ? » (Sur ces trois activités, je n'en maîtrise qu'une – je risque donc de devoir apprendre les autres en vitesse accélérée.)

« Non, merci. J'ai une bien meilleure idée. »

Kevin observe, autour de lui, la foule encore fascinée, et, pour la première fois depuis que je le connais, il sourit largement.

« Mesdames et messieurs, qu'on apporte les serpents. »

48

Je ne suis pas beaucoup plus heureuse avec quatre pauvres serpents sur les bras. Mais, puisque je suis censée être professionnelle, je fais de mon mieux pour en avoir l'air.

Sous l'œil des caméras, je commence à onduler aussi gracieusement que je le peux – en agitant les bras avec autorité – pour faire passer l'idée que je suis « en harmonie avec la nature ». Même si la nature n'a pas vraiment l'air de souhaiter être en harmonie avec moi.

Le grand serpent vert essaie tout le temps de s'enrouler autour de mon cou, et je ne suis pas certaine de lui en vouloir.

« Embrasse-le ! me souffle Kevin quand le petit marron glisse sur mon épaule pour me chatouiller l'oreille avec sa langue.

— Pardon ?

— Embrasse le serpent. Juste un petit bisou. Et veille à ce que la montre soit bien visible en permanence. »

Je jette un coup d'œil à la masse d'or qui leste mon poignet. Franchement, il n'y a aucun risque. On verrait ce machin même à travers des rideaux fermés.

Puis je regarde le serpent avec méfiance. Il existe 3 000 espèces de serpents dans le monde, dont 600 sont venimeuses. Si j'étais un animal armé de poison, une rousse inconnue essayant de m'embrasser serait ma toute première cible.

Je déglutis, prends une profonde inspiration et lui donne un baiser rapide.

« C'est ça! braille Kevin. Encore! »

Je m'exécute.

« Encore! »

J'embrasse encore le serpent. Il me semble que, dans certains pays, on est officiellement marié au bout de trois baisers.

« Eeet… COUPEZ! » Kevin fait claquer son clap si énergiquement que quelqu'un dans le public pousse un petit cri. Et maintenant, voyons ce qu'on peut trouver d'autre sans finir au tribunal, OK? »

Je passe le reste de la soirée à errer sans but dans les étroites et sinueuses allées du souk de Marrakech, suivie à 4 mètres de distance par une équipe de tournage.

Et tous les trois pas, quelqu'un me crie après.

De temps en temps, c'est un marchand qui me croit en plein shopping. « Mademoiselle! me lance l'un d'eux en essayant de me prendre la main. Hé, la gazelle! Tu veux un chèche? Un beau chèche pour toi et toute ta famille! Très joli pas cher!

— Hé, la belle! Un beau tapis! J'ai des beaux tapis pas chers!

— Hé, ma jolie! Viens voir ma boutique, juste pour le plaisir des yeux! »

Mais en général, c'est surtout Kevin qui me crie dessus. Chaque fois que je réponds aux marchands, ou que je ris, que je ne marche pas comme il faut, que je dis: « Merci beaucoup mais j'ai déjà un tapis chez moi », le réalisateur explose de rage.

« Je t'ai dit non, Hannah! Tu ne parles pas! Et arrête de rire, c'est ringard! Recommence! À gauche! À droite! Non, l'autre droite! Et regarde la montre! Plus vite! Moins vite! Regarde la montre, bon Dieu! Tu ne fais pas une pub pour des jeux de piste! »

Cela dure jusqu'à ce que je me sente très embrouillée, très perdue et très en retard pour quelque chose d'important – sauf que je ne sais pas vraiment quoi, au juste. Comme une version particulièrement nulle du lapin d'*Alice au pays des merveilles*.

Je suis tellement désorientée que, à un moment où je tourne la tête de manière particulièrement enthousiaste, l'un de mes énormes pendants d'oreilles se prend dans un long foulard jaune accroché à un stand et je me retrouve brusquement immobilisée.

« Qu'est-ce que tu fabriques ? s'époumone Kevin à l'instant où je me recule en faisant la grimace, une main plaquée sur mon oreille. Qu'est-ce qui se passe, encore ? »

Je fais semblant de m'essuyer la figure avec le foulard, tout en tâchant discrètement de me décrocher. « Je… je m'imprègne de l'ambiance, tu comprends ? Je rentre dans la *vibe*… de, euh… des accessoires printemps-été. »

En tout cas, j'y suis fermement accrochée, à ces accessoires. Kevin me fusille du regard pendant que je fais mine de renifler l'étoffe. « Tu vas arrêter, oui ? Ça ne respire pas du tout le luxe et la sophistication. »

Les caméras continuent de tourner lorsqu'un boutiquier furieux arrive au pas de charge et décroche ma boucle d'oreille en rouspétant. Pendant ce temps, tous les autres marchands se sont mis à me filmer avec leur portable.

« Ces Américains, ils me feront toujours rire ! » lance l'un d'eux en secouant la tête.

Vous savez quoi ? Si je pouvais trouver un passage vers un autre univers, ce serait peut-être mieux pour tout le monde que je saute dedans à pieds joints.

Une fois libérée, j'erre encore un peu ; je trébuche dans un caniveau plein d'eau sale, puis je m'aventure par inadvertance dans une impasse, où je n'ai plus qu'à poser avec assurance une main sur ma hanche et à faire comme si c'était entièrement voulu.

Enfin, Kevin conclut qu'il a suffisamment tourné pour la journée. Ou qu'il ne peut décidément rien tirer de moi. C'est difficile à dire.

« Terminé ! » crie-t-il. Au même moment, son téléphone sonne et il le sort de sa poche. « Je paierai quelqu'un pour couper tout le déchet au montage. Allez vous coucher tôt, les amis. La route est longue jusqu'à l'erg Chebbi, alors on va précéder au départ à 4 heures. » Puis il disparaît sur un petit chemin sombre qui mène sans doute au riad, criant toujours dans son téléphone.

Un bref silence s'ensuit.

« Mais il est minuit, finit par soupirer Helena. Comment veut-il qu'on se couche tôt ? En voyageant dans le temps ?

— Quoi, il veut dire 4 heures du matin ? gémit Joe le cadreur. Dans quatre heures ?

— Je comprends pourquoi c'est si bien payé ! »

Annabel et moi attendons que toute l'équipe soit partie se coucher – en grommelant et en se frottant les yeux –, puis nous nous regardons. « Tu es sûre que tu veux continuer ? me demande-t-elle calmement. Je te fais remarquer que cet homme ne connaît pas la différence entre "procéder" et "précéder", et que notre vie est entre ses mains. »

J'acquiesce d'un air ensommeillé et je souris. J'ai beau m'être fait crier dessus toute la soirée – et avoir raté des tas de choses –, à ma grande surprise je m'amuse énormément. Peut-être suis-je plus proche de mon père que je ne l'espérais, au fond.

« D'accord, concède Annabel, qui sort de son sac un guide de voyage. Dans ce cas, la bonne nouvelle, c'est que l'erg Chebbi est formé de dunes de sable longues de 50 kilomètres, battues par les vents, et qu'il fait partie du désert du Sahara. »

J'écarquille les yeux, soudain parfaitement réveillée. J'ai un poster du Sahara dans ma chambre depuis l'âge de sept ans, et il est bien possible que j'aie découpé une photo de moi et que je l'aie collée dessus pour faire comme si j'étais allée là-bas.

« Et la mauvaise ? »

Annabel remet le guide dans son sac et se passe la main sur les yeux. « C'est à onze heures de trajet, et on y va en minibus. »

49

Onze heures de minibus, c'est long. Onze heures de minibus avec Kevin assis derrière vous, c'est infiniment long.

Avant l'aube, on nous entasse à l'arrière d'un petit fourgon blanc, qui sort de la ville et se dirige vers les montagnes de l'Atlas. Tandis que le ciel commence à pâlir, nous voyons se dessiner des pics sombres saupoudrés de neige. Les larges vallées et les gorges étroites sont semées d'arbres et de torrents, et, ici et là, de petites casbahs avec leurs tourelles, semblables à des châteaux forts, perchées sur le flanc des collines.

Nous passons parmi des chèvres et des moutons, dans des marchés et des villages, voyons même l'incroyable Ouarzazate : une cité berbère aux murailles de terre rouge, où furent tournés *Lawrence d'Arabie* et *Gladiator*.

Eh bien, Kevin, lui, ne remarque rien de tout cela.

« La célébrité m'est tombée dessus d'un coup. Comme ça, *boum !* Personne n'a rien vu venir », jacasse-t-il alors que nous regardons un monsieur promenant un âne avec une petite cloche autour du cou, le long de la route.

« Je suppose que j'ai toujours été créatif. Certains d'entre nous sont simplement faits pour voir le monde autrement, vous savez ? » cancane-t-il quand nous nous arrêtons pour déjeuner d'un tajine de poulet traditionnel.

« Ooooh ! Dix-sept retweets ! Dix-huit ! Vingt ! » roucoule-t-il alors que nous prenons des photos d'un joli village couleur pêche, plein de fleurs jaunes.

Quand le paysage devient plus sec et que les montagnes cèdent la place à des plaines brunes semées de petits tas de sable, la seule chose qui empêche les occupants du minibus d'assassiner Kevin est l'idée que nous ne devons plus être loin de notre destination. Plus le fait que le meurtre est toujours officiellement passible de la peine de mort au Maroc.

Enfin, nous nous garons dans un parking en gravier. Helena et moi descendons rapidement sous une chaleur de plomb, et nous précipitons aussitôt à l'intérieur d'un petit bâtiment en ciment pour que je puisse me changer de nouveau avant le coucher du soleil : cette fois, je dois enfiler une longue robe en soie jaune, bleue et orange, couverte de paillettes dorées, comme l'indique un bonhomme-bâton encore plus détaillé que le précédent.

Helena m'enduit le visage d'une autre épaisse couche de pâte et attache la montre à mon poignet en faisant la même tête horrifiée qu'hier. Puis elle m'emmène jusqu'à une longue file de dromadaires, qui grognent et ruminent avec une expression laconique et indifférente de vieillards rancuniers. De temps en temps, l'un d'eux ouvre la bouche et émet un grondement sonore, quelque part entre le cri du dinosaure en colère et un rot vraiment très mouillé.

Annabel se tient à côté d'eux avec la plus grande méfiance. « Il paraît que les Arabes ont 160 mots pour désigner les dromadaires, me dit-elle avec une légère grimace. Je pourrais sans doute en ajouter deux ou trois ! Mais bon, si c'est au programme de la journée…

— Oh, il n'y en a pas pour vous, dit gaiement Kevin en passant devant une énorme bête brune, un chèche bleu enroulé autour de la tête. Vous n'êtes pas sur la liste de l'équipe de tournage, ma p'tite dame. Estimez-vous déjà heureuse d'avoir eu une place dans le mini-bus. Moi, j'étais pour vous laisser à Marrakech. »

Je vois la mâchoire d'Annabel se crisper. « Très généreux de votre part.

— Oui, je suis réputé pour mes dons à des œuvres de charité. Hannah ? Tu n'es pas payée pour rester là comme une empotée à regarder le moyen de transport. Monte immédiatement sur Zahara, je te prie. »

En disant cela, il désigne un gigantesque dromadaire au poil clair, long et bouclé, qui tourne la tête pour m'adresser un lent clin d'œil à longs cils, telle une starlette des années 1920.

Prends des risques, Harriet.

Je grimpe avec appréhension sur la bête et pousse un petit cri étranglé quand Zahara se met lentement debout en commençant par les pattes arrière – m'inclinant de manière terrifiante vers l'avant –, puis les pattes avant – me renvoyant brusquement en arrière comme une poupée de chiffon.

Annabel inscrit quelque chose dans le petit bloc-notes qu'elle emporte maintenant partout avec elle. Je ne sais pas ce qu'elle a écrit, mais, à en juger par son expression, je pense que ce n'est pas un poème d'amour.

« Tu es sûre que tu n'as pas besoin de moi, Harriet ? » me demande-t-elle en mettant sa main en visière pour protéger ses yeux du soleil. Parce que sinon je suis prête à voler une de ces carpettes à pattes. Autrement… je peux profiter de mon temps libre pour passer quelques coups de fil. » Ses doigts remuent inconsciemment en direction de sa mallette.

Je réalise seulement maintenant qu'Annabel n'a jamais été séparée si longtemps de Tabatha. Et en plus, elle vient juste de reprendre le travail après son congé maternité, et nous sommes vendredi après-midi : elle doit crouler sous le boulot. Pour Annabel, ceci n'est pas du tout un week-end de détente au soleil. Si elle est ici, c'est pour une seule raison : veiller sur moi.

« Ne t'inquiète pas, je me débrouillerai très bien, lui dis-je avec le plus d'assurance possible pendant que Zahara me lèche la cheville gauche, pour goûter. Embrasse papa et Tabby pour moi. On se retrouve quand je reviens ! » Et je lui envoie un baiser affectueux.

Après quoi je m'en vais, seule, dans les sables orangés.

50

J'aurais sans doute dû préciser: *si* je reviens.

Ce n'est pas pour rien que l'on appelle le dromadaire « le vaisseau du désert », et il s'avère que je n'ai pas franchement le pied marin. Tandis que nous traversons une étendue sablonneuse pour rejoindre les hautes dunes, Zahara commence à osciller violemment d'un côté à l'autre, de haut en bas, et à tourner en rond : titubant, rotant, traînant les pattes, grimpant sur la première dune, agitant la queue et redescendant.

Ce qui pose un léger problème.

L'équipe de tournage s'est installée à 50 mètres pour pouvoir me filmer en train de passer, oscillant en équilibre instable, remuant la tête comme ces petits chiens en plastique qu'on voit à l'arrière des voitures.

Je suis balancée d'un côté, puis de l'autre. Je fais un écart, me penche et couine, et à un moment, je glisse si violemment que je me retrouve suspendue au flanc de ma monture. Un chamelier marocain doit me rattraper tandis que je ferme les yeux, agrippée à l'encolure de la pauvre bête.

« Cesse d'étrangler ce chameau ! crache furieusement Kevin, qui se trouve à ma droite. C'est pas possible d'être aussi gourde avec les animaux ! »

Enfin, au bout d'un moment, je trouve une sorte de rythme bancal. Ensemble, Zahara et moi gravissons jusqu'au sommet une dune particulièrement immense et poudreuse. Et en arrivant en haut, j'ai le souffle coupé d'un seul coup : *whoosh* !

Il n'y a plus d'Annabel. Plus de minibus. Plus de parking en gravier. Il ne reste plus que du sable. Environ 8 octillions de grains de sable, pour être précise, répartis sur près de 5,6 millions de kilomètres carrés en vaguelettes évoquant la mer, ou en gigantesques et douces montagnes, le tout d'un jaune orangé doré.

À ma gauche, les ombres des dromadaires s'étirent vers l'horizon, parfaitement dessinées en noir, avec de longues pattes fines comme les éléphants dans le célèbre tableau de Dalí.

Le ciel est rose vif, et des petits nuages jaunes et mandarine flottent épars au-dessus de nous ; en dessous, le sol passe sans cesse, comme par magie, du rouille à l'orange, puis à l'écarlate. Des petites étoiles commencent à s'allumer dans le ciel, et un silence absolu nous entoure. Pas un oiseau, pas un avion.

Rien qu'un calme parfait.

Le mannequinat m'a ouvert le monde. J'ai vu les lumières de New York et les bulbes de Moscou peints comme des sucres d'orge dans la neige. J'ai contemplé le mont Fuji au coucher du soleil et les néons de Tokyo à l'aube. J'ai déambulé dans les ruelles de Marrakech et dans des entrepôts déserts à Londres. Mais de tout ce que j'ai vu, c'est de loin ceci que je préfère.

Dommage qu'il me faille le partager avec Kevin.

« N'oublie pas, me crie-t-il à plusieurs mètres de distance, en plaçant ses mains en porte-voix, tu es une reine ! Tu es impériale ! Tu es la souveraine de tout ce qui t'entoure ! Et regarde cette foutue montre, bon Dieu ! »

Mais au sommet de cette dune, pendant que l'équipe me filme, le regard fixé sur l'horizon dans ma robe flottant au vent, je sens soudain tous les muscles de mon corps se détendre. Kevin peut bien me crier dessus tant qu'il veut : je suis la plus grosse veinarde du monde.

Et, l'espace d'un instant, je n'ai pas besoin de jouer la comédie. Assise sur mon dromadaire, à contempler les sables calmes, déserts, illimités, qui s'étendent sur des millions de kilomètres autour de moi, je me sens, en effet, souveraine.

Audacieuse, sûre de moi et capable de tout.

Car après une enfance passée à rêver et à imaginer, je suis enfin là. Dans le désert du Sahara.

51

Parmi les habitants du désert, on trouve notamment:
- 500 espèces de plantes;
- 70 espèces de mammifères;
- 90 espèces d'oiseaux;
- 100 espèces de reptiles;
- 200 millions d'êtres humains.

Kevin, pourtant, semble s'imaginer qu'il est seul.

« Quelqu'un a du réseau, ici? braille-t-il alors que nous redescendons la dune et que nous devons nous arrêter brusquement. Il faut que je poste ce selfie, et j'ai que dalle. »

On m'aide à descendre prudemment de Zahara, que je remercie d'une petite caresse. Puis on m'emmène jusqu'à une étendue plane entre deux dunes, pendant que l'équipe installe des projecteurs en demi-cercle. Je guette du regard ce qu'on va m'apporter: jusqu'à présent, j'ai été associée à un dromadaire, à un singe et à quatre serpents. Ma prochaine mission consistera sans doute à dompter à mains nues un dragon cracheur de feu tout en exécutant un numéro fantasque et original.

« Bien ! lance Kevin, nonchalamment appuyé à son dromadaire. C'est le dernier plan que je vais tourner, Hannah, et ce sera ma *pièce de résistance*[1]. Tu sais ce que ça veut dire ? »

J'acquiesce, immensément soulagée : pour une fois, je peux lui répondre bien facilement. « Oui. C'est l'expression française qui désigne le plat principal d'un repas.

— Faux. C'est le passage qui va me rendre célèbre. Encore plus célèbre. Alors tu vois, j'ai besoin que tu ailles chercher loin en toi pour sortir le meilleur. Tu sais, quoi. Tu fais ton truc. »

Je le regarde quelques secondes, légèrement hagarde.

« Pardon, mon truc ? »

Il veut que je fasse des calculs algébriques complexes devant les caméras ? Que j'analyse un peu de poésie métaphysique ? Que je réalise une expérience sur la migration des ions de manganite ?

Kevin se baisse et sort de son sac deux petites boîtes jaunes, qu'il enfonce légèrement dans le sable.

1. En français dans le texte.

« Je pense "nomade". Je pense "esprit libre". Je pense "ma montre Jacques Levaire, ce classique indémodable, est si superbe que je ne contrôle plus mon bonheur". Fais comme s'il y avait un feu de camp et des feux de Bengale, si tu préfères. On pourra toujours les rajouter numériquement après. ACTION ! »

Là-dessus, il agite la main vers les caméras et clique sur son iPod. Mon Dieu, que va-t-il se passer ?

Quand les énormes projecteurs blancs s'allument d'un coup et que les caméras commencent à tourner, je crois que j'ai déjà compris. Et voilà, comme de juste : un son de basse puissant commence à résonner. *Boum. Boum. Boum boum boum boum.* Puis une petite voix se met à chanter : « *Oooooh babyyyyy hiiighhhh iin theeee skkyyyyyyy yeuhhh buby.* » Un clavier électronique se joint à l'ensemble, suivi par ce que j'identifie comme un faux hululement de hibou.

Le rat kangourou a des orteils larges qui transforment ses pattes arrière en raquettes et lui permettent de fuir le danger sans s'enfoncer dans le sable. Il faudrait que je m'en fasse pousser rapido.

« Et maintenant, confirme mon réalisateur en s'adossant à son dromadaire pour ouvrir largement les bras... danse ! »

Alors, je danse.

Ou, pour être plus précise, Hannah danse.

Grâce aux compétences acquises durant son bref séjour à l'Académie de ballet du Bolchoï, elle pirouette et ondoie, se ramasse et bondit, saute et salue. Elle se roule un peu par terre, attrapant du sable dans les yeux, les cheveux et la bouche, qu'elle tâche de recracher avec toute l'élégance possible. Elle fait semblant de se noyer, remue, tressaute et rebondit. Elle s'essaie même à un peu de breakdance. Et vous savez quoi ? Harriet Manners est incapable de faire tout cela. Mais Hannah Manners ?

Apparemment, elle n'est pas mauvaise.

Je dois avoir récupéré son pouvoir encore mieux que je n'aurais pu le rêver car, pour la première fois, Kevin n'a pas un mot critique envers moi.

« Superbe ! » lance-t-il quand je tente un moonwalk dans le sable. « Merveilleux ! » crie-t-il quand, légèrement essoufflée, j'enchaîne trois sauts en étoile sans grand ressort. « Génial ! » s'exclame-t-il lorsque, gagnée par la panique, je pique à mon père quelques-unes de ses figures préférées : je fais « les genoux qui se croisent » et mime des petites boîtes dans des grandes boîtes avec mes mains. « C'est exactement ce que je voulais ! C'est frais, ça sort de l'ordinaire ! C'est visionnaire ! Tu crois que tu pourrais nous faire un peu de krumping ? »

Je suppose que ça consiste à danser comme quelqu'un qui a des crampes. Et donc, obéissante, j'enchaîne quelques mouvements spasmodiques.

Enfin, la musique s'arrête, et je m'écroule par terre, épuisée, pour finir en agitant les mains façon charleston. Je suis trempée de sueur et tellement essoufflée que je fais le bruit d'une scie en train de couper un arbre.

« EEET… C'EST DANS LA BOÎTE ! » s'écrie Kevin en maniant son clap pour la dernière fois. Il tend son téléphone à Helena : « Tu peux me prendre en photo en train de sauter ? C'est pour mon profil Facebook. »

Je reste quelques secondes assise sur le sable pour reprendre mon souffle. Puis je regarde vers le ciel. La lumière s'en va, le rose a viré au bleu violacé sombre, et les étoiles se multiplient de seconde en seconde, apparaissant telles des taches de rousseur sous le soleil. Je pousse un petit soupir et, dans ma tête, je tâche de prendre autant de photos souvenirs que possible. Je n'ai que seize ans, après tout. Je peux toujours revenir plus tard pour passer ma première nuit dans le désert sans être encombrée de quelqu'un qui braille : « TU PEUX SAUTER PLUS HAUT ! RECOMMENCE ! » Pas vrai ?

Hein ?

« Tu sais, me dit Joe le cadreur en m'aidant à me lever. Tout bien réfléchi, je pense que j'ai besoin de refaire quelques plans des dunes. Très loin par là-bas. » Il m'indique un point distant.

« Je t'accompagne, intervient aussitôt Kevin, qui a réapparu comme par magie. Je vois exactement le plan que tu veux faire, et tu ne peux pas le faire sans moi parce que je suis le réalisateur. » Il forme un carré avec ses doigts. « Oh oui, je vois ça d'ici. Je vois tout ! »

Joe me fait un clin d'œil pendant que Kevin commence à glisser sur le sable dans la direction qu'il a indiquée, et, comme sous l'effet d'un sort étrange et merveilleux, l'air devient de plus en plus calme, jusqu'au silence complet. J'entendrais presque le désert souffler de soulagement.

Alors, j'envoie vivement voler mes chaussures tout en articulant un « merci » muet.

« Tu as un quart d'heure, éloigne-toi le plus possible », me conseille Joe avec un petit sourire.

Je m'en vais vers la dune la plus haute des environs.

Et j'ai enfin l'impression d'avoir le désert pour moi.

52

La science estime qu'il y a 70 000 millions de millions de millions d'étoiles dans l'Univers connu, et au moins 170 milliards de galaxies occupant 13,8 milliards d'années-lumière tout autour de nous. Notre galaxie à elle seule contient 400 milliards d'étoiles.

Avec toute l'énergie qui me reste, je gravis la dune à quatre pattes. Ce qui me prend un temps étonnamment long : pour deux mètres que je fais en avant, je glisse d'un mètre en arrière. C'est un peu comme vouloir escalader un tas de sucre brun, tiède et doux.

Enfin, j'atteins le sommet et je m'allonge. J'étends les deux bras, les doigts enfoncés dans le sable. Et je contemple le ciel, maintenant entièrement pailleté.

Hertfordshire/Sydney – Février (il y a neuf mois)
« Je sais que je te manque, mais essaie de te tenir, Manners. Inutile de lécher l'ordinateur. »

J'ai ri et écarté Hugo de la webcam. Mon chien devenait un peu fou chaque fois qu'il voyait mon amoureux, mais je ne pouvais pas vraiment lui en vouloir. Moi aussi, cela me rendait un peu folle.

« La bave a des propriétés antibactériennes, ai-je dit à Nick sur un ton léger. On apprécie l'hygiène, chez nous, c'est tout. » Puis j'ai montré ma figure, derrière la petite tête blanche et ébouriffée de mon chien – qui s'est aussitôt mis à me lécher l'oreille. « Alors, c'est bon d'être chez soi ? »

Nick profitait d'une grosse campagne de photos en Australie pour passer le week-end chez ses parents.

« C'est super, mais j'ai en permanence l'impression d'avoir oublié quelque chose.

— Ben oui, ai-je dit en brandissant une chaussette bleue. J'ai trouvé ça sous mon lit hier. Elle ne sent pas très bon. À vrai dire, j'ai des doutes sur tes talents d'homme d'intérieur. »

Nick a renversé la tête en arrière et éclaté de rire, et chacune des cellules de mon cœur – qui sont au nombre de 2 milliards – s'est levée en silence pour exécuter une petite danse triomphale.

« Je te l'ai donnée quand tu as marché dans la flaque de neige fondue, banane. Donc, en fait, c'est toi qui l'as portée en dernier. »

J'ai rougi, mais de bonheur. « Ah. Bien sûr. Dans ce cas, elle sent le soleil et les roses, et je n'ai jamais rien reniflé de si délicieux dans ma vie et je la garderai à jamais sous mon oreiller pour dormir. »

Nous avons gloussé tous les deux, et là l'écran s'est mis à vaciller. « Allô ? » J'ai pressé quelques touches. « T'es encore là ? Nick ? »

L'image a encore clignoté deux ou trois fois : son visage apparaissait, disparaissait… « Harri…

— Nick ?

— Mince ! a fait une voix désincarnée. Pourquoi la ligne est aussi pourrie ?

— C'est pas grave, on peut juste… » Le son a été coupé aussi.

Depuis deux mois et demi que nous sortions ensemble, j'en étais venue à haïr férocement les appels vidéo. Ils me donnaient à voir un Nick tout pixélisé – comme s'il était dessiné ou peint –, et je ne pouvais pas me blottir la tête sur son épaule, flairer son odeur de citron vert ni l'embrasser. En plus, il y avait tous ces petits moments gênants qui survenaient sans prévenir : ceux où nous parlions en même temps, ceux où le son s'arrêtait, où l'image se figeait et où nous étions subitement séparés, écartés l'un de l'autre.

L'écran s'est rallumé et j'ai revu son beau visage, flou et paralysé au moment où il articulait un « u ».

« Tu es… avons-nous dit tous les deux en même temps.

— … ici.

« — … là-bas. Quoi ?

— Hein ? »

Le silence est revenu pendant que je piquais un fard : mon visage était maintenant figé dans le coin de l'écran, et on aurait dit un lutin constipé. Je me sentais étrangement intimidée, comme si nous étions de retour aux premiers temps de notre histoire.

Mon chéri était à 16 982 kilomètres de distance, et je sentais chacun de ces kilomètres sans exception.

« Qu'est-ce que tu…

— J'étais…

— Vas-y…

— Non, je disais juste… »

Encore un long silence pendant lequel nous tripotions nos ordis portables, et je me retenais de toutes mes forces pour ne pas jeter le mien par terre et le piétiner.

« Emmène-moi près de la fenêtre, a fini par me dire Nick.

— Oh, tu ne vas pas si mal, quand même ? Je veux dire, tu ne vas pas te défenestrer virtuellement, hein ?

— Peut-être, s'est-il esclaffé. On verra comment je me sens une fois là-bas. »

Je suis descendue de mon lit pour aller poser mon ordi sur l'appui de la fenêtre. Notre voisin tondait sa pelouse, vêtu d'une polaire bleu foncé. Rien de même vaguement romantique : je l'entendais pousser des jurons et donner des coups de pied dans sa tondeuse.

« Et maintenant, tourne-moi dans l'autre sens, que je voie le ciel.

— Mais il n'y a rien à voir, Nick. C'est tout gris.

— Ça va sans dire, puisque tu es en Angleterre. Et maintenant, je vais faire pareil. » Nick a levé son ordi et je me suis penchée pour mieux voir. « Qu'est-ce que tu vois ?

— Du noir.

— Parce que je suis aux antipodes de toi. Nos ciels sont presque complètement différents, et il fait noir ici quand il fait jour chez toi. »

J'ai retourné mon ordi pour lui montrer ma tête incrédule. C'était peut-être ce qui arrive quand on devient mannequin : les gens essaient de vous expliquer des concepts simples, comme la rotation de la Terre.

« Je te remercie, Nick. Ce sont des faits scientifiques fascinants que je n'ai pas du tout appris à l'âge de six ans. Je t'en prie, continue à me dévoiler les concepts de nuit et de jour.

— Je n'avais pas fini ! Je peux continuer ?

— Oui. Sauf si tu comptes me dire que la pluie descend des nuages et que c'est la gravité qui fait tomber les choses. Dans ce cas, non. »

Comme il grognait, je lui ai tiré la langue.

« Je t'ai dit que nos ciels étaient *presque* complètement différents, grosse maligne. Mais il y a un point commun entre eux qui, lui, est toujours là. Trois… »

Le visage de Nick s'est de nouveau figé. Plus de son. *C'est pas vrai, c'est une blague ?* me suis-je demandé.

« Nick ? » J'ai désespérément secoué mon ordi. « Trois quoi ? Trois jeunes tambours ? Trois petits cochons pendus au plafond ? » Mais rien, rien que du vide et du silence. « Nick ? ai-je dit d'une plus petite voix en le secouant de plus belle. Reviens ! »

Et l'écran est devenu noir.

Grâce à une absence de pollution presque totale, je vois en ce moment plus d'étoiles que jamais auparavant dans ma vie : des milliers et des milliers de petites lumières qui s'éparpillent lentement dans le ciel, un peu comme les paillettes bleues que Nat jetait partout quand elle avait sept ans.

Mais je ne regarde que trois d'entre elles. Après cinq minutes d'imprécations contre mon ordi, j'ai enfin eu la réponse : les trois étoiles de la ceinture d'Orion, aussi appelées « les Rois mages ». Alnitak, Alnilam et Mintaka. Trois des étoiles les plus brillantes du firmament, et – en raison de leur position proche de l'équateur – visibles de l'hémisphère Nord comme de l'hémisphère Sud. Du Maroc comme de l'Australie.

La semaine dernière, j'ai lu que le cœur avait sa propre pulsation électrique, c'est pourquoi il peut fonctionner même une fois séparé du corps. Et j'ai trouvé ça bien pratique, étant donné que le mien se trouve à l'autre bout du monde depuis un bon moment.

Mais, alors que je m'enfonce un peu plus dans le sable tiède pour regarder vers le ciel, mon organe vital me semble de nouveau un tout petit peu plus proche : battant et plein d'espoir, comme si je n'étais plus si vide. Et en pensant à ma lettre, je me sens de nouveau un peu plus complète : plus que depuis longtemps, en tout cas. Depuis que je suis descendue du pont de Brooklyn et que j'ai laissé le garçon que j'aimais, que j'aime encore, tout seul sans moi.

Car ce soir, ces étoiles sont à moi. Mais dans quelques heures, elles appartiendront de nouveau à Nick. Où que nous soyons, aussi noire que soit la nuit, quel que soit celui d'entre nous qui ne les voit pas, ceci est un lien entre nous qui ne se brisera jamais.

Le coin de ciel que nous partageons.

53

Par bonheur, le trajet du retour se passe nettement mieux que celui de l'aller. Principalement parce que j'emprunte des bouchons d'oreilles, que je me roule en boule, la tête posée sur les genoux d'Annabel, et que je dors pendant la totalité du trajet jusqu'à Marrakech.

Au moment où l'équipe descend du minibus, épuisée, à 7 heures du matin, et rampe quasiment jusqu'au riad, Kevin et moi sommes les deux seules personnes présentes qui soient de bonne humeur. J'aimerais prétendre que cela n'a rien à voir avec mon quart d'heure en tête à tête avec les étoiles, mais ce serait mentir. Honnêtement, il y a des semaines que je n'ai pas été heureuse comme cela.

Mon humeur joyeuse devient encore plus radieuse lorsque mon réalisateur me qualifie de « triomphe du casting » et envoie un baiser en l'air vers ma main – quoique à une distance considérable.

« Je connais quelqu'un qui va avoir un client heu-reux, gazouille-t-il en empoignant son énorme valise pour se diriger droit vers la porte du riad. Je vois déjà Jacques Levaire me dire : "Kev, Kevin, Kevin Holland. Si seulement il y avait des Oscars de la pub… tu les raflerais tous." »

Je lui souris largement : je pense que ça veut dire que tout s'est bien passé.

« Et maintenant, continue-t-il, je file sur la Côte d'Azur ressourcer ma créativité fragile comme un papillon. On se retrouve dans le train de la gloire, Hannah.

— Kevin ? » dis-je au moment où il pose sur sa tête un petit chapeau en feutre noir et pousse la porte. (Je me racle la gorge.) « En fait, je ne suis pas Hannah Manners. Je m'appelle Harriet. »

Il m'a offert deux des jours les plus géniaux de ma vie et un désert entier : je lui dois bien la vérité.

« Bah, quelle importance ? » fait-il en haussant les épaules. Et il referme la porte derrière lui.

« Il y a au Maroc un proverbe berbère, dit pensive-ment Ali, qui vient de se matérialiser, porteur de deux nouveaux verres de thé à la menthe fumant. "Tous les chiens voient leurs puces comme des gazelles." Je pense que Kevin croit que les siennes sont des licornes. »

Annabel, qui est appuyée toute droite contre le comptoir de la réception, ouvre les yeux. « Des licornes ? demande-t-elle d'une voix ensommeillée

241

en regardant vaguement la salle. Où ça ? J'aime bien les abeilles. »

Je souris et retire doucement le téléphone qu'elle serre encore dans sa main. Ma belle-mère était en train d'envoyer des mails quand je me suis endormie, et elle en envoyait encore lorsque je me suis réveillée. Il y a une chance, mince mais réelle, pour qu'elle ait poursuivi des gens en justice dans son sommeil. Je lui fais une bise, et elle enfile ses lunettes de soleil par-dessus ses lunettes de vue.

« Je crois qu'il est temps de rentrer, Annabel.

— Malheureusement, vous avez raison, intervient Ali en lui mettant d'autorité son verre de thé dans la main. Mais il vous reste une heure au Maroc avant que je vous conduise à l'aéroport. Y a-t-il quelque chose en particulier que vous aimeriez faire ? »

Décidément, cet homme est bien notre génie de la lampe. Et il me reste encore un vœu. « En fait, oui, Ali », dis-je en jetant un coup d'œil à ma belle-mère, qui s'est rendormie. Je n'ai pas besoin de vérifier auprès d'elle : je sais que nous sommes d'accord. Ou, du moins, qu'elle le sera quand elle se réveillera. « Nous avons un petit service à vous demander avant de partir, si cela ne vous ennuie pas.

— Harriet Manners, dit-il avec un sourire et une légère inclinaison du buste, rien ne me ferait plus plaisir. »

À notre retour chez nous, tous les points de ma liste sont cochés. Ou du moins, tous ceux qui comptent.

« Vous voilà ! crie une voix lorsque nous ouvrons la porte. Enfin ! Vous étiez parties depuis des années et des années ! »

Depuis le couloir, Annabel et moi, sidérées, regardons le salon. Je suis pourtant sûre que nous ne nous sommes absentées que trois jours, mais pendant quelques secondes je me dis que c'est papa qui doit avoir raison.

Il y a du tissu partout. Mes draps de rechange sont étalés sur plusieurs ficelles, le plus joli plaid brodé en coton blanc d'Annabel forme un vaste dais au milieu, et, à l'intérieur de la cabane la plus mal fichue du monde, il y a tous les coussins de la maison.

Ma petite sœur, couchée dans un cocon de vêtements en laine polaire à l'entrée, tire les oreilles d'Hugo avec persévérance.

« J'ai construit une forteresse ! s'écrie papa, toujours caché. On a tout ce qu'il faut, ici : des biscuits, des films, du lait, un âne en bois que j'ai trouvé au grenier et… »

Il sort la tête d'entre les draps, puis s'arrête net. Lui et moi pivotons lentement pour regarder Annabel. Sa frange blonde toujours parfaite tient en l'air toute seule, et elle a la figure écarlate, le nez qui pèle, des taches de jus d'orange sur son chemisier et de l'encre sur le visage parce qu'elle s'est endormie sur ses mots croisés pendant le vol du retour.

Eh oui. Ma belle-mère est une des meilleures avocates du pays. Elle a enduré vingt ans d'instruction, deux diplômes de troisième cycle, une belle-fille adolescente, un bébé, neuf ans de mariage avec mon père, des centaines de procès et un accouchement de treize heures, le tout sans se décoiffer un cil. Mais trois jours dans l'univers de la mode l'ont brisée.

« Harriet Manners, dit papa d'un ton sévère en me regardant, qu'as-tu fait de ma femme ? »

L'intéressée m'envoie un long regard ensommeillé, puis hoche la tête avec satisfaction. « C'était exactement ce qu'il nous fallait, lâche-t-elle en bâillant, avant d'entrer à quatre pattes dans la tente. Mais c'est bon d'être à la maison. »

Avec un petit soupir heureux, elle prend Tabs, embrasse tendrement sa frimousse et son petit ventre, la pose doucement sur sa poitrine. Ma sœur émet aussitôt un couinement ravi et essaie de faire entrer sa main entière dans le nez d'Annabel.

Puis papa donne à ma belle-mère le genre de baiser qui m'oblige à regarder le plafond avec gêne pendant plusieurs secondes. J'entre dans la tente avec eux et, pendant un petit moment, nous restons tous les quatre sans rien dire sous le dais blanc.

« Tu sais ce que je pense ? » finit par demander Annabel à papa.

Il hoche la tête sans rouvrir les yeux. « Oui. Tu penses : pourquoi est-ce qu'on ne fait pas des croquettes pour chat à la souris ?

— Non.

— Tu te demandes pourquoi Tarzan n'a pas de barbe alors qu'il n'y a pas de rasoirs dans la jungle.

— Bon, oui, maintenant que tu en parles, je me pose la question. Mais non. »

Mon père sourit tristement. « Il faut que je démonte ma géniale forteresse, hein ?

— Non, répond Annabel en fermant les yeux. Pour l'instant, c'est parfait. Je pense aux Bahamas, aux Maldives, à Hawaï… Quelle que soit la prochaine destination d'Harriet, Richard : c'est pour toi. »

54

Nous faisons une petite sieste en famille pendant une demi-heure. Après quoi Tabatha et Hugo se mettent à hurler simultanément, poussés par la faim, si bien que je les laisse à mes parents, désorientés, et que j'abandonne le fort le plus vite possible.

Sur la table de l'entrée, j'inspecte soigneusement le courrier pendant quelques minutes, pour voir s'il est arrivé quelque chose pour moi ces derniers jours. Puis je regarde sous le paillasson intérieur, parce qu'on ne sait jamais, quelque chose d'important pourrait avoir glissé. Puis sous le paillasson extérieur. À tâtons, je passe la main plusieurs fois dans la boîte à lettres, au cas où un cadeau romantique aurait été trop gros pour passer par la fente de la porte.

Mais il n'y a rien.

Pas aujourd'hui, en tout cas.

Je reste sur le seuil, la porte ouverte, pour envoyer à Nat un SMS rapide, histoire de savoir si elle veut qu'on se voie ce week-end, puisque je suis rentrée de Marrakech plus tôt que prévu.

Quelques secondes après, je reçois ceci :

J'aurais aimé, mais j'ai déjà qqch de prévu ☹ J'ai hâte que tu me racontes ton voyage ! Nat xxx

Je tape une réponse rapide – OK amuse-toi bien ! x –, remets mon téléphone dans ma poche, monte ma valise dans ma chambre et m'assois par terre, le dos contre le mur.

Je ressors alors de ma poche ma liste chiffonnée, celle de la star intérieure, prends un stylo sur mon bureau et me concentre intensément pendant quelques minutes.

Au cours des trois derniers jours, j'ai : pris deux avions, séché les cours, parcouru des routes de montagne en minibus, fait du breakdance, chevauché un dromadaire dans le désert, eu sur les bras des serpents et des singes, et soutenu un certain nombre de conversations avec un homme appelé Kevin.

Sans vouloir sembler prétentieuse, je pense que l'auteur anonyme de cette liste sur Internet serait immensément fier de moi en ce moment. Jamais de ma vie je n'ai pris autant de risques potentiellement mortels.

Avec un sourire, je trace une jolie petite croix à côté des deux points sur lesquels je me concentrais principalement.

1. *Aie confiance en toi!* Tu es quelqu'un d'unique qui ne ressemble à personne!
2. *De l'audace! Prends des risques!* Il n'y a pas de limite à ce que tu peux faire!

Ensuite, je concentre mon attention sur mes prochaines cibles.

3. *Du style avant tout!* Secoue tes habitudes, essaie quelque chose de nouveau!
4. *Sois une source d'inspiration!* Ne suis pas les autres, c'est toi qui mènes la dance!

Inspirant à fond, j'ouvre ma valise en grand et commence à la vider énergiquement de son contenu, telle une sorte de magicien. Des foulards jaune vif et des étoles blanches pailletées; des châles turquoise et violets à pompons; des gilets verts brodés; des pantalons larges, orange et bleus; des babouches en cuir rouge et d'énormes pendants d'oreilles en argent. Des tas de choses qui brillent, avec des perles et des miroirs. Jusqu'à me retrouver au centre d'un véritable arc-en-ciel.

À partir de lundi matin, les choses vont changer. Disparue, la geek: à sa place, une version très améliorée d'Harriet Manners. Quelqu'un de fort, plein de bravoure, quelqu'un de cool, plein d'assurance. Une fille capable d'inspirer les autres ; qui croit en elle-même et qui mène la danse. Ou, si vous voulez… la *dance*.

Car s'il y a une star en chacun de nous, il doit bien y en avoir une aussi en moi, c'est logique. Il ne me reste plus qu'à la persuader de se montrer, voilà tout.

55

Malheureusement, l'auteur de la liste n'a pas donné plus de détails sur le moyen, précisément, d'y arriver.

Et c'est bien dommage.

Car là, à 8 h 30 en ce lundi matin, je ne cracherais pas sur quelques conseils.

En arrivant au bout de ma rue, je tombe sur quatre élèves de sixième qui me suivent avec de grands yeux : on dirait des hiboux en blazer vert foncé trop grand et socquettes blanches.

Chaque fois que j'accélère, elles accélèrent.

Chaque fois que je m'arrête, elles s'arrêtent.

Si bien qu'à la fin les seules options qui s'offrent à moi sont : a) partir en courant, b) me cacher dans un buisson ou c) me rouler en boule par terre tel un hérisson jusqu'à ce qu'elles se lassent ou qu'elles me marchent sur les doigts par inadvertance.

Sauf que ça, c'est exactement ce que ferait l'ancienne Harriet Manners. Donc, au contraire, j'inspire profondément et je me retourne.

« Oui ? dis-je avec toute l'énergie dont je suis capable. Je peux vous aider, jeunes filles ? » Bravo. Maintenant, j'ai l'air d'une vendeuse de chez Gap dont un client aurait déplié tous les pulls.

« Euh… » La petite rousse s'est mise à sautiller d'un pied sur l'autre en jetant des regards à ses copines. « C'est toi, Harriet Manners ? Tu es vraiment top-modèle ? Parce que ma sœur est dans ta classe et elle dit que t'es célèbre, mais Fee trouve que t'es pas assez belle, alors on se demandait. » Elle désigne une blonde, qui devient aussitôt cramoisie.

« J'ai jamais dit ça ! C'est pas vrai, Lisa, t'es trop relou ! » Fee regarde par terre. « J'ai juste dit que t'avais l'air plutôt normale pour un mannequin, c'est tout. »

Normale. Franchement, c'est sans doute ce qu'on a jamais dit de plus gentil sur moi au bahut.

Nous nous remettons en marche. « Oui, je m'appelle bien Harriet. Le reste est grossièrement exagéré, je le crains.

— "Je le crains", se répètent-elles à voix basse. Claaasse ! »

Elles se mettent à gambader à côté de moi sur le trottoir.

« Est-ce que tu vis dans un château ?

— Est-ce qu'il a des tours ?

251

— Est-ce que t'es déjà allée en Jamaïque ?

— Ma tatie est allée en Jamaïque et elle a eu de la pluie.

— Je préférerais aller à la Barbade. Il ne pleut jamais là-bas.

— Sois pas débile, Lydia. Il pleut partout.

— Non, pas en Antarctique, dis-je machinalement. Les Vallées sèches sont l'endroit le plus sec du monde, parce que le vent y souffle à des vitesses pouvant dépasser 300 kilomètres/heure et fait s'évaporer toute eau de surface, neige et glace comprises. »

Elles cessent de gambader pour me regarder avec des yeux ronds, jusqu'à ce que je me sente rougir comme une tomate. Puis c'est reparti pour une nouvelle explosion.

« Ooooh !

— 300 kilomètres/heure, c'est trooop rapide !

— Plus rapide qu'une voiture !

— Plus rapide qu'un hors-bord !

— Qu'est-ce que tu sais d'autre, Harriet Manners ? Est-ce que tu sais tout ? »

À ma grande surprise, je m'aperçois que je bombe le torse comme un petit pigeon. Je n'ai pas l'habitude que des inconnus accueillent mes connaissances avec un tel enthousiasme. « Non, je ne sais pas tout. Mais j'ai beaucoup de livres comme celui-ci, qui aident à apprendre plein de choses. »

Et je sors de mon sac *Devenez un crack au petit coin*. J'aimerais beaucoup que les maisons d'édition cessent de partir du principe qu'on ne peut s'instruire qu'aux toilettes.

Elles s'attroupent autour du livre.

« Oooooh, trop bien !

— Ouais, c'est le truc le plus génial que j'aie jamais vu.

— Ma mère dit que les bouquins comme ça, c'est ringard, mais elle a trop tort. »

J'ai beau scruter leurs visages, je n'y trouve aucune trace de sarcasme ou de moquerie. Elles ne se paient pas ma tête, ne font preuve d'aucune ironie. Elles trouvent sincèrement mon livre super cool.

Encore plus bizarre : elles ont l'air de trouver que je le suis aussi.

Nous sommes arrivées devant le collège, et pendant quelques folles secondes, je suis tentée d'y entrer avec elles pour que nous puissions discuter de quelques points intéressants à propos des ponts. Ce sont peut-être elles, mes âmes sœurs. Ou, en tout cas, au moins mes âmes de compagnie.

Mais je me contente de leur dire : « Vous voulez que je vous prête mon livre pour la journée ? Il y a un passage passionnant sur les requins, page 143. »

Elles le prennent comme s'il s'agissait du Saint-Graal. « Quand je serai grande, je veux être exactement comme toi », me dit Lydia en le contemplant avec ferveur.

J'ai soudain une petite boule dans la gorge. On ne m'avait jamais considérée comme un modèle, dans la vie. Ni même – cessons de nous mentir – comme une adulte.

« Si ça vous plaît, j'en ai encore plein, leur dis-je, radieuse. Je vous en apporterai si vous venez m'attendre au bout de la rue demain avant les cours. » Elles vont adorer mon résumé humoristique de l'histoire des Tudors.

« Youpi ! glapissent-elles en sautillant sur place. On t'aime, Harriet Manners ! T'es la meilleure, Harriet Manners ! À demain, Harriet Manners ! »

Et, tout en me faisant timidement signe de la main, les quatre petites partent en courant vers les portes du collège. Me laissant tout illuminée de joie.

56

J'attends quelques minutes qu'elles soient parties.

Principalement pour avoir le temps de faire disparaître mon grand sourire idiot et de me composer une mentalité plus sophistiquée, de lycéenne.

Puis je baisse les yeux sur ma tenue. Pantalon en lin violet, caftan turquoise, châle jaune, boucles d'oreilles énormes, chargées de pierres orange, trois chèches – un rose, un vert, un bleu –, et les petites babouches rouges en cuir. Il y a des paillettes sur au moins quatre de ces articles, et des grelots sur trois.

Eh oui : une réussite totale !

Avec un sourire satisfait, je sors ma liste de ma poche et coche les deux points suivants.

3. *Du style avant tout !* Secoue tes habitudes, essaie quelque chose de nouveau !

4. *Sois une source d'inspiration !* Ne suis pas les autres, c'est toi qui mènes la dance !

Après quoi j'envisage, non sans angoisse, le conseil suivant :

5. *N'en fais pas trop !* Cela n'inspire que mépris et pitié !!!!

Hmm. Parmi tout ce que j'ai essayé sur cette liste ces derniers jours, ceci sera mon plus grand défi. En classe de quatrième, j'ai fait un saut de grenouille tellement exagéré que je suis rentrée dans le mur et je me suis démis l'épaule ; en troisième, en cours d'histoire, j'ai débattu sur le colonialisme avec tant d'ardeur que je me suis mise à pleurer ; en CE1, j'ai joué la Vierge Marie avec tant de conviction que j'ai volé le petit Jésus et…

Bref. Vous saisissez le tableau. La partie du cerveau qui vous permet, à vous, de participer à une activité de manière modérée, je n'en suis pas équipée. J'en fais *toujours* trop.

Mais il y a quatre points d'exclamation, ce qui doit vouloir dire que c'est très important. Je redresse donc la tête, tout en tâchant de rester nonchalante.

Crois en toi, Harriet ! Tu es une créature sans équivalent. Unique ! Aussi unique qu'un flocon de neige ! Aussi rare et exceptionnelle qu'un… un… un wombat à nez poilu du Queensland, dont il ne reste que 115 individus à l'état sauvage.

Oui : ça devrait passer. Et j'entre dans ma classe d'un pas décidé et insouciant.

57

Ou, du moins, j'essaie.

Je suis tellement insouciante qu'un de mes trois chèches se prend dans la poignée de la porte et que Mlle Hammond doit venir patiemment me dépêtrer avant que je ne me strangule toute seule.

Jusqu'à présent, ne pas en faire trop a failli me tuer.

« Harriet ! lance gaiement ma prof principale en me décrochant du mobilier. Te revoilà de nouveau ! C'est palpitant, de toujours se demander si tu vas venir en classe ou non. Une vraie roulette russe de l'absentéisme ! »

Pendant qu'elle parlait, toute la classe s'est tue et s'est tournée vers moi. « Harriet ! Tu es là !

— Comment s'est passé ton week-end ?

— Tes boucles d'oreilles sont démentes !

— Génial, ce look, Harriet ! Tellement décalé !

— Retty, t'es rentrée ! » couine Liv sous mon regard hébété. Elle donne un coup de coude à Ananya.

« Chouette ! On avait trop peur que tu sois repartie à New York !

— T'étais où ? s'enquiert Ananya, en déplaçant poliment ses pieds pour que je n'aie pas à les enjamber. T'as fait quelque chose de dingue, Ret ? »

Toute tremblante, je rejoins ma place. Je meurs d'envie de leur raconter tout ce que j'ai appris sur les camélidés, les serpents, et le fait que le taux de mortalité, quand on est mordu par un mamba noir, dépasse 95 %.

Mais je ne peux pas. Ne gâche pas tout, Harriet.

Je m'assois donc, avec l'air le plus tranquille possible. « Bah. J'ai passé quelques jours au Maroc : je tournais un film publicitaire pour Jacques Levaire. »

Un film publicitaire ? Je n'aurais pas pu dire « une pub », tout simplement ? On dirait que je n'ai jamais vu un téléviseur de ma vie.

Quelques-uns de mes camarades commencent à traîner leurs chaises pour se rapprocher de moi.

« Au Maroc ?

— Tu vas vraiment passer à la télé ? Noooon !

— Ça sort quand ?

— T'as gagné une tonne de pognon ?

— C'était comment ?

— T'as dû voir plein de stars, hein ? Ça devait être la piste aux étoiles, là-bas ! »

Ils parlent tous en même temps, ce qui m'empêche de me concentrer. D'habitude, c'est moi qui soûle les autres de questions. Je ne suis pas entraînée pour les entendre.

Quelqu'un vient de me parler d'étoiles, non, c'est bien ça ? « Oui, il y en avait plein. Je n'en avais jamais vu autant de ma vie. Des plus infimes aux plus connues. C'était cool. »

Quelques personnes de plus viennent graviter autour de mon bureau. « Lesquelles ?

— On les connaît ?

— Le prince Harry était là-bas, je parie !

— T'as beaucoup d'amis célèbres ?

— Tu connais d'autres mannequins ? »

Vite, je les compte sur mes doigts. Rin, bien sûr. Poppy, avec qui j'ai partagé un appartement à Tokyo. Fleur et Kenderall, de New York. Shola et Rose, rencontrées à Moscou. Les deux filles qui m'ont enfermée dans un placard à balais l'an dernier, juste avant mon audition pour *Hamlet*. Une salle pleine de mannequins, dans les coulisses d'un défilé, qui m'ont comparée à un œuf de poule, rapport à mes taches de rousseur.

« Peut-être huit ou neuf ? dis-je sans relever les yeux de mes doigts. Plus vingt ou trente supermodèles russes en petite tenue.

— Oh là là ! gémit Eric en joignant les mains pour regarder vers les cieux. Merci, l'Univers !

— Allons, allons, intervient gentiment Mlle Hammond en tapant dans ses mains. Votre attention, s'il vous plaît! Rappelez-vous que nous étions en train de faire l'appel! Faisons-le tous ensemble! »

Personne ne l'écoute, et au lieu de cela, tous se rapprochent encore un peu plus de moi. Je les regarde sans y croire. Ça… ça marche encore? Ça continue?

« Et Tokyo, c'était comment?

— C'est vrai que tu habitais dans un loft, à Manhattan?

— C'est vrai que tu as été repérée pendant une sortie scolaire?

— Il y a beaucoup de soirées de gala? »

Tout ce ramdam me laisse bouche bée. « Il y a des fêtes à peu près tous les soirs, je crois, leur dis-je. Poppy y allait tout le temps.

— Poppy? Tu parles de Poppy Page, là? Oh, mon Dieu, c'est une mégastar! T'as trop de chance!

— Et il y a du champagne?

— C'est vrai que Yuka Ito a nommé un sac à main en ton honneur?

— Si c'est vrai, je préfère ne pas savoir son nom, dois-je admettre, dubitative. Le dernier qualificatif qu'elle a employé pour me décrire, c'était "pleine de pus". »

À ma grande stupéfaction, il y a un vaste éclat de rire. De rire spontané, authentique. Et là, *whoosh*… une chaude vague de bonheur déferle sur moi: des joues à la poitrine, puis dans les bras jusqu'à ce que je m'attende à voir de la lumière me sortir par le bout des doigts, comme la Bête (de Disney) une fois le sortilège rompu.

Je passe quelques secondes exquises à me baigner dans le doux halo des visages amicaux. J'ai l'impression de prendre un bain de soleil, de tremper dans des arcs-en-ciel, d'être câlinée par un milliard d'ours en peluche, recouverte de strass et…

Quelqu'un sort un *Vogue* d'un sac et l'ouvre devant moi sur le bureau. « Et lui, tu le connais ? Parce que si oui, alors là, je veux entrer dans ta peau pour être toi à jamais. »

Et tout ce bonheur repart aussi vite qu'il est arrivé.

58

La fille qui brille sur les photos est de retour.

Sauf que, cette fois, elle n'est pas assise dans un lac. Elle est debout au milieu d'une vaste arène de sumo, avec un océan de lumières vives derrière elle. Il y a les petits points lumineux des flashs des appareils photo dans le public, les lampes jaunes suspendues au-dessus de sa tête et les reflets couleur crème sur le plancher, sous ses pieds nus. Elle a la tête inclinée en arrière, les yeux charbonneux, et ses cheveux d'un roux flamboyant sont remontés en chignon serré. Sa robe est longue et bleu foncé, avec des fentes sur les côtés et des petits trous percés dans le bas, si bien que la lumière qui filtre à travers semble y allumer des étoiles.

Le scintillement est différent, cette fois-ci – plus dur, plus vif, plus agressif –, mais il est bien là, il imprègne la photo tel un fin fil d'or tissé dans une étoffe dense.

En bas de la page, on voit un flacon de verre en forme d'ampoule électrique, éclairé de l'intérieur, et ce mot en grandes lettres argentées :

ILLUMINATION

Ainsi que cette signature :

PAR YUKA ITO

La photo est magnifique, la robe aussi, et c'est une double page dans *Vogue*. Mais franchement, ça, je m'en fiche complètement.

Parce qu'à côté de la fille, il y a un garçon. Il est grand et brun, tout en angles saillants. Ses hanches, ses pommettes et ses yeux sont inclinés parallèlement, comme des traits identiques tracés par le même stylo divin. Sa main à lui repose doucement sur sa taille à elle, il a la tête baissée, le nez à quelques centimètres du creux de son cou. Comme si personne ne les regardait, comme s'ils étaient seuls au monde.

Comme s'il essayait de lui dire quelque chose.

À en croire mes livres de sciences, les atomes qui composent le corps humain sont presque entièrement faits d'espace vide. Si l'on retirait ce vide, chacun de nous pourrait être compressé en un cube large de 1/500 de centimètre. Eh bien, en regardant le garçon de la photo, j'ai soudain l'impression que c'est ce que quelqu'un est en train d'essayer de me faire.

Je n'étais pas préparée à le revoir.

En tout cas, pas comme ça.

Nick.

59

Tokyo – Juin (il y a quatre mois)

« On a combien de temps, au juste ?

— Une heure, chérie, m'a répondu Bunty (en regardant le soleil, pour une raison inconnue puisqu'elle portait une montre.) Une heure cinq au maximum, si je bourre mes doublures de pièces de monnaie pour essayer de dérégler le détecteur de métaux de l'aéroport. Disons juste que ce ne sera pas ma première tentative. »

J'ai lancé à Nick un regard dubitatif pendant que ma grand-mère farfelue commençait à fouiller dans ses sacs tissés multicolores.

Il avait le teint plus mat que d'habitude – bronzé par le soleil – et les cheveux encore ébouriffés parce que nous nous étions embrassés pendant vingt minutes d'affilée, assis sur le trottoir, à côté d'un immense passage piéton à Shibuya.

« Disons une heure dix, a ajouté Bunty d'un air triomphant en brandissant une grosse bouteille de shampooing. Une heure et quart si j'arrive à faire passer l'ouvre-bouteille.

— Ça ne fait toujours pas beaucoup de temps, ai-je dit avec anxiété, en regardant dans mon sac. On n'a pas de vrai plan de la ville. Ni de guide de voyage. J'ai perdu le mien et…

— Ça suffira, s'est esclaffé l'Homme-Lion en m'entourant de son bras, de telle manière que je me suis retrouvée nichée sous sa clavicule. Et tu n'as plus besoin de bouquins. Tu m'as, moi. »

Une décharge électrique a couru de mes épaules à mon cou et jusque dans ma tête, comme si je venais par erreur de me tremper d'eau tiède avant de mettre les doigts dans une prise. Mais d'une manière magnifiquement agréable.

C'était vrai. Je l'avais, lui.

« Alors, qu'est-ce que tu veux faire ? a-t-il continué en m'embrassant sur le sommet du crâne. Pendant les soixante-quinze minutes qui viennent, je suis entièrement à ta disposition.

— Humm, voyons. »

J'ai sorti ma Liste de Choses à Faire et je l'ai regardée sans la voir, la cervelle délicieusement grillée. Que faisait-on quand on n'avait plus que soixante-quinze minutes à passer à Tokyo ?

Nous pouvions aller au *Robot Restaurant* voir des robots géants combattre à mort des dinosaures. Nous pouvions tenter de trouver une (très brève) cérémonie du thé, ou aller nous promener dans un jardin zen en nous tenant par la main, ou faire un tour au *Bunny Café* (un peu comme un café à chats, mais en mieux, car, évidemment, ici, il s'agit de lapins!). Nous pouvions assister à une heure de karaoké, ou passer une heure à manger des sushis, ou nous rendre au musée Shitamachi pour voir des maquettes miniatures de bâtiments de la fin de l'époque Meiji. Il restait encore tant de choses à faire à Tokyo, tant de choses dont j'avais toujours rêvé! Tant de choses que je voulais rayer sur ma liste.

Mais, pour la première fois, plus aucune n'avait d'importance. Car je n'étais plus seule. « Tu as vécu ici, non? ai-je demandé en relevant la tête vers lui. À Tokyo?

— Oui. Quand j'avais onze ans, mes parents se sont séparés. Ma mère et moi, on a vécu trois ans ici, trois années confuses passées à ne comprendre personne.

— Alors je veux voir ce que tu préfères, toi. » J'ai remis ma liste dans mon sac et pressé un bouton qui a transformé par magie ma montre en chronomètre. « Montre-moi ce que tu aimes le plus à Tokyo.

— Tu es sûre? Cette liste ne va pas se cocher toute seule. »

J'adorais le fait que l'Homme-Lion sache à quel point j'avais besoin de cocher les choses et à quel point mes listes comptaient pour moi. Mais je l'aimais, lui, bien plus que n'importe quelle liste.

« Sûre ! ai-je dit en lançant le chronomètre. Tu as 4 500 secondes, Nicholas Hidaka. Tu crois que tu peux y arriver ? »

Il a agité les sourcils. « Oh, sans doute, oui.

— À vos marques ?

— Dans les starting-blocks.

— Prêt ?

— Toujours. Avec toi, il vaut mieux être prêt à tout. Surtout à la catastrophe. »

Je lui ai tiré la langue : je n'avais pas déclenché de cataclysme depuis plusieurs heures. « Petit malin, va. Attention… PARTEZ !

— C'est parti ! » a confirmé Nick, et il m'a prise par la main.

60

« **H**arriet ?

— Hmm ? » La classe entière me regarde toujours. « Pardon, quelle était la question, déjà ? »

Soudain, Nick me manque tellement que c'est comme si une main énorme était en train de me serrer à m'en étouffer. Raya tapote de nouveau la photo. Je tressaille et me concentre sur une autre zone du bureau, légèrement plus à gauche.

« Ah, lui, dis-je lentement. Oui, je le connais.

— Il est célibataire ?

— Il est aussi canon en vrai qu'en photo ?

— J'y crois pas, il te touche ! Tu as vraiment pu le toucher ! »

Vite, Harriet, parle d'autre chose.

Je me racle la gorge. « Mmm, dis-je d'une voix faible. Vous savez que quand on parle, nos cordes

269

vocales font vibrer l'intérieur de notre crâne, ce qui signifie qu'on ne s'entend jamais soi-mêmes comme les autres nous entendent ? »

Il y a un bref silence. « Est-ce qu'elle a répondu ? murmure quelqu'un. C'était ça, la réponse ?

— Je ne pense pas, chuchote quelqu'un d'autre.

— Mais c'est pas vrai ! s'exclame Ananya en se frayant soudain un chemin vers l'avant du groupe. Vous ne savez rien, ou quoi ? Ce mec, c'est Nicholas Kou Hidaka. Le copain de Ret depuis longtemps et l'amour de sa vie !

— Ouais ! renchérit Liv en se projetant aussi vers l'avant, mais avec un peu moins de succès. On voit bien que vous ne connaissez pas du tout notre Retty. »

J'en reste sans voix. OK, elles ont fait des recherches poussées. Nick a réussi pendant six mois à me faire croire que le K dans son nom était l'initiale de Koala, puis pendant deux mois que c'était celle de Kookaburra.

« Comment avez-vous…

— Elle a trop hâte de le revoir, souffle Liv en joignant les mains. Vous me faites trop triper, tous les deux. »

On la fait *triper* ? C'est moi qui vais l'étriper, si elle continue !

« Hum. Euh. En fait, malheureusement, on n'est plus… enfin, Nick n'est pas… je… »

Il paraît que les filles prononcent en moyenne 20 000 mots par jour, tous les jours… Je ne sais pas où sont passés tous les miens.

C'est bien simple, je ne peux pas le dire.

Je ne peux pas me résoudre à dire tout haut : *Nick et moi avons rompu*. La phrase reste coincée quelque part au milieu de mon œsophage.

« Tu es la plus grosse veinarde de tout l'Univers, Harriet !

— Est-ce qu'il vit à Londres ?

— Est-ce qu'il vient te chercher parfois après les cours ?

— Est-ce qu'il a des potes à qui tu pourrais me présenter ? »

J'avale douloureusement ma salive. « Je… Nick est en Australie en ce moment.

— Pour un shooting ?

— Je l'ai vu dans le bus il y a quelques semaines.

— Dans le bus ? Il était dans le bus ?

— Mais non, imbécile ! En photo ! Les mecs comme lui ne prennent pas le bus !

— Hum. » J'essaie de retrouver ma voix. Nick prend tout le temps le bus. C'est juste un garçon, pas la reine d'Angleterre. « En fait, c'est… » J'ai toujours une boule dans la gorge. « Bon, euh, il y a des moments dans la vie où nos chemins prennent des directions différentes, et… euh… on se retrouve à un carrefour, et…

— Elle est encore en train de répondre à la question ?

— J'y comprends rien. »

Une voix sèche s'élève au fond de la classe. « Bon ! » Une tête violette apparaît dans la foule, et India s'avance, ferme vivement le magazine et le rend à sa propriétaire avec une expression glaciale. « Cette dynamique de groupe est profondément perturbante et je pense que ça suffit. Personne n'a le moindre respect pour la vie privée ? »

Bizarrement, tout le monde se tait sur-le-champ, et je soupire de soulagement. Visiblement, je ne suis pas la seule à trouver qu'India pourrait appartenir à une famille royale.

« Ouais, c'est vrai, souffle Ananya. Vous êtes vraiment des vautours. Ret vient justement en cours pour fuir ce genre de trucs. »

Liv croise les bras. « Rien que des hyènes ! »

À vrai dire, les vautours rendent un service précieux aux écosystèmes en dévorant les cadavres qui sont incomestibles pour les autres animaux en raison de leur contenu bactérien, tandis que les hyènes, elles, traquent les animaux vulnérables et les déchiquettent encore vivants. C'est assez injuste de les mettre dans le même sac. Je suis sur le point d'expliquer tout cela en détail lorsque la porte s'ouvre.

« Tiens, Jasper ! » s'écrie gaiement Mlle Hammond. Il faut croire qu'elle vient de passer les dix dernières minutes à faire gracieusement l'appel toute seule et à répondre elle-même. « Mieux vaut tard que jamais ! Bienvenue ! »

Jasper observe avec étonnement la salle vide, puis l'attroupement autour de moi.

Un SMS arrive sur mon téléphone :

Hannah chérie ! Kev ENCHANTÉ du tournage Levaire ! Le réal de Gucci a demandé à voir ton book – appelle-moi !! Stephie xx

Je suis trop stupéfiée par le « Stephie xx » pour penser à cacher mon téléphone.

« Nooooon ! s'exclame quelqu'un derrière mon épaule. Gucci ! Tu vas poser pour Gucci !

— Oh là là, c'est trop dingue !

— Waouh !

— Ton book ? Tu as écrit un bouquin, Harriet ? Ça parle de quoi ? »

Je pique un fard, remets vite mon téléphone dans mon cartable et relève la tête. Je croise alors le regard de Jasper pendant quelques secondes, et mes entrailles se crispent légèrement.

« Tu sais quoi ? lâche-t-il en regardant droit vers moi. Je pense que tu as déjà assez de monde autour de toi, non ? »

Sur quoi il redisparaît en claquant bruyamment la porte.

« Jasper… soupire Mlle Hammond, avec lassitude cette fois, en consultant sa liste pour y tracer une petite croix. "Bien, mademoiselle Hammond. Tout de suite, mademoiselle Hammond. Passez une belle journée, mademoiselle Hammond." »

La sonnerie retentit, et tous les élèves se dispersent soudain pour ramasser leurs affaires, déjà préoccupés par le cours suivant. Mais moi, je fixe toujours la porte.

C'est quoi, son problème, à Jasper ? Pourquoi faut-il toujours qu'il soit si méchant ? Je lui ai fait un biscuit dinosaure, non ? Que veut-il de plus ?

Et surtout : qu'est-ce que ça peut me faire ?

61

Le restant de la semaine peut se résumer ainsi :

1. Contrainte et forcée, j'apprends à un groupe de filles à défiler, subrepticement, pendant un cours de chimie.

2. M. Harper menace de me coller si je ne cesse pas immédiatement de « piétiner comme un éléphant » dans toute la classe.

3. Je lui explique poliment que ce que je fais, en réalité, c'est marcher comme un chat.

4. Tout le monde rigole.

5. Je suis collée.

6. Pour une raison inexplicable, pratiquement toutes les filles de première se battent pour s'asseoir à mes côtés pendant trois déjeuners d'affilée.

En gros, je n'ai pas une seconde à moi pendant les cinq jours qui suivent.

En chimie, je révèle à un large public féminin ma « meilleure astuce beauté » (du dentifrice sur mes boutons) et comment j'atteins le parfait équilibre nutritionnel (les sandwichs poulet-confiture de fraise).

En maths, nous avons une longue et apparemment passionnante conversation sur les castings, et tout le monde veut voir mon « book ». Donc, rose de plaisir, je leur montre mon bouquin préféré, *La Maison d'Âpre-Vent* de Dickens. Allez savoir pourquoi, elles ont l'air un peu perplexes.

En physique, je suis en train de commencer à me servir de la loi de Kirchhoff pour déterminer la résistance interne d'une cellule lorsque deux filles, des nouvelles, me demandent : « Tu veux qu'on cherche ensemble ? », en posant leur papier millimétré sur le mien. Je les aide, et l'une dit, d'un air triomphant, à l'autre, qui mesure le voltage : « Tu vois ? Harriet sait tout ! »

Eric tient absolument à ce que je lui parle des Russes pendant toute une récréation, Raya affirme catégoriquement pendant trois heures de SVT que Nick a forcément un jumeau, et la capitaine de l'équipe de volley me qualifie de « trop craquante » quand je raconte l'histoire du café le plus cher du monde, dans la file d'attente devant le distributeur de boissons. « Mais attention, il est fait avec les excréments de la civette palmiste hermaphrodite, crois-je bon de préciser une fois de plus, au cas où elles ne m'auraient pas bien entendue. De la crotte de mangouste, en gros.

— Du café crotte! s'exclame-t-elle en m'enlaçant d'un bras, apparemment ravie. T'es trop mignonne! »

Le mardi, j'apporte au lycée tous mes achats marocains, que je distribue à la ronde, et dès le mercredi matin les couleurs vives éclosent partout: les boucles d'oreilles en argent, les bracelets fins et les écharpes bariolées semblent avoir poussé sur les filles comme des plumes sur un oiseau de paradis. Même les garçons participent: ils jouent à lancer les bracelets supplémentaires autour de leurs canettes de soda et ils me tapent dans la main chaque fois qu'ils atteignent la cible.

Tous les matins et tous les soirs après les cours, je retrouve les petites de sixième pour leur passer des livres, telle une sorte de bibliothécaire privée.

Je dois expliquer à Stephanie – six fois – que je ne peux plus rater le lycée pour rencontrer des stylistes et qu'elle devra se débrouiller pour fixer des rendez-vous le week-end. Elle finit par comprendre et me réserve quelque chose pour le week-end en huit.

Dès le vendredi, ma Liste Pour Trouver Ma Star Intérieure est tellement cochée et re-cochée qu'elle ressemble à ces rédactions que je faisais et que je notais moi-même quand j'avais sept ans. J'ai eu confiance en moi, des tas de fois. J'ai pris des risques, sans cesse.

J'ai été audacieuse et sans limites à sept reprises, j'ai eu du style trois fois, et j'ai mené la danse au moins en deux occasions.

Et ça a marché sur toute la ligne.

Je ne sais pas comment on appelle le contraire de « seule », mais jamais de ma vie je ne l'avais été à ce point.

Je n'ai pas fait de devoirs. Du tout. Pas étonnant que j'aie reçu des notes excellentes pendant onze ans ! Je n'avais littéralement rien d'autre à faire.

« Ret ! » me hèle Ananya, le vendredi après-midi, quand je sors enfin du lycée en titubant et cligne mollement des yeux sous le soleil. Elle porte un de mes chèches roses autour du cou, et deux de mes énormes boucles d'oreilles en argent luisent dans ses cheveux sombres. « Retty ! Où tu vas ?

— On ne t'a pas vue de la journée ! couine Liv en me serrant entre ses bras. Où t'étais passée ? Tu nous as manquééé ! » Je trouve toujours son immense enthousiasme pour moi un peu déroutant, mais c'est agréable, autant d'affection. « On dort chez Indy, ce soir. Ça va être trop top ! Tu viens, hein ? »

J'en reste paralysée de surprise. Je viens bien d'être invitée à ma première sortie sans Nat ? Puis je tâche de retenir un énorme bâillement. Honnêtement, je ne me doutais pas qu'en faire autant pour ne pas en faire trop pouvait être si épuisant physiquement et mentalement. De nouvelles connexions se forment dans notre cerveau chaque fois que nous enregistrons un nouveau souvenir. Le mien est tellement bourré de noms, d'anecdotes et de conversations sur diverses parties du corps de célébrités dont je n'ai jamais entendu parler que je crois qu'il commence à manquer de place.

« Bien sûr, j'adorerais, dis-je poliment en me frottant les paupières. Mais ça ne vous ennuie pas qu'on remette ça à une autre fois ? J'ai des tonnes de choses à faire ce week-end. » Dormir. Lire. Rattraper mes devoirs. Manger des biscuits dans mon pyjama à pingouins, j'espère avec Nat, et regarder des documentaires sur les insectes au cas où il y aurait eu des changements pendant les cinq derniers jours. « À lundi ? » j'ajoute avec un petit signe de la main avant de partir d'un pas ensommeillé vers chez moi.

La voix d'Ananya tranche l'air comme un sabre. « Ah. Je vois. C'est comme ça que tu nous prends, alors, hein ? »

Je m'arrête, perplexe, et fais lentement demi-tour. « Quoi ?

— On pige. C'est pas grave, Harriet, lâche-t-elle, les bras croisés. Évidemment, tu as plus important à faire que traîner avec nous, maintenant. On comprend totalement.

— Ouais, renchérit Liv en croisant aussi les bras. Je croyais qu'on formait une bande, mais si t'es trop prise, Harriet, tu nous le dis, c'est tout. On ne voudrait surtout pas te déranger. »

Les paroles sont sympas, mais il y a quelque chose dans leur manière de les prononcer qui ne colle pas. Un souvenir désagréable de l'an dernier commence à me chatouiller le fond du crâne. Un souvenir que j'avais tué et enterré depuis longtemps. Du moins, c'est ce que je croyais.

« Ce n'est pas ça du tout, dis-je en bredouillant tandis que mes joues se mettent à chauffer. C'est juste que je n'ai pas bossé de la semaine, que je suis crevée et que j'ai beaucoup à…

— Non, non, me coupe Ananya en levant une main. Tu n'as pas à te justifier, Harriet. Tu es tellement occupée, maintenant que tu es une célébrité. Je suis sûre que tu es au-dessus de tout ça, tu as bien mieux à faire que t'amuser avec nous. »

Et voilà, ça y est. Avec ce seul mot – « au-dessus » –, le souvenir me tombe dessus. Il dégringole de mes lobes frontaux et me traverse l'hippocampe pour aller se caler au milieu de mon front, d'où il m'envoie des pichenettes avec ses doigts.

Tu te crois vraiment au-dessus de tout le monde, hein, Harriet Manners ? Qui, dans cette classe, déteste Harriet Manners ? Levez la main.

Mon corps entier s'est soudain refroidi, comme si j'avais plongé la tête la première dans un congélateur.

Non.

Non non *non*. Ça ne va pas recommencer ! Je ne peux pas repasser par là. C'est au-dessus de mes forces.

J'ai tout à coup la sensation que mon dur labeur des dix derniers jours est en train de se désintégrer sans que je sache pourquoi, ni comment faire pour l'empêcher. J'ai dû dévier de la liste, d'une manière ou d'une autre. Et à présent, elles ont l'air de croire que je les snobe… Alors que ce n'est pas ça du tout ! Je m'amuse avec elles. Je suis juste fatiguée, c'est tout.

Mais en voyant les expressions tendues d'Ananya et de Liv, je me rends soudain compte que mon plan ne comporte pas de vacances. Pas de pause. Si je ne fais pas preuve d'une prudence extrême, l'ancienne Harriet Manners reviendra et, une par une, toutes les mains qui s'étaient baissées vont se mettre à remonter. Et je me retrouverai au même point que l'an dernier, mais en pire. Car cette fois, tout sera ma faute. Et je le saurai.

J'essaie désespérément de trouver quelque chose. « Humm… » Mon cerveau s'agite dans le vide, ramasse des idées, les repose aussitôt. « On pourrait peut-être faire un truc chouette la semaine prochaine ? Se faire… un musée ? Une expo ? » Elles me dévisagent toujours fixement. « Ou se voir chez moi, je ne sais pas ? »

Elles échangent un regard. « OhmonDieuohmonDieuohmonDieu, couine Liv en se jetant de nouveau à mon cou. C'est vrai ??? T'essérieusej'ycroispast'esla-meilleuretuvasvraimentfaireunefêtepournous ? »

Hein ? Qui a parlé de fête ? Je pensais juste à un thé avec des biscuits, moi. Et peut-être une part de gâteau au chocolat.

« Eh bien, je…

— OhmonDieuohmonDieuHarriettt'estropgéniale-laviequetuasracontepourquejepuisserespirertonairet-absorbertespouvoirsetvivreàjamaisdanstonpaysma-gique ! » lance alors une voix goguenarde.

Liv bat des paupières plusieurs fois. « Minute, dit-elle. C'était censé être moi, ça ? »

Nous pivotons toutes les trois et nous retrouvons face à une jolie blonde, juchée sur un plot derrière nous. Silencieuse, comme un faucon : ces oiseaux puissants, au bec pointu et aux pattes musclées, qui ont l'habi-tude de tailler en pièces d'innocents lapinous.

Je n'ai pas vu Alexa une fois de la semaine. J'avais presque oublié qu'elle était au lycée avec moi : c'est dire à quel point elle a été invisible.

Eh bien, elle ne l'est plus. Et lorsqu'elle sort ses griffes sans nous quitter du regard, il me vient l'hor-rible impression qu'elle s'apprête à tout saccager.

62

Dans les années 1970, un certain Michel Lotito a mangé un avion entier. Bouchée après bouchée, il a ingurgité l'intégralité d'un Cessna 150 : le verre, le métal, le moteur, le cuir, les pneus. Il a mis deux ans, mais il a fini par tout avaler.

Mes mains commencent à transpirer, mais je parviens à ne pas me décomposer. Après tout, cela fait plus de onze ans que je subis Alexa. Comme l'a prouvé Lotito, on peut arriver à bout de n'importe quoi à force de persévérance (et à condition d'avoir de bonnes dents.)

Courage, Harriet.

« Alors, fait-elle suavement, tout sourire, tandis que je tâche de détendre mes épaules et de relever le menton. Comment avance le projet "Harriet Manners Réinventée"? Elle est à la hauteur? »

Ananya et Liv avancent d'un pas pour se placer à ma droite et à ma gauche, tels deux presse-livres assortis. « Évidemment qu'elle est à la hauteur. On l'adore totalement.

— Harriet, c'est la meilleure. »

Alexa accentue encore un peu son sourire de chat. « C'est vrai, hein ? Cette semaine a été démente, je vous l'accorde. J'ai trop aimé voir Harriet se transformer en icône de la mode en direct. On dirait un film de chez Disney. »

J'ai l'impression d'avoir le ventre plein de pièces détachées d'avion, moi aussi. Qu'est-ce que ça veut dire ? Qu'elle n'a pas cessé de m'observer ? Mais berk ! C'est un peu comme retirer une de ses chaussures et s'apercevoir qu'il y avait un gros cafard à l'intérieur depuis le matin.

Liv pose les mains sur ses hanches. « Ouais, ben de toute manière, Harriet va donner une fête. Une grosse fête. Une fête à tout casser !

— Eh oui, ajoute froidement Ananya en contemplant ses ongles. Et devine quoi, Lexi ? T'es pas invitée. »

OK : je suis en train de perdre le contrôle sur mon thé et mes petits gâteaux.

« Une grosse fête ? répète Alexa en sautant de son plot. Ah, tiens ! Mais ça m'a l'air génial, cette idée. Je suis sûre que tout le monde va être ébloui. Tu as toujours eu tellement d'imagination ! »

J'en reste bouche bée. Je sais que ça semble fou, mais elle paraît authentiquement sincère. Est-ce possible ? Peut-être qu'une semaine d'exclusion sociale lui a fait comprendre ce que je vivais depuis des années. Peut-être est-ce là sa manière de faire amende honorable.

J'aurais préféré des excuses traditionnelles – peut-être une carte rédigée à la main, avec un dauphin dessus –, mais je veux bien prendre ce qui se présente. Et, propulsée par l'espoir, je fais un pas vers elle.

« Alexa. C'est plutôt… une petite réunion, en fait. Mais si ça te dit de venir… tu peux. Tu es invitée. Ça me ferait plaisir. » La dernière phrase n'est pas vraie, mais il faut avancer pas à pas, n'est-ce pas ?

« Harriet, me répond-elle en souriant d'une oreille à l'autre. Je viendrai avec grand plaisir. Merci mille fois de m'inviter. Mettons le passé derrière nous, d'accord ? Il est temps de tourner la page, tu ne crois pas ? » Là-dessus, elle me fait une bise, et ma joue n'en revient pas. « Je me réjouis, me glisse-t-elle à l'oreille. J'ai trop hâte. » Puis elle nous fait à toutes un petit signe de la main et s'en va tranquillement dans la rue en balançant son sac d'un geste enjoué.

D'accord… mon pire cauchemar et ennemie jurée depuis toujours vient de m'embrasser, c'est bien ça ?

« Je ne vois pas pourquoi tu l'as invitée, grommelle Ananya une fois qu'Alexa ne peut plus nous entendre. Mais enfin, c'est ta fête, tu fais ce que tu veux.

— Lexi ne viendra pas, affirme Liv avec assurance. Elle promet toujours de le faire, et puis on ne la voit pas. »

Une vieille auto d'un violet éclatant s'arrête devant le lycée, et la tête d'India sort par la portière. « Tu montes, ou quoi, Bananya ? Je ne suis pas ton chauffeur ! »

Waouh. India doit avoir déjà dix-sept ans, vu qu'elle a le permis : pas étonnant qu'elle soit si distinguée et impressionnante. En plus, sa voiture est assortie à ses cheveux. Et ça, c'est quand même la classe absolue !

« J'arrive, Indy ! lui crie Ananya avant de se tourner vers moi. C'est génial, Retty. T'es trop sympa avec nous, tu sais ? »

Liv, de son côté, suçote le bout de sa queue-de-cheval. « Hiii ! JevaispaspouvoirdormirjelesensdéjààhmonDieuqu'estcequejevaismemettre…

— BON, EN VOITURE ! crie India en klaxonnant quatre fois. Liv aussi, si elle veut. Et toi, Harriet, tu viens ? »

Je fais « non » de la tête, penaude, et India hoche simplement du menton avant de se mettre à tripoter l'autoradio. Ananya et Liv me serrent dans leurs bras avec une force qui risque de modifier à jamais la forme de mon pharynx, puis montent à l'arrière en jacassant avec animation. La voiture redémarre.

À ce moment-là, la porte du lycée se rouvre et une tête moussue que je connais bien apparaît, reste immobile quelques secondes, puis commence à charger dans la direction contraire.

Alors, j'inspire profondément, j'enfile mon cartable par les deux épaules et je pars en courant derrière la seule personne qui ne m'ait pas adressé un mot durant ces cinq derniers jours.

Toby Pilgrim.

63

La queue des souris mesure exactement la même longueur que leur corps. Toby est la seule personne de ma connaissance qui puisse trouver cette info intéressante. Il serait même capable d'essayer d'en attraper une pour vérifier avec une règle. La seule personne à part moi, évidemment.

Et, alors que je lui cours après dans mes petites babouches en cuir, c'est subitement la seule chose dont j'aie envie de parler. Et du fait qu'un être humain possède 2 à 4 millions de glandes sudoripares, et que sur un seul centimètre carré de notre peau vivent 8 millions d'animaux microscopiques.

Tout ce que j'ai envie de faire ce week-end, c'est jouer au Scrabble et débattre en profondeur pour savoir lequel des douze Dr Who est le meilleur. Toby m'a demandé de le laisser tranquille jusqu'à la fin de cette semaine, et c'est ce que j'ai fait. Mais son projet secret doit être achevé, à présent. Il est temps qu'on passe un peu de temps ensemble.

Je ne me doutais pas une seconde qu'il me manquerait à ce point. Malheureusement, je ne me doutais pas non plus qu'il était capable de marcher aussi vite. Lorsque je le rattrape enfin, mes 3 millions de glandes sudoripares ont bien fait leur travail, et je suis intégralement couverte d'un voile d'humidité.

Quelque chose me dit que nos camarades d'EPS aussi s'étonneraient de sa vitesse. Si Tobz avait déployé ces capacités sportives au cours des cinq dernières années, il se serait épargné bien des moqueries dans les vestiaires.

« Toby ? dis-je pour la quinzième fois. Toby ? Tobz ? Toby Pilgrim ? » Comme il avance toujours, j'essaie de le doubler pour courir devant lui. « Toby ? » Puis je le prends par le bras. « Hé, ho, Toby ?

— Ah, bonjour, Harriet, dit-il enfin en retirant son énorme casque audio blanc et en se l'accrochant autour du cou à l'envers, ce qui lui fait comme un col de curé. J'étais occupé à écouter des sons vocaux et instrumentaux combinés de manière à produire une beauté formelle, de l'harmonie et l'expression d'une émotion. »

Je suis radieuse. Il n'y a que Toby pour dire tout ça à la place du mot « musique ».

« Comment ça va, Tobz ? Je ne t'ai pas vu de la semaine. Tu as terminé ton projet ? Ça a marché ?

Parce que si oui, je me disais qu'on pourrait peut-être passer la soirée…

— J'ai une nouvelle veste, Harriet, me coupe-t-il. C'est une veste d'agent secret, équipée de trente-cinq poches. En voici une pour me réchauffer les mains. Une pour une lampe torche. Une pour ma carte d'identité. Une pour mes lunettes. Une autre pour des lunettes de soleil. Une pour des lunettes de rechange… »

Ça peut durer un moment. « Génial! Viens prendre un thé chez moi, et on les regardera toutes ensemble! On peut trouver d'autres choses à mettre dedans et…

— Celle-là, c'est pour un laser.

— Oui…

— Et il y en a une pour un iPod.

— D'accord.

— Mais je crains de ne pas avoir de poche pour ranger le temps que j'ai à te consacrer en ce moment, Harriet, ajoute-t-il en remettant son casque. Car, malheureusement, je n'en ai pas, ces jours-ci. »

Je cesse de marcher et regarde bêtement son dos. « Quoi?

— Je passe la soirée avec Jasper, me lance-t-il par-dessus son épaule tout en tripotant son iPod. On va se battre. »

Pendant quelques secondes, je ne saurais dire laquelle de ces affirmations est la plus stupéfiante. « Vous battre? Jasper? Tu vas te battre avec Jasper? »

Me voilà aussitôt soulagée. Je le savais, que Toby finirait par voler à mon secours ! Je n'avais simplement pas compris que ce serait avec une violence si incongrue.

« Tobz, dis-je en trottinant pour le rattraper. C'est très sympa de ta part, mais ce n'est pas parce que je ne m'entends pas avec Jasper que tu dois le détester aussi.

— Le détester ? s'étonne-t-il, sans cesser de s'acharner sur son iPod. Pourquoi veux-tu que je le déteste ? C'est un type extrêmement sympathique, qui a des choses intéressantes à dire et qui a raison sur beaucoup de points. Nous sommes devenus d'excellents amis.

— … Ah.

— Sais-tu qu'il est ceinture violette de jiu-jitsu, Harriot ? Et comme je viens de découvrir le bartitsu, un art martial classique pour gentlemen datant du XIXᵉ siècle, nous allons voir lequel nous convient le mieux. Ça va être amusant, je pense. »

J'en reste coite.

« Cela dit, ajoute-t-il avec une pointe de tristesse, mon type de combat fait appel à des parapluies, des tabatières et des chapeaux hauts de forme, et était pratiqué par Sherlock Holmes, si bien que je le vaincrai probablement sans effort. J'espère qu'il ne m'en tiendra pas rigueur. »

Et il clique sur son iPod.

Les girafes n'ont pas de cordes vocales, et apparemment, moi non plus, en ce moment. Jasper ? En dépit de mes nobles paroles d'il y a trente secondes, évidemment que je voulais que Toby déteste Jasper pour moi. Parmi tous les gens avec qui il pouvait se lier d'amitié, il a choisi celui qui me hait le plus profondément ?

Prise d'un soupçon, je me penche pour regarder l'iPod de Toby. L'écran est sombre, avec juste l'image d'une batterie en charge.

Ce qui veut dire qu'il m'entendait tout à l'heure. Et qu'il a continué de marcher quand même ; et, donc, qu'il m'a ignorée volontairement.

Soudain, la tête me tourne un peu. J'essaie frénétiquement de me rappeler ce qui était dessiné sur le papier qu'il m'a caché, dans l'atelier d'arts plastiques, la semaine dernière. Tout ce que j'ai vu, c'est un lapin et un Dark Vador médiocrement esquissé.

Oh, mon Dieu. Y a-t-il même un projet scientifique ? Y en a-t-il jamais eu un ?

« Et demain ? » dis-je en lui courant après. Je me trompe. Forcément. C'est de Toby qu'on parle, là. « Samedi soir ? Dimanche ?

— Je vais être très pris, me répond-il en évitant mon regard. Super pris par des tas de choses intéressantes et excitantes qui n'ont rien à voir avec toi. »

Mes yeux commencent à me picoter. « Toby, ça fait très mal, ce que tu me dis là.

— Ah. Pardon, Harriet. Je n'ai pas voulu te blesser. Comment te dire plus diplomatiquement que je ne suis pas autorisé à te fréquenter en ce moment ? »

Je n'ai plus rien à envier aux girafes. Une huître serait plus capable que moi de construire une phrase cohérente, à cet instant.

« Hum.

— Bon, c'était bien intéressant, tout ça. Content de t'avoir vue, Harriet Manners. J'espère que tu t'amuses bien avec tes nouveaux amis. »

Et, sans ajouter un mot, Toby vire abruptement à gauche et plonge dans un trou de la haie. Pour ressortir de l'autre côté, loin de moi.

64

Pendant quelques minutes, il continue de ramper dans l'herbe façon parcours du combattant, comme si je ne le voyais pas.

Que je m'amuse bien avec mes nouveaux amis ?

Pas autorisé à passer du temps avec moi ?

Nom d'une sucette à bicyclette, de quoi ont-ils pu parler, Jasper et lui, ces deux dernières semaines dans l'atelier ? Combien de fois Jasper *a-t-il eu raison*, au juste, et à propos de quoi ? Ou, plus précisément, à propos de qui ?

Je ravale mes larmes pendant que mon ex-harceleur tente de faire la roue avant de disparaître derrière un mur. Il m'a demandé de le laisser tranquille la semaine dernière, alors je l'ai fait. Pourquoi se comporte-t-il de manière aussi bizarre, maintenant ? Qu'ai-je fait de mal ? M'en voudrait-il pour quelque chose ?

Je serre les poings. Si Toby veut prendre parti contre moi, très bien. De toute manière, il n'appartenait pas vraiment à ma bande : c'était un ajout récent, un supplément involontaire qui s'était incrusté par des moyens totalement inacceptables, notamment le harcèlement. S'il veut la jouer comme ça, la situation peut revenir à la normale, comme avant : Nat et moi ensemble, tels le steak et les frites, le ketchup et la moutarde, la banane et la sauce Marmite – une association que j'aime bien, même si je suis la seule parmi les gens que je connais.

Sauf que… de toute la semaine, je n'ai pas vraiment eu de nouvelles non plus de ma meilleure amie. Nous avons échangé quelques messages – *je m'éclate, suis super occupee*, etc. –, mais en dehors de cela, elle a été bien silencieuse. Je lui donnais un peu d'air pour qu'elle profite des premiers jours enivrants avec son nouveau copain.

Mais je pense qu'ils en ont fait le tour, maintenant.

Je sors donc mon téléphone.

Hey ! On se voit ce week-end ? H xxx

La réponse est presque immédiate.

Ça va ? ☺ N xxx

Oui super ! On pourrait regarder ce concours de manne-quins que tu aimes. Paraît qu'il y en a une qui se prend une baffe cette semaine. ☺ H xx

J'aimerais ! Mais suis encore super prise. ☹ Une autre fois ? ☹ N x

Lundi ou mardi ? Mercredi ? H

Quelque chose dans ma gorge commence à me brûler. Je ne comprends peut-être rien aux histoires de cœur, mais je comprends la ponctuation. Et ce que je vois là, c'est de la tension, entièrement composée de baisers et d'émoticônes faussement affectueuses. Trois baisers, puis deux, puis un, puis zéro : nous nous énervons toutes les deux. Des smileys stratégiquement placés qui sourient de moins en moins : elle se sent coupable, et moi, dépendante.

Et ce n'est pas possible que Nat soit désolée à ce point. Elle habite à trois minutes à pied de chez moi, pas dans les îles Hébrides !

J'attends un temps infiniment long, compte tenu du fait que nous sommes en pleine conversation, et mon téléphone finit par se manifester de nouveau.

Suis prise tous les soirs cette semaine aussi. ☹ On s'appelle bientôt ? ☹ Bisous ! Nat xxxx

Je tire la langue à mon téléphone – deux smileys tristes et quatre baisers, elle pousse le bouchon un peu loin –, puis je réponds :

Pas de souci ! Fais-moi signe quand tu es libre ! ;-) H xx

Un clin d'œil sans aucune sincérité.

Une partie de moi comprend. Forcément. Je suis bien placée pour savoir ce qui se passe quand on rencontre quelqu'un qui vous plaît à fond. Je sais que c'est comme si le monde se fermait et s'ouvrait en même temps : comme s'il devenait plus vaste, mais seulement pour vous deux. Je sais que chaque phrase d'un livre, chaque parole d'une chanson, chaque scène d'un film comportent un petit fragment rien que pour vous. Et que ce qui n'en comporte pas semble fondre et disparaître.

Mais moi, même quand j'avais envie de passer tout mon temps avec Nick, je tâchais toujours de trouver le moyen de penser à Nat. De l'inclure. De veiller à ce qu'elle ne se sente pas rejetée. Toujours. Car ce n'est pas parce qu'on tombe amoureux qu'il faut lâcher ses amis proches.

Sauf que, en remettant mon téléphone dans ma poche et en me dirigeant lentement vers chez moi, je commence à me dire que je me trompais peut-être. Il faut croire que, parfois, on laisse tomber les amies.

65

À chaque heure qui passe, en Grande-Bretagne, nous jetons assez d'ordures pour remplir la grande salle de concert de l'Albert Hall. Eh bien, on dirait que quelqu'un a trouvé un nouvel endroit pour les mettre : la maison a explosé, une fois de plus. En ouvrant la porte d'entrée, je repère environ dix-huit récipients différents qui traînent sur toutes les surfaces possibles : des tasses, des mugs, des verres, des vases, le seau jaune qui reste toujours dans le jardin d'habitude. Il y a des miettes plein l'entrée, comme si un Petit Poucet particulièrement abruti s'était perdu non loin de la porte.

Cette semaine, jusqu'à présent, j'ai rangé la maison tous les soirs avant le retour d'Annabel. Et, pour être franche, j'en ai ma claque.

« Papa ! dis-je en jetant mon cartable par terre. On a une invasion de lutins, tu crois ? »

Mon père passe la tête par la porte du salon. « Ne sois pas ridicule. Je ne crois pas aux lutins, Harriet, ni aux fées, d'ailleurs. Je suis un quadragénaire en pleine possession de ses moyens. Est-ce que j'ai l'air d'un imbécile ? »

J'ai du mal à le croire, mais sa question semble sincère.

« Tu as un torchon sur la tête. »

Il pointe le nez en l'air – un geste qu'il m'arrive de faire aussi. Je me dis que je ferais bien d'arrêter sur-le-champ. « Oui, bon. Ta sœur et moi sommes partis à l'aventure aujourd'hui, et je voulais lui offrir une expérience aussi réaliste que possible.

— Avec un torchon sur la tête ?

— Je ne trouvais plus mon chapeau d'Indiana Jones, et Tabatha trouvait ça hilarant. » Il s'avance, ma sœur dans les bras : elle a une serviette de table sur la tête et un grand sourire aux lèvres. « Alors, tu ne veux pas savoir ce qu'on a trouvé ? »

À n'importe quel autre moment, j'adorerais, si. Je reconnais que je me mettrais une serviette sur la tête pour explorer la maison avec ma boussole. Mais tout de suite, là, je ne suis pas vraiment d'humeur. « Non, dis-je un peu trop froidement en mettant un pied dans l'escalier. Mais n'hésite surtout pas à explorer/saccager la maison sans moi, père.

— D'abord, nous avons découvert une roue de hamster dans la cabane de jardin, ce qui est très mystérieux car il n'y a jamais eu de hamster dans cette famille. »

Encore une marche, un soupir. « Si, papa. Il s'est enfui au bout de deux jours.

— Ah. Malin, le petit bonhomme. Nous avons aussi trouvé le quart d'une personne, ce qui a beaucoup fait rire ta sœur. »

Il me montre l'oreiller à câlins que Rin m'a envoyé du Japon il y a quelques semaines, juste après mon retour de New York. Il s'agit d'un demi-torse avec un bras et un tee-shirt rose qui proclame : « Je sois fait pour amour nous. »

« Un cadeau d'une amie », je grommelle en faisant encore un pas dans l'escalier. Puis je me retourne. « Oh, et puis donne-le-moi, tiens. »

Papa me le lance et je le serre contre mon cœur. Le moment est peut-être venu de commencer à l'utiliser.

« Tu ne veux pas savoir ce qu'on a encore découvert, Harriet ? Ça semble t'être adressé.

— Si ce sont les prospectus du restau chinois à emporter, c'est parce que j'ai dit au vendeur que les biscuits chinois ont en fait été inventés à San Francisco et… »

Je m'arrête net. Papa sourit d'une oreille à l'autre en remuant les sourcils. Avec un vertige soudain, je contemple une nouvelle fois tous les verres, bols, vases et seaux. Ils ne traînent pas du tout au hasard : ils ont été disposés avec soin. Et les miettes sont en réalité… des pétales et des feuilles.

Oh, mon Dieu. Je le savais ! Je le savais, que j'aurais un jour des nouvelles de Nick !

En une seule journée, un cœur humain produit à lui seul suffisamment d'énergie pour faire avancer un camion sur 30 kilomètres. Lorsque je redescends les marches d'un bond et commence à remonter la piste, j'ai l'impression que le mien pourrait me faire faire le tour du pays.

Le chemin de pétales traverse la cuisine et sort dans le jardin. Je le suis en courant, suivie par papa qui trottine avec Tabby dans ses bras. Puis j'ouvre la cabane à outils, et ma petite sœur émet un cri de joie qui surpasse le mien d'une courte tête.

Il y a des fleurs partout. Des centaines de roses jaunes, des lys roses du Pérou, des pois de senteur violets et blancs, de la gypsophile rose pâle, des freesias crème et des œillets rouges. Disposés en gerbes sur toutes les surfaces disponibles, y compris la tondeuse à gazon, suspendues en bouquets à une grande fourche rouillée, alignées le long de la fenêtre. La cabane est tout embaumée, comme la maison de ma grand-mère Manners, sauf que le parfum ne sort pas d'un spray ni d'un pot-pourri caché dans un ours en peluche flippant.

J'ouvre la bouche et la referme. « J'ai passé la journée à les disposer pour toi, me dit papa, tout content. Il y avait ça avec. »

Il m'indique la vieille boule à hamster, posée sur une chaise au milieu de la pièce. Dedans, il y a une petite enveloppe marquée :

HARRIET MANNERS

Et mon cœur bondit soudain comme un camion qu'on aurait expédié vers la Lune.

66

C'est la première fois de ma vie qu'on m'envoie des fleurs. Enfin non, bien sûr, car j'ai seize ans, et, comme toute jeune fille de seize ans qui se respecte, j'en ai déjà reçu. Simplement, je ne suis pas tout à fait sûre que cela compte si elles viennent de votre famille, que vous avez dix ans et que vous avez été opérée des amygdales. Les cadeaux sont tout de même moins intéressants s'il faut se défaire d'une partie de son corps pour les obtenir.

Mais alors que je rentre en courant vers la maison, mon oreiller à câlins passé sur une épaule, les bras chargés de fleurs et la main serrée sur l'enveloppe, je me rends compte d'une chose : ce ne sont pas simplement des fleurs correctes, des fleurs romantiques. Non, ce sont des fleurs féeriques. Le genre de fleurs qu'on envoie aux gens quand ils ont reçu un Oscar, ou qu'ils ont joué dans la première d'une pièce de théâtre, ou qu'ils ont battu un record mondial.

Ou quand on les aime infiniment.

Les mains tremblantes, je monte dans ma chambre, ferme la porte doucement et m'assois par terre. Je pose délicatement quelques myosotis à un endroit où je peux les contempler, la poitrine toujours en plein décollage.

Puis je retourne la petite carte jaune. Avec une lenteur extrême – cette lenteur qui exaspère tellement Nat à chaque Noël –, je l'ouvre. Précautionneusement, délicatement. Comme si j'exécutais une difficile opération à cœur ouvert.

Et d'une certaine manière, c'est le cas.

Enfin, je lis le papier qu'elle contient.

Cendrillon-Patapon! Moi être fier comme un petit banc. Le plus beau chapeau que j'aie trouvé de ma vie.
Bizzantesques.
Ton Gaga-Fan, Wilbur

Mon nez se met à me picoter.
Wilbur.
Je me sens de nouveau coupée en deux : d'un côté, je suis incroyablement touchée par son geste, Wilbur me manque à me faire mal ; et de l'autre, je me déteste de…

… de regretter que cela ne vienne pas de quelqu'un d'autre.

Pas étonnant qu'on ne m'envoie jamais de fleurs. Je suis un horrible chapeau ingrat et je mérite qu'on me retire des organes sans rien m'envoyer du tout en échange.

Je regarde la lettre pendant encore un petit moment. Puis je la serre doucement contre ma poitrine, la pose par terre et joue avec un pétale de myosotis en attendant que le picotement cesse dans mon nez.

Il ne cesse pas. Peu à peu, il se propage dans mes joues, monte jusqu'à mon front et s'insinue entre mes sourcils. Tel le lierre, il étire ses branches souples, qui me piquent, me griffent et me blessent jusqu'à me serrer la gorge et s'enfoncer dans mes yeux. J'essaie d'inhaler profondément, lentement. Ça va aller, Harriet, ça va aller, ça va aller, ça va aller.

Mais ça ne va pas. Le lierre me serre de plus en plus fort, et je sens monter la panique : les yeux qui tremblent, le menton qui se chiffonne.

Je ne peux pas continuer comme ça. J'ai besoin de Nick, ici, tout de suite. J'ai besoin de poser ma tête sur son torse et de glisser mes pieds sous les siens ; j'ai besoin de son sourire à 180 degrés ; besoin de son calme et de sa gentillesse. J'ai besoin de cette odeur verte et fraîche, et de la cicatrice que lui a laissée une mouette, et de sa manière d'attraper des articles sur les étagères les plus hautes du supermarché pour des inconnus sans qu'ils aient à le lui demander.

J'ai besoin qu'il me dise que ça va aller. Qu'il n'est pas parti pour toujours ; que je peux y arriver sans lui, parce qu'il va revenir.

Mais je ne suis plus trop sûre d'y croire. Alors, je fais la seule chose qui puisse le rapprocher un peu de moi. Je me redresse, essuie mes larmes, prends un papier et un stylo.

Et je me mets de nouveau à écrire.

Cher Nick,

Je sais que nous avons pris cette décision ensemble.

Je sais que nous pensions tous les deux que ce serait moins douloureux de se séparer avant que la distance ne le fasse pour nous. J'ai sincèrement cru que nous avions raison, que ça ferait moins mal ainsi. Mais je ne peux rien imaginer de plus dur, en fait.

Et je crois que je ne vais pas très bien.

Quand je suis rentrée de New York, j'étais tellement anéantie que je me suis coupée de mes meilleurs amis, et maintenant eux-mêmes se sont coupés de moi.

J'ai fait tout mon possible pour me sentir à nouveau heureuse. Je suis allée au Maroc, je suis montée sur un dromadaire et j'ai dansé dans le désert : j'ai poursuivi mon étoile intérieure. Je me suis jetée dans le manne-quinat et j'ai fait tout le nécessaire pour me trouver de nouveaux amis au lycée, afin de ne pas être seule, même si la plupart du temps je ne les comprends pas et je ne crois pas qu'ils me comprennent non plus. Je fais des efforts gigantesques pour avancer sans toi.

Mais ça ne marche pas, Nick. Je ne vais nulle part.

Toutes ces choses que je t'ai écrites dans ma dernière lettre… elles n'étaient pas vraies. Enfin si, elles l'étaient, mais ce n'était pas ce que je voulais réellement te dire. Je me cachais derrière des faits et des chiffres parce que je ne savais pas comment te dire ceci :

Chaque jour, tu changes, tu grandis, tu vis, tu es toi, quelque part, et la seule chose qui reste la même, c'est moi.

Je suis toujours là, à m'accrocher à toi. Coincée dans le passé. Prise au piège. Je m'y enfouis. Je m'y noie. Et je ne sais pas quoi faire pour changer cela.

Tu me manques, Nick. Depuis ton départ, tu me manques chaque jour, à chaque heure et à chaque seconde.

Et le morceau de moi que tu as emporté avec toi me manque aussi.

Harriet xxx

67

Jamais de ma vie je n'ai couru aussi vite.
Mon enveloppe à la main, je dévale l'escalier, file dans
la rue et cours vers la boîte aux lettres comme si j'avais
les pieds en feu. Comme si j'avais de petites ailes aux
talons et six moteurs de fusée dans le dos. Comme si
j'avais une cape magique ; comme si j'étais un avion en
papier. Ou une comète, ou encore une étoile filante.

Et en courant ainsi, c'est Nick que je poursuis.

Tokyo – Juin (il y a quatre mois)
« 3 358 secondes. »
Nous passions dans d'étroites ruelles, devant des
maisons de bois sombre avec de la toile blanche suspendue aux portes comme des cadeaux à demi ouverts,
sous des petites arches et des toits recourbés, pour
resurgir dans des rues animées et bruyantes, puis retrouver le calme.
« 3 247 secondes. »

Nous avons dépassé une petite gare à toute allure.

« 2 320, lui ai-je dit alors que nous courions sur un magnifique pont de bois enjambant un canal, peint en rouge et orné de longues bannières rouges. M'enfin, Nick, où est-ce que tu m'emmènes ? »

Il a ri et s'est retourné vers moi. « Harriet… »

Lorsqu'il se retourne, le visage de Nick clignote légèrement, comme dans un vieux film. Puis il se dissipe, telle une fumée que je traverse.

C'est peut-être que je ne cours pas assez vite. Alors j'accélère. Je cours jusqu'à ce que mes cuisses me brûlent, jusqu'à ce que ma vision se brouille et que le monde oscille d'un côté à l'autre. Jusqu'à ce que mon souffle émette un couinement haut perché, jusqu'à ce que je n'entende plus que le tambourinement de mes pas.

Concentration, Harriet.

« 1 986 secondes. » À bout de souffle, nous courions encore, mais moins vite, dans des rues en ciment qui s'enfonçaient entre les gratte-ciel.

« 1 653. »

Une volée de marches.

« 1 454.

— Harriet… »

Mais Nick recommence à s'évaporer. Je ne vois plus la forme exacte de son nez, ni la teinte exacte de ses yeux, ni la place exacte du petit grain de beauté sur sa joue. Je ne sais plus tout à fait sous quel angle le coin de sa bouche s'abaisse juste avant qu'il sourie, ni quel est le timbre de sa voix quand il est fatigué. Alors, le front plissé, je continue de courir.

Je traverse le parc où se trouve le tourniquet sur lequel nous avons joué l'été dernier. Je traverse l'allée où nous nous sommes embrassés sous la pluie. Je prends la route où je me suis mouillé le pied et où il m'a donné sa chaussette. Je passe devant la première boîte à lettres, celle où il a posté ma toute première lettre.

« 1 223 secondes. Je ne comprends pas où on…
— Harriet… »

Maintenant, son menton est parti, la forme de ses oreilles, la couleur de son dos l'été, la courbe de ses lèvres.

« Harriet. »

J'ai oublié la douceur de ses mains.

« Harriet. »

J'ai oublié l'expression de son visage.

« Harriet. »

Et je cours le plus vite que je peux : comme si mes jambes étaient la manivelle du vieux projecteur du vieux film, et qu'il me suffisait, peut-être, de les mou-voir assez vite, pendant assez longtemps, pour, avec un petit déclic, pouvoir le revoir.

Souriant, et attendant que je le rattrape.

Mais cela ne marche pas.

Chaque fois que Nick se retourne, son visage vacille et s'efface un peu plus.

Et lorsque je m'arrête en dérapage contrôlé devant la seconde boîte à lettres, la futilité de tout cela me tombe enfin dessus. Mes lettres ne seront jamais lues. Personne n'y répond. Ce qui reste de Nick est uniquement dans ma tête, et quand cela aussi s'éteindra, il s'éteindra avec. Que j'y sois prête ou non.

Au cours de l'année passée, Nick a disparu tant de fois… mais c'est la première fois qu'il n'est vraiment plus là.

68

Je poste la lettre quand même. J'ai couru si loin et si fort que ce serait idiot de ne pas le faire. Puis, à bout de souffle, je me laisse glisser le long de la boîte aux lettres jusqu'à me retrouver assise, la tête dans les mains. Nat et Toby ne veulent pas me voir. Rin, Bunty et Wilbur sont à des milliers de kilomètres.

Nick n'est pas là.

Et à présent, j'ai deux grandes journées qui s'étirent devant moi, vides à un point inimaginable. Quarante-huit heures de devoirs et de documentaires, quarante-huit heures à me cacher de nouveau dans des histoires qui ne sont pas la mienne. Deux journées à ranger les boîtes de la cuisine dans l'ordre alphabétique inversé et à essayer de bouger les oreilles alors que je suis sûre de ne pas avoir les muscles nécessaires.

Un week-end entier à être l'ancienne Harriet Manners.

Là, quelque chose se casse net en moi. J'attends d'avoir repris mon souffle (pour être franche, cela prend plus de temps que ce que prévoit le ministère de la Santé pour une fille de mon âge et de ma taille). Puis j'empoigne mon téléphone. Aussi vite que je le peux, je coche tous les numéros que j'ai soigneusement recueillis au lycée cette semaine : Ananya, India, Liv, Chloé, Mia, Raya, Eric, Robert et une pléthore d'autres gens dont j'ai oublié le prénom (ils s'appellent A, B, C, D, etc. dans mes contacts, parce que ça me paraissait impoli de le leur redemander.)

Je serre les dents. Puis rédige le message suivant :

Grosse fête vendredi prochain, venez nombreux ! Détails suivent. ☺ Harriet Manners xx

Le Royaume-Uni abrite 250 espèces d'abeilles. Pendant les deux minutes qui suivent, on dirait qu'elles sont toutes coincées dans mon téléphone.

Bzzz.

Yes ! J'y serai ! T'es la meilleure ! X

Bzzz, bzzz, bzzz.

Nooooon ! Trop cool ! xx

Top ! J'amène toute l'équipe de foot !

Énorme ! Je peux inviter l'école des garçons ? x

Bzzz bzzz bzzz bzzz bzzz bzzz bzzz.

Et, alors que les réponses déferlent par dizaines – même de gens à qui je n'ai pas écrit –, je remets mon téléphone encore vibrant dans ma poche et je me lève.

Maintenant, je sais ce que j'ai à faire.

Je vais donner la fête la plus festive que le monde ait jamais vue. Ce sera extraordinaire. Fabuleux. Prodigieux, colossal, cyclopéen, herculéen. Une fiesta monstre, princière, pharaonique, phénoménale.

Et quand ce sera terminé, l'ancienne Harriet Manners aura disparu pour ne plus jamais revenir. Car ce n'est plus un jeu ni une occasion amusante de cocher une liste. Ce n'est plus un moyen de me changer les idées, de m'occuper ou de tâcher d'oublier les gens qui me manquent.

La version à paillettes n'est plus simplement la vie que je me suis choisie. C'est la seule qui me reste.

69

Je passe le reste du week-end à faire des préparatifs.

Avec ma petite sœur sur les genoux, je reste trois heures dans le bureau de papa, à taper, à mettre en page et à imprimer deux cents invitations personnalisées sur des papiers de couleurs variées.

Puis je restitue Tabatha, pour des raisons de santé et de sécurité, et consacre encore quatre heures à découper soigneusement mes invitations en leur donnant des formes sympas et à les décorer avec des dessins personnalisés.

Je passe une dizaine de coups de fil, compile six plannings et fais quelques courses.

Je vais même jusqu'à emprunter à Annabel une petite avance sur l'argent que j'ai gagné au Maroc, à la stricte condition de la lui rendre aussitôt que le paiement aura été effectué.

En fait, ma belle-mère se révèle étonnamment solidaire. « Une fête ? » me demande-t-elle alors qu'elle rôde devant la porte du bureau pendant que je commence à plastifier allègrement mes bouts de papier. Car, comme chacun sait, une fête n'est pas officielle tant que toutes les invitations ne sont pas complètement étanches. On ne sait jamais ce qui peut être renversé dessus.

« Oui, dis-je fermement en sortant un morceau de plastique chaud de la machine. J'en ai besoin, Annabel. »

Sur quoi j'ajoute une des gommettes dorées que je me réserve en principe pour quand j'obtiens la note maximale à un devoir.

Il y a un bref silence. « Tu veux que je t'aide ? »

Je la regarde avec surprise, puis je considère l'argumentaire avec liste à points que j'avais soigneusement préparé pour le moment où je devrais me battre avec elle. Je commence à me demander si le fait d'avoir un bébé ne l'aurait pas un peu trop ramollie : sa tolérance devient presque inquiétante. Dès qu'elle se remettra au yoga, j'appellerai les autorités pour réclamer un scan de son cerveau ou quelque chose dans le genre.

« Je crois que j'ai besoin de me débrouiller seule, mais merci », lui dis-je avec reconnaissance. En plus, il y a toujours le risque qu'elle oblige tout le monde à signer je ne sais quel contrat légalement contraignant avant même que les gens aient passé la porte, et ce n'est pas tout à fait l'ambiance que je vise.

Pendant ce temps, papa rebondit dans toute la maison comme si les deux étages s'étaient transformés en trampolines pendant la nuit. « J'adore les fêtes ! Quel est le thème ? Est-ce qu'on pourrait imposer un thème culinaire, pour que je puisse me déguiser en cuistot italien et Tabby en homard, et que je la trimballe partout dans une grosse marmite ? »

Je lance un regard alarmé à Annabel. Si mon père montre ne serait-ce que sa tête, ma nouvelle image acquise à la sueur de mon front va tomber en flèche. Surtout s'il met une fausse moustache pour faire semblant de cuire ma sœur au court-bouillon.

« Non, Richard, lui dit-elle fermement. Si Harriet a besoin de nous, nous serons là, mais dans le cas contraire, ne nous en mêlons pas. »

Sérieusement : d'un instant à l'autre, elle va me dire que « quinoa » se prononce en fait « kin-wa » et me vanter les mérites de la méditation transcendantale.

« C'est trop injuste, râle papa pour la dix millième fois. Bon, si jamais vous changez d'avis, j'ai déjà le costume. Harriet l'a porté il y a quinze ans, et elle faisait un crustacé tout à fait charmant. Elle pleurait quand on le lui enlevait, je me rappelle. »

Ce qui, maintenant que j'y pense, en explique plus que je ne le voudrais sur mon existence.

En arrivant au lycée le lundi matin, je me sens prête, dans l'ensemble. Sans vouloir me vanter, cette fête va être la plus géniale qui ait jamais été vue dans toute l'histoire des fêtes.

Même moi, je commence à sentir monter mon impatience. Et je ne suis pas la seule.

« Noooooon ! couinent Lydia et ses petites camarades quand je leur tends leurs invitations entre les pages de mon dernier *Grand Livre du petit coin*. C'est pour nous ? On peut venir ? En vrai ??? T'es la meilleure, Harriet Manners !

— Géant ! ajoute Chloé, rayonnante, en l'étudiant avec soin. T'es trop adorable !

— Nickel, font Eric et ses potes quand je leur tends les rectangles plastifiés. C'est grave cool de ta part, Retzer. »

(Ah oui, au fait, c'est mon nouveau prénom. Retzer. On dirait le nom d'un cachet qu'on prend quand on se sent barbouillé.)

Liv se met à hyperventiler aussitôt qu'elle pose les yeux sur l'invitation. « Regardez ! Gadezgadezgadez-j'ycroispasqu'est-cequejevaismemettrec'esttropcoolje-vaistotalement…

— Olivia, la coupe sèchement India en levant les yeux au ciel, calme-toi, ou tu vas péter un anévrisme.

— C'est l'idée du siècle, Ret ! s'exclame Ananya en me serrant très fort dans ses bras. Est-ce qu'il y aura tout le monde ? Je les connais tous ? »

Je lui souris largement. « J'espère bien ! Ça en prend le chemin, vu qu'ils m'ont tous répondu par retour. »

Ananya et Liv poussent des cris aigus. « Je vais prendre des tonnes de photos ! glapit Liv en embrassant son invitation. J'ai trop hâte ! »

Six heures passées à me brûler les doigts sur du plastique fondu, mais ça en valait totalement la peine. Tout le monde les adore, mes invitations. La dernière fois que j'ai vu mes camarades aussi enthousiastes, nous avions six ans, et le père Noël avait fait une visite surprise à l'école avec trois vrais rennes vivants.

Je distribue des invitations en perm et en SVT, en maths, en physique et en chimie. J'attends à la sortie des cours de français, d'anglais et d'histoire, même si je n'ai pas ces matières au programme. Je fais ma tournée dans le réfectoire pendant le déjeuner, et je me bricole un petit stand dans le foyer pendant les pauses.

Le plus important, c'est que je n'oublie personne. Même si cela implique d'en donner une à Alexa. Et de partir en courant juste après, avec un peu moins de courage, parce qu'elle continue de me dévisager sans rien dire.

Enfin, lorsqu'il ne me reste presque plus de rectangles plastifiés, je me dirige vers la classe de Toby. Même si je lui en veux toujours, j'espère vaguement qu'il finira par redevenir lui-même. Si possible, d'ici vendredi soir : j'ai fait des heures supplémentaires pour dessiner son invitation, en utilisant toutes mes gommettes préférées.

« Merci bien, Harriet Manners », me dit-il d'un ton rigide quand je bondis de derrière la porte et lui mets le plastique sous le nez avant qu'il ait pu me repérer et s'enfuir. Sauf qu'il ne croise toujours pas mon regard, ce qui ne peut pas passer inaperçu. « Il faut que je vérifie d'abord. Je crains de ne toujours pas avoir la permission. »

Je hoche tristement la tête. Puis je fusille Jasper du regard, à l'autre bout du couloir, jusqu'à ce qu'il détourne les yeux.

Le mercredi matin, je ne peux plus faire un pas dans les couloirs sans qu'on me tape dans la main, qu'on m'embrasse, qu'on m'enlace ou qu'on me donne des petits coups de poing amicaux dans l'épaule. « Salut, Rett ! » « Yo, Retty ! » « Retzer ! Comment va ? » « Elle est canon aujourd'hui, ma Retty ! »

Et, en voyant que le collège aussi commence lentement à s'emplir de paillettes, de chèches marocains et de besaces en cuir rouge, je me rends compte avec un immense étonnement que j'avais peut-être raison.

Oui, c'est peut-être aussi facile que ça.

Car en même temps que je souris avec assurance et que je fais audacieusement coucou, que je prends le risque de rire et que je tape dans des mains avec insouciance, l'idée me vient que j'ai peut-être trouvé mon étoile intérieure. La star qui est en moi.

Et qu'elle n'était pas aussi éloignée que je le croyais.

70

Quand vient le jeudi après-midi, le lycée ne bruisse plus que de *la fête d'Harriet*.

Ma classe entière de SVT est sortie, nous attendons à côté des terrains de volley que deux autres classes viennent nous rejoindre, et il pleut des cordes. Nous grelottons tous dans le froid, sous de petits parapluies.

Mais personne ne semble l'avoir remarqué. Tout le monde met à profit ce temps libre pour discuter des fêtes les plus géniales qui ont été données au fil des années. Apparemment, il y a eu pléthore de thèmes originaux – « Lycra des années 80 », « Péplum », « Halloween » –, qui se sont soldés par des degrés de réussite variés.

Ce que je ne peux pas savoir, bien sûr, car je n'ai été invitée à aucune de ces fêtes. Je participe autant que possible à la conversation, mais il semblerait que le thème « Dynastie des Tudors » ne soit pas aussi cool que je l'aurais cru, et « Orphelin du XIXe siècle » non plus. « Électroménager », pas top non plus.

« Mais franchement, Ret, me dit Chloé dans notre petit groupe de filles, je pense que la tienne, vendredi, sera la plus démente de toutes.

— C'est une idée tellement géniale ! Où as-tu trouvé ça ? »

Je réfléchis soigneusement. « Eh bien, c'est sympa de partager ce qu'on aime avec les autres, vous voyez ?

— Totalement. Oh, mon Dieu, c'est tellement vrai.

— C'est hyper généreux à toi, de les partager avec nous.

— Mesdemoiselles ! Je vous ai demandé d'attendre en silence ! » nous coupe M. Collins au moment où l'autre classe de SVT sort pour nous rejoindre sous la pluie.

« Alors, qu'est-ce qu'on doit se mettre ? Quelque chose qui brille, hein ?

— À la dernière fête où je suis allée, j'avais un costume d'abeille trop chou, avec des antennes trop mignonnes qui bougeaient quand je dansais. »

Tiens. J'ignorais que le thème « Animaux sexy » était socialement acceptable. En fait, j'aurais même cru que c'était plus ou moins illégal. « Ooooh ! fais-je avec animation. Des études ont montré que les abeilles se servent de leur antenne droite pour savoir si les autres sont des amies ou des ennemies. Tu as fait pareil pour draguer les garçons ? »

Elles me regardent toutes d'un air interdit pendant quelques secondes, puis éclatent bruyamment de rire.

Je ne plaisantais pas du tout — j'ai juste pensé que ce serait parfait pour briser la glace —, mais je dois dire que je me sens gonfler de joie comme un ballon d'hélium, au point que je suis obligée de me retenir à la clôture pour ne pas m'envoler. J'adore être involontairement hilarante !

« Mesdemoiselles, répète M. Collins, l'air revêche, qu'est-ce que je viens de dire ? Je parle tout seul, ou quoi ? Est-ce que quelqu'un m'entend ? »

Je continue, extrêmement concentrée. « Et aussi, les abeilles dansent pour indiquer aux autres où se trouve la nourriture. Tu aurais pu faire une petite chorégraphie autour du buffet ! »

Elles pouffent encore plus fort. « À mourir de rire !

— Ou tu aurais pu te mettre un petit diadème pour être la reine des abeilles, et…

— Mesdemoiselles », soupire M. Collins en s'approchant de nous de son pas lourd. Son large torse et sa manière de marcher en se balançant m'ont toujours vaguement fait penser à un blaireau déconcerté. « Qu'est-ce qui se passe ici, à la fin ? »

En regardant le groupe qui rigole encore, je me sens soudain légèrement grisée. « Pardon, monsieur, dis-je en leur envoyant un clin d'œil. On ne vous avait abzzzolument pas vu derrière nous. »

Elles rient encore plus fort, et je me sens invincible.

« Ah non ? Pourtant, vous regardiez par ici.

— C'est embzzzzêtant, dis-je en remuant les sourcils. On doit avoir bzzzoin de lunettes. »

Les filles sont écroulées de rire. M. Collins commence à avoir l'air énervé, mais je suis bien trop enivrée par le succès pour m'arrêter.

J'en veux encore. Encore des rires. Encore des gens qui m'apprécient. Je le savais, que mon don pour les jeux de mots me servirait un jour.

« D'ailleurs, monsieur, c'est bzzizzzarre, ça sent le miel par ici… »

M. Collins a un tic nerveux.

« D'accord, dit-il sèchement en indiquant le milieu de la cour. Ça suffit. Va là-bas, Harriet. Tout de suite. »

Je bats des paupières. « Mais…

— C'est parce que je mange des tartines de miel tous les midis, c'est ça ? Elles sont simples à préparer, faciles à emballer, et je ne vais pas laisser une gamine de seize ans se moquer de mes habitudes alimentaires. Franchement, je ne sais pas ce qui te prend, cette année, jeune fille. M. Harper et Mlle Lloyd disent aussi que tu dissipes leurs classes. »

Et là, d'un seul coup, Harriet la geek réapparaît, *plop* !

J'ai un peu mal au cœur. Les professeurs ne m'aiment plus, maintenant ? Pourquoi est-ce tellement impossible de plaire à tout le monde ?

« Oh, non, monsieur, on ne riait pas de vous, dis-je, désespérée, les joues rouges. On parlait juste de cette fête que je vais…

— AU MILIEU DE LA COUR, HARRIET ! TOUT DE SUITE ! »

Je jette un regard sur le côté, mais les filles sont redevenues d'un sérieux absolu. C'est fini, je ne suis plus du tout désopilante.

Le cœur lourd, je baisse la tête. Et je commence à me traîner gauchement, sous la pluie, vers le cercle jaune tracé au centre du terrain. Ironie du sort : personne ne me désignerait jamais pour la position centrale dans l'équipe.

Puis j'attends en silence.

Il pleut des hallebardes, maintenant, et je suis de plus en plus trempée. En une minute, j'ai les cheveux plaqués sur le crâne, les joues et le bout du nez dégoulinants, et mes babouches en cuir font des petits bruits de succion chaque fois que je bouge. Quitte à être dissipée une fois dans ma vie, j'aurais pu choisir un jour où la météo était un peu plus clémente.

Lentement, Mme Harris et la dernière classe de SVT rejoignent le groupe : un total de trente-cinq élèves frigorifiés.

Qui, tous, me regardent.

Dans les océans tropicaux et subtropicaux du monde, on trouve un poisson-grenouille de la famille des *Antennariidae*. Il est rouge vif, muet, et remarquable par sa manière de ramper lentement dans le fond de la mer sur ses nageoires pectorales. Nous sommes absolument identiques en ce moment. Je suis tellement embarrassée que je suis à un cheveu de me jeter au sol pour ramper, moi aussi.

India, sous son parapluie jaune canari, m'envoie un bref regard qui veut dire : « Qu'est-ce qui se passe ? » Je réponds par un clin d'œil qui signifie : « J'ai fait une bêtise », et je me fais encore plus petite.

M. Collins souffle dans un sifflet. « Bien ! lance-t-il d'un ton hargneux. Nous sommes rassemblés ici aujourd'hui afin de pratiquer la récolte et la classification d'échantillons pour votre contrôle continu de biologie.

— Oui, monsieur, acquiesce tout le monde sans me quitter des yeux.

— Mais certains semblent croire qu'ils ont plus excitant à faire ou à discuter. Apparemment, cette épreuve est une distraction gênante pour leur vie sociale agitée. »

Mon prof de SVT me désigne inutilement : les trois classes sont déjà entièrement concentrées sur mon front. Je pique du nez, soudain heureuse qu'il pleuve : mon humiliation est telle que c'est la seule chose qui me sauve de la combustion spontanée.

« Si vous n'êtes pas capables de traiter cette classe et vos professeurs avec le respect et l'attention qu'ils méritent, continue M. Collins, vous pouvez aller attendre sous la pluie avec Harriet Manners. Suis-je clair comme du cristal ?

— Oui, monsieur », répondent trente-cinq élèves.

Un filet d'eau de pluie coule du bout de mon nez, et mes joues sont en feu. Je suis en train d'essayer de voir s'il y aurait un moyen de maîtriser la pluie et de me dissoudre entièrement, telle la Méchante Sorcière de l'Ouest dans *Le Magicien d'Oz*, lorsque quelqu'un se racle la gorge.

Et qu'une main se lève.

71

« **J**uste une petite question, monsieur. »

M. Collins fronce les sourcils et scrute à travers ses lunettes la personne qui a parlé. « Oui, jeune fille... pardon, je ne connais pas ton nom.

— India, dit-elle d'une voix douce. India Perez. Je suis arrivée de Leeds au début du trimestre.

— Ah. Oui. J'ai entendu ton nom dans la salle des professeurs. Que voulais-tu savoir ?

— Monsieur, vos atomes, molécules ou ions ont-ils une structure microscopique hautement ordonnée ?

— Pardon ?

— Avez-vous jamais présenté une structure réticulaire, et, vu au microscope, êtes-vous globalement géométrique ?

— Comment ?

— Avez-vous dans votre famille : a) un flocon de neige, b) un diamant ou c) du sel de table ? » (Elle compte sur ses doigts.)

« India, souffle Mme Harris avec inquiétude.

— Désolée, mais ce professeur voulait savoir s'il pouvait s'apparenter à du cristal. J'essaie simplement de le déterminer au moyen de la classification. Nous sommes bien en cours de SVT, non ? »

Les trois classes se mettent à ricaner, et la figure de M. Collins prend lentement la même couleur que les cheveux d'India. « Oh, encore une petite maligne, gronde-t-il. On a une vraie troupe de comiques, dans le coin, dites-moi ! Au centre vous aussi, mademoiselle Perez. Allez. Tout de suite. »

India ferme lentement son parapluie et vient me rejoindre sous la pluie. Je la regarde s'approcher avec stupéfaction. Pour être honnête, je pensais qu'India ne m'aimait pas beaucoup. Je l'ai surprise à me regarder avec dédain bien trop souvent pour que ce soit une coïncidence.

« Je ne pense pas du tout qu'il soit en cristal, dit-elle en se plaçant à côté de moi. C'est extrêmement décevant. »

Je lui adresse un sourire trempé. « Tu n'étais pas obligée de faire ça. »

Ses cheveux s'assombrissent à vue d'œil et une goutte de pluie grossit sur son piercing dans le nez. « Bah, si, un peu. Il a tort de s'acharner sur toi. »

Pendant ce temps, la colère de M. Collins s'apaise lentement. Il reprend son écritoire. « Bon. Quelqu'un d'autre a envie de se faire tremper aujourd'hui, ou on peut se mettre au travail ? »

Il y a un instant de silence. Le genre de silence sur lequel on pourrait se laisser glisser, si on avait envie de glisser sur un silence. Puis deux garçons replient leurs parapluies. « Ouais, allons-y. Il commence à faire un peu trop sec, par ici. »

Un autre parapluie disparaît.

« Exact ! Je me prendrais bien un peu de flotte sur la tronche, moi.

— Moi aussi. Une mutinerie !

— Ah, si tout le monde le fait, alors… »

Et un par un – lentement d'abord, puis de plus en plus vite –, les trois classes ferment leurs parapluies et s'approchent de moi sous la pluie. Mon cœur est en train d'enfler si vite que je crains qu'il sorte compressé entre mes côtes, comme de la pâte à modeler rouge sortant d'un jeu Play-Doh.

Car cela ne semble pas possible. Ça ne peut pas être possible. Et pourtant, ça l'est.

Lentement mais sûrement, la population entière de la cour se déplace jusqu'à ce que tous les élèves de SVT de première soient arrivés au centre, absolument trempés. Tous… derrière moi.

72

Tous, sauf un.

Je ne savais même pas, jusqu'à cet instant, que Jasper était en SVT. C'est vous dire s'il est discret et s'il se tenait à l'écart de la foule.

« Oh, mais c'est pas vrai… soupire-t-il depuis son poste solitaire à côté de la clôture. Sérieusement, qu'est-ce que vous avez avec cette fille ? Elle est en chocolat, ou quoi ? »

Là, sans transition, une fusée rouge et brûlante de colère commence à lancer des étincelles en moi, tel un feu de Bengale.

Je *hais* ce mec.

Je suis en train de vivre l'un des instants les plus glorieux de mon existence, et Jasper vient tout gâcher. Une fois de plus. Il m'a déjà pris Toby, pourquoi faut-il qu'il veuille m'arracher le reste de la classe aussi ? Il ne peut pas simplement me laisser en paix ?

« En fait, dis-je, furibonde, il y a un lien direct entre la quantité de chocolat consommée dans un pays et le nombre de lauréats du prix Nobel qu'il produit. Na ! » Oui, je sais. Quand tout le monde me regarde, je panique.

« Ça n'a même pas de sens, souffle Jasper. Tu as juste pris un mot de ce que j'ai dit et tu l'as collé à une info qui n'a rien à voir. »

Nom d'une sucette à roulettes. C'est exactement ce que j'ai fait. Le feu de Bengale brûle toujours.

« Et alors ? Qu'est-ce que tu connais au chocolat ?

— On trouve en moyenne huit fragments d'insectes dans une barre chocolatée, répond-il calmement. Ce qui les rend déjà nettement moins appétissantes. Eh ! Tout compte fait, peut-être bien que tu es en chocolat ! »

Mes joues s'embrasent. C'était très vexant, ça. Et le pire, c'est que c'est scientifiquement exact.

« Oui, eh bien, la théobromine, composé présent dans le chocolat, peut être mortelle à haute dose. Alors tu as peut-être quelque chose en commun avec, toi aussi. »

Eh oui : j'ai encore paniqué.

« J'y comprends plus rien, chuchote quelqu'un. De quoi ils parlent ?

— Bon… dit Mme Harris en s'avançant, les mains nouées ensemble. Soyez gentils, vous deux. Nous sommes ici pour… pour étudier la biodiversité, alors allez donc prendre une écritoire, une boîte, de la ficelle et… »

Il y a un toussotement. « Une seconde, intervient M. Collins, qui s'avance entre nous en se frottant le menton. Ai-je raison de penser que vous, Jasper King, n'aimez pas Harriet Manners ?

— En effet, je pense qu'on peut dire ça, confirme-t-il, furieux, pendant que quelque chose au fond de moi fait des petits bonds de colère.

— Et me tromperais-je en supposant que vous, Harriet Manners, n'avez pas beaucoup d'affection pour Jasper King ?

— Pas du tout. » Je fusille Jasper du regard jusqu'à m'en faire mal aux sourcils.

Un sourire énorme illumine alors les traits du prof : comme si tous ses Noëls arrivaient en même temps, ainsi que la moitié de ses anniversaires et même quelques Hanoukas.

« Parfait, dit-il en remontant la fermeture Éclair de sa veste, d'un geste triomphal. Voilà qui m'évite de coller toute la classe. Harriet Manners, ça te fera du bien de passer un peu de temps avec quelqu'un qui comprend quel comportement le lycée attend de ses élèves. »

Jasper et moi échangeons un regard perplexe, et là, mon estomac se fige. Non. Non non non. *Non non non non NON.*

« Harriet et Jasper vont travailler en binôme tout l'après-midi, confirme joyeusement M. Collins. Amusez-vous bien, les jeunes. Vous pouvez y aller. »

73

Voici quelques exemples classiques d'ennemis dans la culture populaire :

1. Le capitaine Crochet et Peter Pan ;
2. Shere Khan et Mowgli ;
3. Maléfique et Aurore ;
4. Ursula et Ariel ;
5. Scar et Mufasa.

Et oui, d'accord, ce sont tous des personnages de Disney, mais je persiste à penser que les dessins animés reflètent parfaitement le monde moderne et ses embûches, et qu'ils ne sont pas du tout faits pour les petits enfants.

Quoi qu'en dise Nat.

Et quoi qu'en dise aussi la Commission de classification des œuvres cinématographiques.

Mais tandis que Jasper et moi prenons en silence nos écritoires et nos rouleaux de ficelle pour nous diriger vers les hautes herbes mouillées du bout du terrain, je ne peux pas m'empêcher de me demander qui je suis : le bon ou le méchant.

Après tout, c'est moi qui me suis attiré des ennuis et c'est sur lui que je suis censée essayer de prendre exemple. Mais je le saurais, si j'étais la vilaine, non ?

« Son Altesse voudrait-elle que je retire mon manteau et que je le jette sur une flaque d'eau pour qu'elle marche dessus ? grogne Jasper en me voyant poser les pieds avec précaution dans l'herbe boueuse. Ou dois-je plutôt la porter sur mes épaules en jouant du cor pour célébrer sa grandeur ? »

Alors ça, c'est typique. J'ai passé la plus grande partie de ma vie à piétiner dans la boue en baskets de supermarché, pour chercher des fleurs à mettre dans mon herbier ou des pissenlits sur lesquels souffler en faisant un vœu ; et le jour où c'est pour un devoir noté, c'est là que je porte un sarouel en coton détrempé et des petites babouches de cuir pas du tout antidérapantes.

Par contraste, Jasper est au chaud, au sec, bien confort dans ses bottes étanches, son jean et son anorak bleu ciel. Oh, comme je le hais, ce type !

Nous atteignons un endroit où l'herbe est particulièrement épaisse, à côté d'un chêne, et nous nous arrêtons. La pluie s'est enfin calmée, et tout commence à scintiller légèrement.

« Primo, dis-je sèchement en déroulant une longueur de ficelle bleue et en la fixant au sol à l'aide d'une tige de fer, je ne suis pas la reine Elisabeth Ire, malgré la couleur similaire de nos cheveux. Deuzio, toi, tu te prends pour le célèbre explorateur sir Walter Raleigh. Et tertio, l'histoire du manteau jeté sur une flaque est une fiction inventée par l'ecclésiastique Thomas Fuller pour... » Pourquoi, au juste ? « Alors prends-toi ça dans la tronche et mange-le, dis-je lamentablement en guise de conclusion.

— C'est la pire repartie que j'aie jamais entendue. Et pourquoi est-ce que je voudrais être Raleigh ? Sa tête a été embaumée et rendue à sa femme dans un sac.

— Eh bien, je ne sais pas ce qu'en pensent les autres, mais moi, je croise les doigts pour qu'on répète l'expérience, je réplique en enfonçant un autre piquet.

— Aïe ! Un remake historique. » Jasper me lance un regard mauvais quand je commence à m'éloigner avec la ficelle. « Où tu vas, princesse ? Ce n'est pas un angle droit, ça. Tu sais bien qu'on doit délimiter un carré parfait pour avoir une surface bien mesurable.

— C'est un angle droit.

— C'est un angle de 75 degrés au minimum, dit-il en me prenant la ficelle des mains. Tu comprends, au moins, ce que c'est qu'un angle droit ? »

Ohhhhh !

Je lui reprends brutalement la ficelle. « Tu n'étais même pas né que je savais déjà ce que c'était qu'un angle droit !

— Tu es née quand ?

— En août.

— Ah. Alors tu dois être un de ces ovules surdoués dont tout le monde parle. » Il tend la ficelle pour délimiter le dernier côté de notre carré. « Et si tu restais assise sur un tronc à contempler ton génie, pendant que je commence à mesurer la diversité des espèces dans notre zone d'étude ? »

Un nouveau petit éclair de fureur me traverse. Considérablement aggravé par le fait que mes pieds sont désormais tellement glacés et mouillés que j'aurais presque envie de m'asseoir un peu, en effet.

« J'ai trouvé un insecte, ajoute sèchement Jasper en s'accroupissant par terre. Ailé. »

Je regarde le tableau qui nous a été distribué. « Une paire d'ailes ou deux ?

— Deux.

— Membraneuses ou épaisses ?

— Membraneuses.

— Couvertes d'une sorte de poudre blanche ?

— Je crois. Les ailes sont placées au-dessus du corps, pas à plat sur les côtés.

— Alors c'est une chrysope. Un névroptère, en fait. » Et là, avant d'avoir pu m'arrêter, j'ajoute : « Tu sais que les chrysopes peuvent détecter les chauves-souris grâce à un appareil auditif qu'elles ont dans les ailes ?

— Oui, je sais, me répond Jasper en achevant de dérouler la ficelle. Car moi aussi, je vais en cours de SVT, figure-toi. Mais merci pour l'info condescendante. »

Un nouveau petit poignard de colère me transperce. « Mais pourquoi tu vas en SVT, d'ailleurs ? » Je me baisse pour scruter les herbes. « Je te croyais en filière artistique. Écris "grenouille".

— Quel genre de grenouille ?

— Peau humide et lisse, verte, rayures sur les pattes arrière, se déplace en sautant. Grenouille.

— Tu es sûr ?

— C'est une *Rana temporaria*. Je sais reconnaître une grenouille commune quand j'en vois une, quand même !

— Tu devrais peut-être essayer de l'embrasser, Altesse. Pour voir si tu te trouves un nouveau prince. »

Mes joues virent au rouge tomate. Je n'ai pas l'intention d'embrasser quoi que ce soit, grenouille ou autre. Mais le fait d'insinuer que je puisse en avoir envie me met en rage.

« Et j'aime la biologie, ajoute Jasper en s'agenouillant dans l'herbe. Écris "ver de terre".

— Lombric. Tu devrais l'embrasser, tiens, dis-je farouchement tout en notant l'info. Pour voir si tu te trouves une autre créature visqueuse et sans cœur. »

Jasper émet un bruit bizarre par le nez, et je relève la tête. Cela ressemblait à un rire, mais son visage est de nouveau parfaitement impénétrable.

« Tu devrais travailler cette repartie, tranche-t-il en se levant. Un jour, peut-être qu'elle pourra donner une vraie blague. »

Ohhhhh !

Nous ne sommes plus qu'à un mètre l'un de l'autre, et je suis tellement en colère que j'en tremble un peu. Pour la première fois, je suis assez près de lui pour voir qu'il a six taches de rousseur sur le nez et que ses yeux ne sont pas du tout de deux couleurs différentes. Les deux sont bleu vif, mais l'un a une grande tache marron. Comme si quelqu'un avait éclaboussé un papier mouillé avec une goutte de peinture différente. C'est très joli, en fait, et cela me fait enrager encore plus. Jasper ne mérite pas d'avoir des yeux intéressants et rares d'un point de vue génétique. Cet horrible mec devrait avoir des yeux identiques et barbants, comme tout le monde.

Nous nous défions du regard pendant quelques secondes. La ficelle bleue délimite un carré parfait autour de nous, et nous sommes au milieu. Tendus et pleins de haine. Exactement comme sur un ring de boxe. D'une minute à l'autre, un bonhomme en smoking avec un micro va surgir de derrière un arbre : « 3, 2, 1, BATTEZ-VOUS ! »

À ce moment précis, le sifflet retentit – pour nous convoquer à livrer nos premiers résultats –, et Jasper se retourne abruptement, enroule la ficelle et me la tend.

« La torture est terminée, me dit-il sèchement avant de partir vers les bâtiments. J'espère que la leçon a été aussi instructive pour toi que pour moi. »

Je n'en peux plus, je craque. « Pourquoi tu me détestes tant ? je lui crie en lui courant après. Il y a une raison particulière, ou la méchanceté est un hobby, chez toi ? »

Jasper continue d'avancer. « Je ne te déteste pas, Harriet. Je ne t'aime pas beaucoup, c'est tout. »

Je sais que cela devrait être un soulagement, mais, pour une raison qui m'échappe, c'est plutôt pire, en fait.

« M'enfin pourquoi ? » Je cours toujours derrière lui. « Je sais qu'on n'a pas pris un très bon départ, mais…

— Le monde entier n'est pas obligé de te vénérer, Harriet, soupire-t-il. Traverser la vie comme ça, entourée de tes fans, avec tes biscuits dinosaures pour faire ton intéressante, et ta manie d'étaler tes connaissances… Je te trouve un peu prétentieuse, c'est tout. Mais ce n'est que mon avis, et il est très minoritaire. Qu'est-ce que ça peut te faire ? »

Je cesse de courir et reste la bouche ouverte. Prétentieuse, moi ? Je n'y crois pas : j'ai passé ma vie entière à être rejetée, et maintenant que j'ai enfin des tas d'amis,

341

on me le renvoie à la figure. Et en plus, je n'essayais pas de faire l'intéressante ! J'aime vraiment beaucoup les dinosaures.

C'est trop injuste !

« Je ne suis peut-être pas à ton goût, dis-je en essayant de le doubler, mais j'ai toujours plu à Toby. Alors pourquoi as-tu dit à l'un de mes meilleurs amis de ne plus jouer avec moi ? »

Bravo : je viens de parler comme une gamine de six ans. Comme si on m'avait pris mon doudou préféré et que cela me rendait légèrement hystérique. Sans doute parce que c'est exactement ce que je ressens.

« Si quelqu'un ne veut pas faire partie de ton fan-club, me répond Jasper d'un ton las, ça n'a rien à voir avec moi. »

Il ponctue cette phrase d'un regard narquois, et cette fois, c'en est trop. Le petit feu d'artifice de rage cesse de crépiter dans mon ventre pour remonter dans ma poitrine et dans ma tête, et ressortir par mes oreilles en gerbes d'étincelles.

« Je te hais ! dis-je entre mes dents, en faisant volte-face pour lui jeter la pelote de ficelle bleue. Espèce d'horrible... »

Je n'ai pas le temps de trouver le substantif adéquat. Jupiter est la planète à la rotation la plus rapide de notre Système solaire : elle tourne à 45 500 kilomètres/heure. Une fois de plus, j'ai l'impression d'avoir atterri sur cette planète. Car tout en regardant la ficelle filer dans les airs – ratant Jasper de deux bons mètres –, je continue de tourner. Et encore et encore. Et, ma main se raccrochant au vide, dans mes babouches idiotes qui glissent, je lance un petit cri étranglé et je bascule vers l'avant, toujours en légère rotation. Et je m'étale dans la gadoue.

74

J'en ai connu, des moments gênants, dans ma vie. La fois où j'ai déambulé en plein supermarché avec ma jupe remontée dans mon collant, jusqu'au moment où une vendeuse me l'a fait remarquer. La fois où j'avais de la cannelle en poudre au-dessus de la lèvre et où tout le monde a cru que je m'étais laissé pousser une petite moustache rousse. La fois où j'ai fait pipi dans ma culotte à l'école, quand j'avais cinq ans, parce que j'étais trop transportée par la lecture de *L'Arbre de tous les secrets* d'Enid Blyton. (J'ai menti : ce n'était pas du lait.)

Me retrouver à plat ventre dans la boue devant un terrain de sport occupé par trente-cinq élèves, mon nouvel ennemi juré et trois professeurs est un événement qui dorénavant figurera en bonne place sur cette liste.

« Oh, mince, est-ce que ça va ? s'inquiète Jasper en bondissant vers moi. Tu ne t'es pas fait mal, au moins ? Rien de cassé ? »

Je regarde froidement la main qu'il me tend. J'ai les paumes qui me piquent, les genoux qui me piquent, les yeux qui me piquent et les joues qui me piquent : tous les symptômes familiers de la chute et de l'humiliation. À la périphérie de mon champ de vision, j'aperçois des groupes qui se rapprochent.

Si je me suis fait mal ? Non. Si je suis plus en colère que je ne l'ai jamais été de toute mon existence ? Absolument. « Bah, tu me connais, dis-je en essayant maladroitement de me relever. J'ai tellement la grosse tête que je ne tiens pas sur mes pieds. Ne me touche pas ! »

Il me prend quand même le bras. « Laisse-moi au moins t'aider à te relever, Harriet. On n'est pas obligés d'être amis, mais je ne suis pas un monstre non plus. Allez, hop, debout. »

Je me dégage avec fureur. « Ne me touche pas, je te dis ! Jamais ! La prochaine fois que tu me tends quelque chose, je l'arrache avec mes dents ! »

Il éclate de rire, et je dois me retenir de toutes mes forces pour ne pas lui déchiqueter la figure avec mes petites griffes de dinosaure.

« D'accord, fait-il avec un haussement d'épaules. Désolé. J'aurais peut-être dû étaler ce manteau par terre, tout compte fait. Ça aurait amorti un peu ta chute.

— Oooh, dis-je en me redressant à genoux. Tu vas voir si je vais t'amort… »

Mais je ne vais pas plus loin. Mon pied se pose sur un autre endroit glissant, et cette fois je retombe en arrière. À plat dos dans la boue.

75

Vous savez quoi? Je crois que je ne vais plus bouger de là. L'Univers semble me suggérer fortement de rester allongée par terre, intégralement recouverte de gadoue.

La sonnerie de la pause retentit. Les élèves surgissent du bâtiment à grand bruit, s'arrêtent, puis un grand nombre d'entre eux commencent à courir vers moi. Je ferme instinctivement les yeux en attendant les rires inévitables. *La geek. Quelle idiote. Quelle naze. Pourquoi est-ce que tu rates toujours tout, Harriet?*

« Oh là là! Ça va, Ret? Qu'est-ce qui s'est passé?

— Ma pauvre, tu es trempée!

— C'est une honte que les profs de SVT nous envoient dehors par ce temps. Mes parents vont écrire pour se plaindre! »

Prudemment, j'ouvre un œil. Au-dessus de moi, il y a des dizaines de visages, crispés par l'inquiétude.

Pas une trace de rire ; pas même un gloussement, un roulement d'yeux ni un ricanement. Personne ne murmure ni ne prend des photos ou des vidéos pour les poster sur Internet.

Sérieusement ? Je me suis étalée deux fois de suite dans la boue. Encore une peau de banane, et je suis mûre pour concurrencer Charlie Chaplin.

India, sans un mot, m'aide à me relever.

« Je… hum. » Je chasse une mèche de mes yeux, ce qui n'arrange sans doute pas encore mon look. « Je me suis dit que c'était important de regarder les choses de près pour notre étude sur la biodiversité. Au ras… des pâquerettes. »

Tout le monde éclate de rire. Une boulette de gadoue mêlée d'herbe tombe de mon genou avec un petit *plop*, et un « ooooh » attendri monte de la foule. Quelqu'un me tend un mouchoir – le geste est inutile, mais l'attention est touchante.

« En fait, dis-je tandis que mes joues reprennent peu à peu leur couleur normale, on a observé des éléphanteaux se jetant exprès dans la boue quand ils étaient en colère. C'est à peu près ce que je faisais, là. »

Et soyons juste : ce n'est pas si loin de la vérité.

Il y a encore des rires. Je me dirige vers les bâtiments pour essayer de me sécher, et la foule commence à se disperser. Mais juste au moment où je m'en vais, Liv se pointe.

« Qu'est-ce qui t'est arrivé, Retty ? me demande-t-elle, essoufflée, en courant à côté de moi.

— On l'a poussée, affirme Ananya, qui nous rejoint à grands pas. J'ai tout vu. Cette erreur de la nature a pété un plomb et l'a poussée, et ensuite il s'est marré ! »

Elle désigne Jasper, et quelques élèves se retournent vers lui.

« Quel taré, celui-là !

— Ça va pas, la tête ?

— Enfoiré !

— T'es vraiment un mutant, renchérit Ananya, farouche, en croisant les bras. Et d'où tu sors, d'ailleurs ? T'as un œil de verre, ou quoi ?

— Ouais, crache Liv. Monstroïde ! Pas étonnant que tu te caches tout seul dans l'atelier comme un loser total ! »

Ce vitriol soudain est si épais, si dense, qu'on pourrait mordre dedans et l'avaler. Les chiens sauvages d'Afrique comptent parmi les chasseurs en meute les plus efficaces du monde. Lorsqu'ils travaillent ensemble, ils ont un taux de réussite de 80 %. Le taux de certains de mes camarades de classe est peut-être même supérieur.

J'observe alors Jasper d'un œil neuf. Sont-ils toujours comme ça avec lui ? Est-ce pour cela qu'il passe son temps dans l'atelier ? Qu'il est constamment hostile et hargneux ? Comment ai-je fait pour ne pas le voir avant ?

Il relève la tête, serre les mâchoires et me défie du regard. *Vas-y*, semble-t-il me dire en silence. *Dis-le, je te regarde.*

C'est ma chance, et nous le savons l'un comme l'autre. Il me suffit de prononcer quatre petits mots – « Oui, il m'a poussée » –, et je serai vengée. Ce type affreux m'a insultée, s'est moqué de moi, m'a jugée et a retourné mon ami contre moi. À présent, c'est mon tour. Après tout, c'est lui qui a commencé, non ?

Sauf que…

Sauf qu'en scrutant en silence son visage rond, soudain, avec un coup au cœur, je reconnais tout. Les dents serrées. Les yeux trop brillants. Le tressaillement au coin de la bouche. Un groupe de gens tourné dans un sens, une personne seule tournée dans l'autre. Il fait semblant de s'en moquer, mais ce n'est pas le cas. Je le sais, parce qu'il y a encore huit jours – et durant les onze années qui ont précédé –, c'était moi, ça.

« Jasper ne m'a pas poussée, dis-je à mi-voix, sans le quitter des yeux. J'ai glissé bêtement, et il a essayé de m'aider. Et ce n'est pas un monstroïde, alors arrêtez de l'appeler comme ça. Les chances d'avoir une *hetero-chromia iridum* sont de 1 sur 6 000, ce qui en fait, pour citer le professeur Xavier, une mutation plutôt cool. » Jasper bat des paupières. « Et aussi, dis-je encore en plongeant la main dans la poche de mon sarouel, voici ton invitation à ma fête, Jasper. Pardon de ne pas te l'avoir donnée plus tôt. »

Je sors un rectangle de plastique boueux et l'essuie sur mon chèche. Ha! Je l'avais bien dit, que c'était une bonne idée de tout plastifier. Quand on se casse la figure aussi souvent que moi, on sait prendre ses précautions.

Toujours dégoulinante, je lui tends l'invitation et il l'accepte en silence. Son visage pâle prend lentement une teinte étrange, comme un rose tacheté.

« Oui, bon, on ne faisait que te défendre, Retty, dit Ananya en décroisant les bras. Du moment que tu vas bien, c'est la seule chose qui compte.

— Exactement.

— On disait ça pour plaisanter.

— Bien sûr qu'il doit venir à la fête. »

Le visage de Jasper n'a toujours pas bougé. Nous nous regardons pendant quelques secondes. Puis je repars en clopinant vers les bâtiments.

Le dernier élément de ma liste est « *crois en toi* », et c'est exactement ce dont il était question, là, n'est-ce pas? Savoir qui l'on est, même quand c'est très tentant de se faire passer pour quelqu'un d'autre.

Je ne suis pas Crochet, ni Khan, ni Ursula, ni Scar. Dans une autre vie, peut-être, j'aurais pu. Dans un univers alternatif – un univers où tout le monde rirait à mes blagues, m'inviterait à des fêtes, et où personne ne cacherait jamais ma trousse derrière une chasse d'eau –, peut-être aurait-ce été plus difficile de ne pas faire de mal à quelqu'un qui m'en a fait.

Mais, pour la première fois en onze ans, je suis heureuse d'avoir passé ma vie avec le mot GEEK gribouillé en rouge sur mes cartables. Heureuse de savoir exactement ce que ça fait d'être dehors et de regarder à l'intérieur.

Peut-être bien que je suis à l'intérieur, maintenant. Mais je ne suis pas, et ne serai jamais, la méchante.

76

Ce qui veut dire qu'il me reste une chose à faire.

« Harriet ! » Une porte bleue s'ouvre devant moi et un visage recouvert d'une épaisse pâte marron apparaît. « Chérie ! Regarde-nous, toutes les deux ! Tape-m'en cinq ! »

La mère de Nat lève une main en l'air, alors je tape dedans. Inutile de préciser qu'une seule d'entre nous s'est enduite de boue volontairement. Je retire un peu d'herbe mouillée de mes cheveux et la jette dans un buisson.

« Bonjour, madame Grey. Comment allez-vous ?

— Parfaitement bien, chérie. Pas de Botox depuis six mois : je suis redevenue tellement expressive que je terrifie le postier. » Elle fait une grimace et se met à rire. « Je ne crois pas t'avoir vue depuis ton retour de New Yooork, chérie. Alors, tu es terriblement glamour et sophistiquée, maintenant ? »

Je baisse les yeux. Il y a un an, Toby m'a vomi dessus et j'ai été forcée de me promener dans Birmingham en petit short de nylon bleu, tee-shirt jaune avec le chiffre 9 dans le dos et grandes chaussettes vertes. Aujourd'hui, je suis de nouveau en tenue complète de footballeur, chaussures à crampons comprises. On peut dire ce qu'on voudra de l'Univers, en tout cas il a un sens de l'humour très ironique et symétrique. J'aimerais juste que cet humour ne soit pas toujours dirigé contre moi, c'est tout.

« Absolument ! dis-je. Du moins, je fais le maximum. »

Puis je me racle la gorge. Après avoir dévalisé le placard aux objets trouvés des vestiaires du lycée pour me rhabiller, j'ai pris ma respiration et couru chez Nat. Je ne l'ai pas encore invitée à ma fête, et même si elle m'a fait beaucoup de mal, elle est ma Pire Pote, je l'aime, et c'est important pour moi qu'elle reçoive un carton plastifié. Deux, en fait : un pour Theo aussi. J'espère vraiment qu'il en vaut la peine, ce Theo. Je vais être très énervée s'il se révèle aussi gnangnan que François.

Je pénètre dans l'entrée pour tendre deux invitations à la mère de Nat. « J'ai apporté ça pour Nat. Vous pourrez les lui donner ? Et aussi, ça ne vous dérange pas que je monte en vitesse prendre quelque chose dans son placard ? »

Tout ce que je possède d'amusant au monde se trouve en ce moment dans une boîte en carton, libellée LA BOÎTE À BONHEUR DE NAT ET HARRIET au feutre violet. Je n'en ai pas réellement besoin pour ma fête, mais c'est toujours bien d'avoir un plan de secours.

« Bien sûr, chérie. » Je retire une de mes chaussures de foot et note que je devrais peut-être m'en acheter : elles sont remarquablement antidérapantes. « Mais tu peux les lui donner toi-même : elle est dans sa chambre, en train de regarder un film. »

Je me fige, un lacet rouge entre les doigts. « Quoi ?

— *Vacances romaines*, je crois. Elle m'a dit que c'était pour ses cours, mais je me demande si ce n'est pas plutôt pour admirer Gregory Peck sur sa Vespa.

— Mais... fais-je en battant des paupières, Nat m'a dit qu'elle sortait tous les soirs cette semaine... »

Sa mère éclate de rire. « Alors elle a dû passer par la cheminée, comme le père Noël ! À ma connaissance, c'est à peine si elle est sortie pour autre chose que l'école, depuis quinze jours. »

Mon estomac fait un saut de carpe. « J'ai dû mal comprendre, dis-je lentement en retirant ma seconde chaussure avant de prendre l'escalier.

— Oui, il y a certainement eu un malentendu, confirme-t-elle gaiement.

— Hum. Bizarre. »

Mais en montant les marches, je consulte à nouveau mon téléphone, juste pour vérifier.

Suis prise tous les soirs cette semaine aussi. ☹ On s'appelle bientôt ? ☹ Bisous ! Nat xxxx

Deux smileys tristes, quatre baisers.

Et elle ne m'a pas appelée.

On peut analyser et démonter la situation tant qu'on veut, il n'y a pas beaucoup d'ambiguïté dans cette phrase.

Je ne crois pas du tout que nous nous soyons mal comprises.

77

La conjecture de Birch et Swinnerton-Dyer est l'un des six problèmes non résolus du prix du Millénaire. Considérée comme l'une des questions mathématiques les plus difficiles du monde, elle est si épineuse qu'une récompense de 1 million de dollars est prévue pour qui la résoudra. Eh bien, en m'approchant de la chambre de ma meilleure amie, je décide que j'aurais plus de chances d'y arriver que de comprendre ce qui se passe ici.

Rien de tout cela n'a aucun sens. Nat m'a dit et répété qu'elle n'avait pas le temps de me voir, et elle était là tous les soirs ? Nom d'une sucette aux noisettes, que se passe-t-il ?

Jasper me l'a piquée, elle aussi ? Peut-être qu'il a loué un avion pour écrire dans le ciel la liste de mes échecs au-dessus de tout le Hertfordshire, allez savoir.

Le visage fermé, j'attends quelques secondes avec angoisse devant la porte de Nat. Puis je frappe poliment. Nous obéissons en général à la règle très stricte de ne pas frapper, mais je ne me sens plus tout à fait à l'aise pour entrer comme ça, sans prévenir.

« Une minute, j'ai dit ! braille Nat à travers la porte. C'est pas sec, maman ! Je ne vais pas manger de la pizza avec un vernis pas sec ! Ça ne se mange pas, le vernis à ongles !

— Ce n'est pas maman, dis-je d'une voix quelque peu hébétée. C'est Harriet. »

Il y a un bref silence, puis un petit bruit. Enfin, le battant pivote lentement. Nat est en robe de chambre vert vif, des boules de coton entre les orteils, les doigts largement écartés en l'air, et une bande anti-points noirs collée en travers du nez.

« Harriet ! Qu'est-ce que tu fais là ?

— Je pourrais te demander la même chose, dis-je en croisant fermement les bras, la gorge nouée. Tu m'as dit que tu sortais toute la semaine, et… te voilà ! »

Ses fameuses taches rouges de culpabilité ont commencé à éclore à la base de sa gorge, et je les regarde remonter vers sa mâchoire. Très suspect.

« Je… je me préparais pour sortir. »

Je resserre encore mes bras sur mon torse. « Marrant, ta mère vient de me dire que tu n'étais pas sortie depuis des semaines. »

Les rougeurs remontent vers ses joues. « Bon. En fait, je fais entrer Theo en douce. Sans… sans qu'elle le sache, tu vois. »

Mes épaules se détendent un peu, mais pas complètement. Elle dit peut-être vrai, mais Theo n'est certainement pas là en ce moment. J'ai déjà vu ma meilleure amie sécher un contrôle de maths à cause d'un point noir disgracieux : elle ne risque pas de faire entrer un garçon chez elle alors qu'elle est habillée en Kermit.

« OK, dis-je, légèrement crispée. Bon… » Il y a un silence gêné. « S'il n'est pas là, je peux entrer, donc ?

— Ah. Oui, fais donc, je t'en prie.

— Mais certainement. » J'avance et pose une fesse sur le bord du lit, telle une vieille tante en visite. « Volontiers. Merci beaucoup. » Puis je me tourne les pouces. « Il fait bon en ce moment, j'ajoute (alors qu'il a plu toute la journée, notez bien). Très doux pour la saison.

— Hum… en effet, oui. Il paraît qu'on va avoir de l'orage. »

Jamais de ma vie je n'ai été comme cela avec Nat. Elle et moi, nous avons traversé 11 années, 3 pays, 3 ruptures, 6 millions de disputes et 300 sandwichs poulet-confiture, mais jamais il n'y a eu ce genre de distance entre nous. Je ne comprends pas d'où elle vient.

Je me lève et me racle la gorge. « Bien. Je voulais te faire savoir que je donne une fête demain, Natalie. Tu y seras la bienvenue. »

Natalie. Je viens d'appeler ma Pire Pote Natalie !

Elle me regarde fixement pendant quelques secondes. « Une fête ? Tu donnes une fête ?

— Oui.

— Tu veux dire, une vraie fête ? Avec de vrais gens ? En chair et en os ?

— Oui. En chair et en os. » Je me vexerais si je ne savais pas que 95 % de nos invités dans le passé ont été des ours en peluche, Mickey Mouse et une poupée Barbie à la tête rasée.

Nat ouvre des yeux tellement ronds qu'on dirait un ocelot. « Une fête physique, dans la vraie vie, avec des gens, de la musique, à manger, des lumières et… »

Elle commence à m'agacer un peu, là. « Je comprends les bases du concept de fête, Nat. Oui, une fête. »

Elle se rembrunit et regarde dans le vide. Mon estomac se retourne soudain, et toute ma raideur se dissout dans une vague de remords. Je saute du lit et lui prends les mains. « Oh, je t'en supplie, ne m'en veux pas, Nat. Je sais que je ne t'en ai pas parlé, et je sais que normalement il n'y a que nous deux, et je sais qu'on a l'habitude de tout organiser ensemble et que c'est une tradition, mais tu n'étais pas disponible, et je ne savais pas quoi faire et… S'il te plaît, ne me déteste pas. »

Elle bat encore un peu des paupières, puis son visage s'éclaire. « Mais de quoi tu parles ? Au contraire, je suis ravie ! Une fête ! Harriet Manners organise une fête ! »

Elle se jette au sol comme un soldat en opération commando et commence à farfouiller sous son lit jusqu'à en sortir une grosse boîte en carton que je connais bien. Puis elle bondit sur ses pieds et joint les deux mains.

« Bon ! fait-elle gaiement en courant vers son armoire pour l'ouvrir d'un geste ample. Il faut qu'on te dégote quelque chose à te mettre, évidemment. C'est important de trouver exactement la bonne tenue, car sinon… c'est la cata. Une tragédie. Et ça, c'est pas possible. »

Elle sort une robe jaune, la tient en l'air pour la jauger d'un œil critique, puis secoue la tête et la jette par terre. De mon côté, je sens toutes les cellules de mon corps se décrisper. Tout va rentrer dans l'ordre. La Dream Team est de retour.

« Tu ne m'en veux pas ? Vraiment ?

— Évidemment que non, andouille ! Une fête ! s'esclaffe-t-elle. Une vraie fête ! Qui l'aurait cru ?

— Pas moi, dis-je avec ferveur en me mettant aussi à rire. Je vais donner une fête ! Moi ! Tu te rends compte ? »

Nous sommes toutes les deux écroulées de rire, à présent. « Eh, qu'est-ce que c'est que cette fête dont tout le monde parle ? rigole Nat. Oh, c'est juste Harriet Manners ! La plus grosse teuf de l'année, quoi ! »

Je porte une main à mon oreille. « Comment ? Vous voulez être invité à la fête la plus géniale de l'année ? Ah, mais il suffit d'en parler à Harriet Manners !

— Hahahahaha ! » Nat sort une robe orange de son armoire, secoue la tête et la jette elle aussi par terre. « Incroyable ! Qui sera là ? Combien de personnes ? Quel est le plan d'action ? Comment est-ce arrivé ? Je veux tout savoir !

— Alors ! dis-je avec ardeur tandis qu'elle sort maintenant une robe verte et la tient contre moi, les yeux plissés. Ça va être fantastique, Nat. J'ai pensé à tout, et presque tous les élèves de première m'ont répondu qu'ils viendraient, je crois. Une bonne partie des garçons de l'équipe de foot, l'équipe de volley féminine…

— Peut-être avec des chaussures bleues, murmure Nat, désormais perdue sur la planète Mode. Ou argentées ? Noires ?

— Pratiquement toute ma classe de SVT, je continue en comptant sur mes doigts. Et de physique et de maths. Lydia et ses copines.

— Jaunes ! triomphe Nat. Chaussures jaunes, robe verte, boucles d'oreilles en… argent ?

— Et puis ma nouvelle bande, évidemment. Alors, il y a India – elle est nouvelle et elle a les cheveux violets, c'est hyper cool, je pense que tu adorerais –, Liv et Anan… »

Nat et la robe verte s'immobilisent.

Oh, non. Mais qu'est-ce qui cloche chez moi ? Pourquoi est-ce qu'il n'existe pas un dossier « brouillons » dans ma tête, où je pourrais ranger ce genre d'annonces avant de les claironner ? Tout se passait si bien !

« Quoi ? aboie Nat, qui ne rigole plus du tout. Qu'est-ce que tu viens de dire ?

— Euh… » Je regarde quelque part à la gauche de son oreille, tout en me creusant la cervelle. « Olive et Banane, tout le monde nous appelle comme ça pour rire, India et moi. "Salut, Olive et Banane ! Comment ça va, Olive et Banane ?" » Je toussote. « C'est… hum… l'humour de Leeds, elle vient de là-bas. »

Pardon, Leeds.

En avril 2005, on a parlé d'un étang d'Hambourg dans la presse du monde entier lorsque ses crapauds se sont mis à exploser sans raison apparente. À en juger par la couleur de la figure de ma meilleure amie, la même chose est sur le point de se produire ici. Je me baisse rapidement pour ramasser la boîte à bonheur.

« Liv et Ananya ? Tu viens de dire que ta nouvelle bande, c'est Olivia et Ananya ?

— Euh… » Je commence à me déplacer vers la sortie, en pas chassés, tel un danseur folklorique nerveux. « Ce n'est pas vraiment une bande, Nat. Le mot était un peu exagéré. Disons plutôt… un groupe informel. Un bon dictionnaire des synonymes nous proposerait une troupe, un escadron, voire… »

Et là, *BOUM !* Nat explose.

78

Un fait avéré: les crapauds n'ont pas du tout explosé sans raison. Simplement, c'est ce que tout le monde a cru. Jusqu'au jour où un expert en amphibiens de haut niveau, Franz Mutschmann, s'est rendu compte que des corbeaux s'attaquaient à leur foie pour le dévorer et que les crapauds explosaient à force de se gonfler pour se protéger. C'est un peu répugnant, je sais, désolée.

Ce que j'essaie de dire, c'est ceci: Nat n'explose pas sans raison. Un œil non entraîné pourrait le croire, mais je suis une experte en Natalie Grey et je comprends parfaitement ce qui se passe.

La porte de la chambre n'est qu'à dix pas. Si j'arrive à me faire un bouclier de cette boîte en carton, j'ai une petite chance de sortir d'ici sans être taillée en pièces.

« ANANYA ET LIV? hurle-t-elle tandis que je me rue vers la sortie. TES NOUVELLES MEILLEURES

AMIES SONT ANANYA PEREZ ET OLIVIA WEBB ?

— Les filles ? nous crie sa mère dans l'escalier. Baissez le ton, ou montez au grenier.

— Les sbires d'Alexa ? » souffle Nat en baissant la voix.

Je tente de m'expliquer en faisant un pas de plus. « Ce ne sont plus ses sbires. Maintenant, elles sont avec moi.

— Et pourquoi tu voudrais les avoir avec toi ? Elles sont horribles ! Et je ne sais pas qui est cette India, mais si elle traîne avec ces deux-là, je te garantis qu'elle ne vaut pas mieux, voire qu'elle est pire. Elle veut sans doute profiter de toi. Tu lui fais ses devoirs, ou quoi ? »

Mes joues chauffent et mon ventre me donne à nouveau l'impression d'avoir ingurgité des pièces d'avion. « C'est terrible, de dire ça, Nat. Tu ne les connais pas.

— Je les connais par cœur, Harriet ! Elles font les pom-pom girls pour Alexa depuis onze ans ! Ces sales faux jetons, complètement à sa botte… Bientôt, tu vas me dire qu'elle aussi vient à ta fête ! »

Il y a un bref silence. « Alexa avait très envie de venir, dois-je admettre, sur la défensive, en faisant encore un pas vers la porte. Elle m'a proposé qu'on prenne un nouveau départ et… »

Les yeux de Nat s'agrandissent. « Nooon ! C'est pas vrai, c'est une blague ? Ce n'est pas ce que je…

Ce n'était pas au… Tu as oublié tout ce qu'elles t'ont fait ? »

Mes joues sont de plus en plus brûlantes. « Bien sûr que non. Mais elles sont désolées, Nat, j'en suis sûre. On n'était que des gosses… Tout le monde a droit à une seconde chance, et les gens changent, non ? Après tout, si moi, j'ai changé…

— Non, ils ne changent pas. » Nat attrape un bord de la boîte en carton et le tire vivement vers elle. « Quand vas-tu apprendre la leçon, Harriet ? Les gens ne changent jamais ! Tu ne vas pas faire une fête avec elles. Non. Pas question. Je te l'interdis ! »

Je m'efforce de ne pas penser à Ananya s'en prenant à Jasper tout à l'heure – elle ne pensait pas ce qu'elle disait, c'est juste qu'elle se souciait de moi –, et quelque chose se met à brûler dans ma poitrine. J'entends encore la voix d'Alexa : *Tu crois que ça va changer quelque chose ? Que tout va être différent à partir de maintenant ?*

Est-ce que j'aurais fait tout ça pour rien ?

Je tire de mon côté sur la boîte. « Tu me l'interdis ? Excuse-moi, serais-tu le système juridique britannique, par hasard ? »

Elle tire encore un coup de son côté. « Ne sois pas si incroyablement naïve, Harriet. Elles se servent de toi. N'importe quel imbécile pourrait le voir ! »

Ma poitrine me brûle encore un peu plus fort. « Elles se servent de moi pour quoi ? C'est naïf de croire que des gens peuvent simplement m'aimer ? Je suis idiote de penser que ça vaut la peine de me fréquenter ?

— Ce n'est pas ce que je...

— Donc, toi, tu as le droit d'avoir de nouvelles copines, un nouveau mec, une nouvelle vie, et moi, il faudrait que je reste toute seule pendant les deux ans à venir, c'est bien ça ? »

Nat fronce les sourcils. « Mais pourquoi tu réagis comme ça ? C'est à cause de Nick ? Parce que si c'est le cas... »

Alors, dans une éruption gigantesque, la brûlure surgit de ma poitrine tel un véritable volcan. « Il ne s'agit pas de Nick ! je hurle à tue-tête. Tout ne tourne pas autour de Nick tout le temps ! IL EST PARTI ET IL NE REVIENDRA PAS ! C'est de moi qu'il s'agit, là, Nat. Moi ! Ma vie ne s'arrête pas simplement parce qu'il n'est pas là ! » Nat cligne des yeux, mais la lave écumante sort encore de moi en torrent. « Moi, j'essaie de toutes mes forces d'avancer, et toi, tu veux m'enlever ça ! Tu gâches tout !

— Harriet ! Comment peux-tu croire que je... »

Mais je retiens tout cela en moi depuis trop longtemps et je n'ai plus de place pour le garder à l'intérieur. « C'est toi qui es partie, Nat ! » Mon menton commence à trembler et je tire un coup sec sur la boîte. « Tu ne comprends pas ça ? Tu m'as laissée toute seule ! Tu as choisi l'école de stylisme, et ensuite tu as choisi Theo, et maintenant tu es toujours prise, jamais là pour moi, alors que voulais-tu que je fasse ? » Je tire encore sur la boîte.

« Mais Harriet, je te disais que j'étais prise uniquement pour…

— Et tu sais quoi ? » Les flammes montent, passent par mes joues pour aller jouer entre mes sourcils. « Je suis peut-être bien contente que tu m'aies laissée. Bien contente que tu ne sois plus là. C'est peut-être ce dont on avait besoin toutes les deux, parce que, si ça se trouve, c'est toi qui m'empêches d'avancer depuis le début ! »

Nat est soudain parfaitement immobile. « Quoi ? »

Je veux m'arrêter. Il faut que je m'arrête. Mais la lave dévale encore le flanc du volcan. Elle carbonise tout ce qui se trouve sur son passage, et absolument rien en moi ne pourrait l'arrêter. « Ma vie est meilleure sans toi, Nat. J'ai davantage confiance en moi. J'ai des amis. Les gens m'apprécient. J'ai avancé. C'est peut-être ce qui devait se passer. De toute manière, on n'a plus rien en commun, toi et moi. »

Toute couleur a disparu de son visage, comme si quelqu'un avait ouvert une bonde en elle. Elle me dévisage quelques instants en silence, puis ses yeux deviennent très brillants et durs.

« Bon, souffle-t-elle en tirant fort sur la boîte. J'en ai assez entendu. Lâche ça, ce n'est pas à toi.

— Non. » Je tire de mon côté. « Ce n'est pas à toi non plus. Toi, tu lâches.

— Lâche, je te dis !

— Toi, lâche !

— TOI !

— Toi.

— HARRIET ! LÂCHE CETTE FOUTUE BOÎTE ! »

Et, alors que nous tirons chacune de notre côté exactement en même temps, la BOÎTE À BONHEUR DE NAT ET HARRIET se déchire en deux dans un grand craquement.

Et explose au sol entre nous deux.

79

Nous contemplons le bazar pendant quelques secondes sans rien dire. Il y a des pièces de Scrabble et de Monopoly partout. Des ballons dégonflés avec des petits yeux et des petites bouches ont roulé jusque sous le lit, et la queue d'un âne repose sur mon pied. Des organes ont été répandus : un rein et un pancréas issus d'un jeu de Docteur Maboul oscillent encore sur le parquet. Du vieux gel à paillettes bleu est étalé sur le tapis.

Alors, avec une rapidité stupéfiante, Nat se baisse pour tout ramasser dans ses bras. Le Maglev de Shanghai est le train le plus rapide du monde, mais à ce moment-là je me dis qu'elle pourrait sans doute le battre.

Elle court vers la porte. « Non ! je lui crie, parce que je sais exactement ce qu'elle va faire et que si elle le fait, je ne sais pas comment nous pourrons arranger les choses. NE FAIS PAS ÇA ! »

Mais elle le fait quand même. Sans un mot, elle court aux toilettes et jette toutes les petites maisons, toutes les pièces d'échecs, toutes les cartes, toutes les pastilles de peinture dans la cuvette. Après quoi elle tire la chasse d'eau.

Lentement d'abord, puis de plus en plus vite, onze années disparaissent sous nos yeux. Tous nos fous rires dans la nuit. Toutes les fois où nous avons recraché notre boisson par le nez. Des heures et des heures de *Cendrillon* et de *Shrek*. Des centaines de Coca-glace vanille, de pizzas et de muffins. Des années et des années cachées ensemble sous une couette, avec une lampe torche pour retarder le moment de dormir. À faire tout notre possible pour que la soirée dure encore. Pour passer un peu plus de temps ensemble, rien que nous deux.

Tout cela tournoie dans l'eau jusqu'à avoir totalement disparu. Effacé.

« Voilà, lâche froidement Nat. Maintenant, on n'a plus rien en commun. » Nous restons face à face, pantelantes.

« C'est peut-être mieux que tu ne viennes pas à ma fête, dis-je finalement. Je pense qu'on a besoin de se laisser de l'espace, l'une comme l'autre.

— Je suis d'accord, crache Nat, livide. Après tout, je ne voudrais pas t'empêcher d'avancer dans la vie. »

Et, après avoir donné un bon coup de pied dans le radiateur, Nat sort des toilettes en claquant la porte derrière elle.

Bon, je sais beaucoup de choses sur l'espace. Je sais que c'est grand, et noir, et désert, et que nous ne le comprenons pas vraiment. Je sais que toutes les étoiles s'éloignent les unes des autres et que les galaxies des confins nous fuient à 90 % de la vitesse de la lumière.

Mais en rentrant chez moi d'un pas furieux, je ne peux m'empêcher de me demander si c'est aussi ce qui est en train de nous arriver, à Nat et à moi.

Car j'ai l'impression que l'Univers et tout ce qu'il contient sont en train de se disloquer. Et que je ne peux rien y faire.

80

Il existe une altitude, entre 18 900 et 19 350 mètres au-dessus du niveau de la mer, appelée la ligne d'Armstrong. C'est le niveau exact où la pression atmosphérique devient si basse que l'eau y bout à 37 °C. Autrement dit : exactement la température du corps humain. Mon sang bouillonne tellement en ce moment que je me soupçonne moi-même de l'avoir atteinte.

Folle de rage, je fonce chez moi et monte l'escalier quatre à quatre. J'ouvre mon armoire et j'en sors mon kit de bricolage. Je sors aussi mon kit de pâtisserie et mon bloc-notes. Et je commence à préparer cette fête comme jamais je n'ai rien préparé de toute ma vie.

Et tout en préparant, je ronchonne. « Oh, je suis teeeellement tendance, tellement mode ! » dis-je en commençant à gonfler des ballons et à écrire dessus au marqueur. « Oh, je m'y connais teeeeellement bien en ombres à paupières ! » je marmonne en découpant des petites formes dans du papier brillant. « Oh, je suis teeeeellement jolie avec mes cheveux noirs et lisses et mon teint de pêche, et je n'ai jamais un bouton parce que je mange bieeeeen mes légumes et que je bois deux litres d'eau par jour »…

Là, je me rends compte que tout ce que je dis est plutôt gentil pour Nat et ne me réconforte pas du tout. Je me concentre donc sur ma colère et je réessaie. « Inconstante, déloyale ! » dis-je entre mes dents en mélangeant la farine et les œufs. « Une planche pourrie », je râle en taillant des canapés jambon-fromage. « Pas du tout aussi bonne au Jenga qu'elle le croit. » Ha, voilà qui est mieux.

Dans un tourbillon de fureur rappelant celui du diable de Tasmanie, le plus gros marsupial carnivore du monde, bien connu pour son caractère irascible, je vais et viens dans toute la maison, découpant et collant, pétrissant et mixant. Je peins, je gonfle, j'éclate par accident, je gonfle encore. J'attache des ficelles, des rubans et des paillettes, je mets des choses dans des boîtes en carton.

Mais ce n'est toujours pas suffisant.

Quand arrive le jeudi soir, je ne suis absolument pas prête, et certainement pas calmée. À vrai dire, je suis plus enragée que jamais. Au lieu de se dissiper, ma colère ne fait que durcir comme du ciment entre toutes mes cellules, au point que je ne ferme pas l'œil de la nuit : je reste couchée sur le dos à regarder le plafond parce que je suis trop tendue pour me retourner.

Ce n'est plus une fête, que je prépare. C'est un combat. Un combat fait de ballons, de confettis, de musique et de friandises soigneusement présentées, et un combat que je me dois de remporter.

Je vais lui montrer, à Nat. Elle maudira le jour où elle a douté de moi. Je vais donner une fête si mémorable, si fantastique, que Nat restera à jamais la Fille-qui-a-tout-raté. Jusqu'à la fin des temps, on demandera à Natalie Grey où elle était le soir du triomphe d'Harriet Manners, comme pour les premiers pas sur la Lune.

Et toutes les idées que j'avais en tête pour vendredi soir – et qui étaient déjà assez nombreuses – sont à présent accélérées, augmentées, électrisées.

Je ne reculerai devant rien pour faire de ma fête une victoire.

Propulsée par une bouffée d'adrénaline rageuse, je bondis de mon lit le vendredi matin et range tout avec un grand soin dans la voiture pour que papa et Tabatha puissent m'aider à le transporter jusqu'à la salle. Je rappelle à mon père, pour la millionième fois, qu'il n'est pas invité. Je l'entends encore répéter 1 298 fois : « C'est trop injuste. »

Puis je mets à profit toutes les pauses, le déjeuner et mes heures de permanence pour courir là-bas et commencer à installer le matériel. J'ai fait exprès de chercher un local proche du lycée pour que ce soit pratique pour tout le monde. Notamment pour moi.

« On ne peut pas t'aider ? me demande Ananya lorsque je sors du lycée pour la troisième fois, une paire de ciseaux à la main (tenus la pointe en bas, bien sûr : je ne suis pas suicidaire). Tu es sûre qu'on ne peut rien faire ? On ne pourrait pas au moins accueillir les gens à la porte ?

— On a trop envie de participer, m'explique Liv en se mordillant un ongle. Ton thème est trop génial, et j'aitrophâtedevoirquivaveniretcommentilsseront-habilléset…

— Olivia, soupire India en se couvrant les yeux d'une main. Arrête. Il n'y a plus que les orques qui puissent entendre tes ultrasons, et à ce que je sache, il n'y a pas de cétacés par ici.

— Pardon, Indy. MaisjesuistropfanetohmonDieu-j'apportemontéléphoneetmonappareilphotoet… »

India lève son sac et le place devant la figure d'Olivia jusqu'à ce qu'elle se taise.

« C'est vraiment sympa de votre part, dis-je, mais je veux que ce soit une grosse surprise pour tout le monde, alors je préfère m'en occuper moi-même, d'accord ?

— Carrément, dit Ananya en hochant gentiment la tête. Sache simplement qu'on est là si tu as besoin de nous. Pour n'importe quoi. Tout ce que tu veux. »

Au quatrième voyage, je sens le ciment qui me raidissait de l'intérieur se ramollir. La salle commence enfin à ressembler à quelque chose.

À mesure que les tables sont montées, que la nourriture est disposée selon des schémas stratégiquement planifiés et organisés, que les décorations sont punaisées aux murs et au plafond, que les lumières sont débranchées et rebranchées, et qu'un coin est défini comme piste de danse, je commence à m'emplir d'une douce chaleur satisfaite.

Et une fois que j'ai couru en vitesse à la maison, sauté sous la douche et enfilé ma tenue toute neuve, je n'ai plus aucun doute : j'ai atteint le maximum de ce que je pouvais faire.

Maintenant, il ne me reste plus qu'à attendre.

81

Vous savez déjà quel thème j'ai choisi, au fait.

Bien sûr que vous le savez.

Si vous avez suivi attentivement, et si votre cerveau fonctionne comme le mien – d'une manière logique, stratégique et légèrement obsessionnelle-compulsive –, il n'y avait en réalité qu'une possibilité. Un domaine dans lequel j'étais sûre de briller.

Mais, au cas où vous seriez passés à côté, voici mon invitation :

Nuit des Étoiles
De 20 heures à très tard
132 Earl Street
Dress code : tout ce qui brille !

Nous n'allons pas nous mentir : c'était ça ou les dinosaures. Ou les mots croisés super-géants.

Et, oui, je suis au courant qu'en réalité les étoiles ne brillent pas, c'est le passage de leur lumière dans différentes couches de l'atmosphère qui nous en donne l'impression, mais après tout c'est un carton d'invitation, pas une publication scientifique : je peux me permettre une légère approximation.

Bref. À 19 h 59 précises, je procède au compte à rebours des dix dernières secondes en tâchant de garder mon calme.

Dix, neuf, huit, sept, six, cinq, quatre, trois, deux…

Et j'ouvre les portes en grand.

Je porte un tee-shirt jaune d'or customisé avec des tas d'étoiles adhésives noires, un legging noir soigneusement personnalisé avec de minuscules étoiles dorées et un bandeau noir avec une grande étoile en carton doré collée sur le devant. Et j'ai réutilisé toutes les astuces de maquillage apprises au Maroc pour me donner un air plus céleste : ombre à paupières et eyeliner dorés, fond de teint nacré, et même un peu de spray scintillant pour sapin de Noël.

Derrière moi, il y a des longueurs et des longueurs de draps que j'ai moi-même teints en noir, suspendus aux poutres du plafond et rehaussés de guirlandes de petites lumières blanches, empruntées, comme le spray, à notre boîte d'ornements de Noël. Le sol est couvert de confettis argentés faits avec la trouilloteuse, et précisément 350 étoiles en papier or et argent découpées à la main, collées au plafond, forment des constellations exactes : le Caméléon, l'Octant, le Réticule, l'Indien, le Paon, la Règle, la Carène, le Poisson volant. Il y a des bouquets de ballons dans les coins, avec des étoiles dessinées dessus au feutre, et aux poutres sont suspendues deux balles en caoutchouc rouges, deux jaunes, deux bleues, une petite marron et une verte et bleue que j'ai peinte moi-même.

Sur les tables – sur des draps noirs constellés de petits points blancs au Tipp-Ex – se déploie tout un assortiment de nourriture conforme au thème : des sandwichs en forme d'étoiles, des biscuits en forme d'étoiles, des cupcakes avec des petites étoiles sur le glaçage, des mini-pizzas en forme d'étoiles, des biscuits en forme d'étoiles, des tranches de pastèque en forme de… bon, vous saisissez l'idée. Disons que j'ai tiré le maximum de mes emporte-pièce en forme d'étoiles.

Il y a un peu partout de grands saladiers de barres Mars et Milky Way pour les gourmands non diabétiques, l'éclairage est tamisé, et j'ai emprunté à Tabatha sa lampe magique en forme de tortue, qui projette des étoiles sur les murs. (J'ai évidemment une constellation d'étoiles phosphorescentes dans ma chambre, mais elles sont collées au plafond avec de la Superglue, et Annabel ne m'a pas laissée « démolir la maison » malgré mes supplications.)

Et enfin, au milieu, dans le fond, ma *pièce de résistance*. Le clou du spectacle. Le sommet, le pinacle, le point d'orgue de ma réussite : mon DJ personnel. Debout derrière une table, d'énormes écouteurs sur les oreilles, plus cool tu meurs, et prêt à lancer la musique dès l'arrivée des premiers invités. Car c'est l'avantage d'avoir autant d'amis : on peut demander de menus services.

Vous n'allez pas me croire, mais je n'ai pas dû débourser un centime : tout m'a été offert, par pure gentillesse. Y compris la salle idéale.

7 années, 303 visites, 7 stages de course d'orientation et 1 sortie en camping, au cours de laquelle j'ai été poursuivie dans un pré par une vache énorme, ont enfin porté leurs fruits. Un rapide coup de fil, et la présidente de l'association des Girl Scouts s'est fait une joie de me prêter leur cabanon en bois pour la soirée. « Harriet, m'a-t-elle répondu quand je lui ai demandé le tarif, si mes souvenirs sont bons, tu as reçu 102 insignes de progression en tant que Jeannette et Guide, sans compter ceux que tu as gagnés depuis que tu es Caravelle.

— 7, ai-je dit sans hésiter. J'ai mon insigne Grande Aventure, mon insigne Soirée Pyjama, mon insigne Grand Objectif, mon insigne Bonheur, mon insigne Loyauté et…

— N'en jetez plus ! m'a-t-elle coupée en riant. Le cabanon est offert. Je pense que tu l'as bien mérité. »

Et, tandis que des pas et des rires étouffés commencent à résonner dehors dans la nuit, je pivote et lève nerveusement les deux pouces.

« Prête ? » me crie mon DJ depuis le fond de la salle, le doigt au-dessus du bouton GO (ou je ne sais quoi, enfin le terme branché en vigueur chez les DJ).

Le timing est crucial. J'attends donc quelques secondes, le temps que les voix soient assez proches pour que je les entende chuchoter : « Toi, vas-y en premier », « Non, toi ! », « Non, toi ! »

Alors, je prends une profonde inspiration et fais un signe de tête au DJ. « Go ! » Et, avec un grand geste, Steve, l'homme de ménage, appuie sur un bouton.

La perfection triomphante et entraînante de la suite orchestrale *Les Planètes* de Gustav Holst emplit les lieux, et je sens mon sourire s'élargir et s'étirer jusqu'à ce que mon visage entier me semble irradier. Comme s'il avait sa source d'énergie solaire personnelle. Et plus la musique enfle, plus j'enfle avec elle, jusqu'à avoir le sentiment que je vais m'envoler. Je suis une montgolfière.

« Bonsoir, dis-je lorsque résonne un petit *toc-toc* poli contre le battant. Bienvenue parmi les étoiles ! »

82

La première tête qui apparaît à la porte est celle de Lydia. « Waouh ! » couine-t-elle en courant jusqu'au centre de la salle, faisant voler ses cheveux orange vif. « Moi, je trouve que le paradis devrait être exactement comme ça. Parce que a) c'est génial, b) il y a des étoiles partout et c) des gâteaux ! » Elle pirouette sur elle-même, puis fonce vers le buffet. « IL Y A MÊME DES MARS ! » s'écrie-t-elle. « DES MINI-MARS ! »

Elle en déballe deux et se les fourre simultanément dans la bouche. Eh oui, c'est bien ça : elle est mon âme de compagnie.

« Lydia ! souffle Fee en passant sa tête blonde à l'intérieur. T'es vraiment trop relou ! Essaie de te rappeler qu'on a quitté la petite école il y a quatre mois ! »

Deux autres petites têtes que je connais bien apparaissent. « Pardon, Harriet Manners, on est désolées pour elle. S'il te plaît, ne nous renvoie pas chez nous, Harriet Manners ! »

Je leur souris avec affection et leur fais signe d'entrer. Elles s'avancent timidement en traînant les pieds et en tirant sur leurs petites jupes pailletées et leurs tee-shirts à sequins marqués LOVE, PARIS et MIAOU.

Lydia, qui porte un haut décoré d'un soleil, court maintenant partout dans la pièce, la bouche pleine de chocolat, en touchant tout ce qu'elle voit.

« Oh, regardez ! Des ballons peints comme les planètes ! Trop fort ! » Elle fait tourner la petite balle marron. « Sauf que les planètes ne sont pas des étoiles, hein, Harriet ? Je croyais que c'étaient des corps célestes en orbite ? Tu as triché par rapport à ton thème ? »

Je crois que je viens de découvrir le chaînon manquant entre Tabatha et moi. Je vais peut-être demander à mes parents s'ils n'auraient pas, par hasard, égaré un enfant au cours de la dernière décennie.

« Les planètes sont entre nous et les étoiles, je lui réponds en réprimant une subite envie de lui taper dans la main. Elles représentent donc notre voyage vers elles. »

Et aussi, pour être honnête, il n'y a pas beaucoup de barres chocolatées qui s'appellent Fomalhaut ou Kornephoros. C'était bien plus facile de dégoter des Mars.

« Ooooooohhh », s'exclament-elles toutes les quatre en joignant les mains pour contempler le plafond avec des yeux ronds. « Troooop coooool ! » Et elles se mettent à gambader dans la pièce en examinant tous les détails – les mini-bougies en forme d'étoiles, le gros gâteau-étoile, la lampe magique de Tabby – et en faisant des signes au DJ.

« Bonjour, monsieur Barker ! lui lancent-elles gaiement tout en se gavant de canapés. Vous êtes super élégant, sans votre bleu de travail !

— Eh oui, vous avez vu ça ? leur répond-il, tout joyeux, en retirant son petit chapeau orange pour incliner le buste. Et maintenant, place à la fête ! » Sur ce, il se met à secouer la tête en rythme, sur un solo de violoncelle particulièrement exubérant.

Pendant ce temps, je guette à la porte avec anxiété, en fixant ma montre. Mes invitations disaient « 20 heures », et il est 20 h 03. Où sont-ils tous ?

Peut-être qu'ils ne viendront pas. Tout ceci était une énorme erreur. Peut-être que ça va être comme la fois où j'ai passé une grosse commande de livres, où l'on m'a dit qu'ils seraient là le samedi après-midi et où j'ai attendu toute la journée sur le canapé pour que, finalement, le livreur ne vienne pas.

Enfin, en un milliard de fois pire.

Car l'incident des livres n'était pas foncièrement humiliant, ni émotionnellement dévastateur, ni un gâchis de cupcakes, et puis de toute manière je n'avais pas vraiment l'intention de sortir de chez moi, ce jour-là.

Je consulte de nouveau ma montre tandis que les petites sortent le Twister du coin des jeux et commencent à étaler le tapis par terre, puis une fois encore pendant qu'elles se mettent à rire et à crier des noms de couleurs au hasard.

Puis encore une fois.

Et encore.

Des études par imagerie cérébrale ont établi que notre perception du temps s'étirait en arrière lorsque nos yeux passaient d'un point à un autre, de sorte que la trotteuse d'une pendule nous semble mettre plus d'une seconde à avancer si nous la regardons directement.

Ma trotteuse à moi ne me semble pas avancer du tout.

Vraiment, du tout.

Pour moi, cela fait environ 300 ans qu'il est 20 h 05.

Comme mes joues commencent à chauffer, je m'assois sur une petite chaise à côté de l'entrée et m'efforce de respirer le plus calmement possible. Un estomac d'hippopotame mesure 3 mètres de long, paraît-il : un peu comme le mien, me semble-t-il, tant il se distend sous la pression.

Et enfin, j'entends une nouvelle vague de bruits derrière la porte : d'abord faible – quelques gloussements, quelques cris lointains –, puis plus sonore. De plus en plus sonore, jusqu'au moment où les graviers devant le cabanon des Guides se mettent à crisser nettement.

Je relève la tête.

« C'est eux ? murmurent les petites de sixième avec des yeux ronds, paralysées de terreur dans les postures imposées par leur partie de Twister. C'est le lycée qui arrive ? »

Les yeux tout aussi écarquillés, je fais « oui » de la tête.

Il y a trois tables en ce moment dans cette salle, et pendant une brève seconde je dois faire un gros effort de volonté pour ne pas aller me cacher dessous. Mais au lieu de cela, je redresse les épaules.

Aie confiance en toi, Harriet. Du courage. De l'audace.

Pense à la star qui est en toi.

Et, dans un grand vacarme, tout mon niveau de classe entre en torrent dans la salle.

83

En quelques instants, mes camarades ont envahi les lieux et se sont posés partout, telle une des plaies d'Égypte. Sauf qu'au lieu de criquets, de grenouilles, de poux ou de mouches, ce sont des ados de seize ans. Et qu'en lieu et place de furoncles, ils sont couverts de paillettes. Sérieusement, ça brille de partout. Ils n'ont pas fait que suivre le dress code : ils l'ont vaincu par KO debout.

Presque toutes les filles sont en robe, et quelques-unes même en robe du soir, avec une profusion de perles, de strass et de brillants. Quelques longues jupes en tulle façon tutu, un certain nombre de diadèmes et de boucles d'oreilles surdimensionnées, et une quantité non négligeable de genoux vacillant au-dessus de talons vertigineux : la population féminine entière a grandi de 15 centimètres au cours des quatre dernières heures.

La plupart des garçons sont en chemise et pantalon noir ; quelques-uns ont mis une cravate, et deux ou trois arborent un smoking noir et un nœud papillon à paillettes, comme des magiciens de music-hall.

Les bouches sont rouges, d'immenses faux cils sont collés en place, les chevelures sont artistement bouclées ou lissées ; chez les garçons, les tignasses sont savamment ébouriffées, et les mentons soigneusement rasés (à l'exception de deux petites moustaches circonspectes : celles de Robert et d'Adam).

Ma bande s'est vraiment donnée à fond : la robe mi-longue violette d'India lui donne l'air d'un Barney le dinosaure version ultrachic, et Ananya et Liv sont resplendissantes dans leurs robes du soir en satin respectivement rouge et rose.

Honnêtement, je ne les ai jamais vues aussi ravissantes, toutes autant qu'elles sont. Si élégantes. Si glamour. On dirait qu'elles sont venues à un bal de débutantes, ou peut-être à la fête que Cendrillon a dû donner une fois devenue princesse. Et tous ces efforts, elles les ont faits pour moi. Bon, c'est un peu plus habillé que ce que j'imaginais pour le cabanon des Guides, mais j'apprécie énormément l'intention. Je sens ma gorge se serrer en les voyant tous se déployer comme par osmose dans la salle, qui soudain paraît relativement petite. Ils observent les décorations d'un air ébahi. Ils sont devenus très, très silencieux.

Ils doivent être tellement impressionnés ! Visiblement, ils en ont le souffle coupé.

« C'est…

— … Waouh.

— … Surprenant.

— … Rétro.

— Mince alors ! s'exclame Raya en prenant une petite coupe de gelée pour mieux l'examiner. C'est de la jelly ? De la vraie, comme quand on était petits ? Avec des paillettes dedans ?

— Oui, mais ne t'en fais pas, dis-je en voyant ses yeux s'agrandir. C'est totalement comestible. J'ai vérifié.

— Mmm… mignon, dit-elle lentement en la reposant sur le buffet.

— Bon, et qu'est-ce qu'on boit ? lance Chloé en se frottant les mains. Il fait soif ! »

Radieuse, j'indique une table, vers la gauche, d'un grand geste des mains. « C'est par là ! On a tout ce que vous pourriez souhaiter. Citronnade, soda-glace, ginger ale, orange pétillante, et mon invention personnelle : le Milky-Way-shake. » Je ris de plaisir. « Tu comprends ? C'est un jeu de mots lié au thème, parce que *Milky Way* est le nom anglais de la Voie lactée.

— Ah, oui, oui », fait-elle sans en prendre.

Le reste du groupe contemple toujours la salle en silence, stupéfié par ma créativité. La musique prend du volume, et quelques personnes inclinent la tête avec curiosité. « Qu'est-ce que c'est ? Un hymne ou quelque chose dans le genre ? »

Je pivote vers Steve et lui adresse le geste international pour dire « change de morceau », en faisant tourner mon index. L'assistance entière suit mon regard.

« C'est ton père ?

— Ton père fait le DJ ? »

Je ris en secouant la tête. « Mais non, voyons ! Comme si j'allais inviter mon père à ma propre fête ! Non, c'est Steve.

— Steve... Steve le balayeur du lycée ?

— Allez, les poulettes, accrochez-vous ! s'écrie-t-il en remuant la tête au rythme de la nouvelle chanson, *Waiting For a Star to Full*. DJ Terrien au micro, ça va secouer dans le poulailler ! »

Il y a quelques petits rires. Bon, Steve est peut-être excellent aux platines, mais je vais peut-être lui demander discrètement de lever le pied en ce qui concerne l'animation.

« C'est pas génial, ça ? s'exclame Lydia en ramassant la lampe magique pour la tenir en l'air. C'est pas la fête la plus dingue du monde ? Quand je serai au lycée, j'en ferai une exactement pareille, sauf qu'il y aura encore plus de chocolats, et aussi des barres Galaxy parce que Harriet les a oubliées, celles-là. »

Il y a un long silence : tout le monde la regarde. « Attendez, ce n'est pas...

— Il y a des sixièmes, ici ? Il y a des gosses de onze ans à cette soirée ?

— Elle, elle a douze ans depuis une semaine, indique Fee en désignant Keira, la moins bavarde des quatre.

— Lydia ? lance Chloé, alarmée, en sortant de la foule dans son étincelante robe bustier bleue. Qu'est-ce que tu fous là ? »

Lydia croise les bras. « Maman m'a dit que je pouvais venir du moment qu'elle venait me chercher à 9 heures et demie, et t'as même pas le droit de dire "foutre", d'abord.

— Quoi ? Maman va se pointer à 9 heures et demie ? » Les joues de Chloé sont rouge betterave tirant sur le violet, et elle se retourne, furieuse, face au groupe, qui s'est remis à ricaner. « Taisez-vous, vous tous. Je voudrais vous voir, si votre petite sœur venait tout fiche par terre ! »

Mon estomac recommence à prendre une consistance de ciment. Il ne m'était pas venu à l'esprit que mes camarades pourraient ne pas vouloir des petites. Ne dit-on pas « plus on est de fous, plus on rit » ? Après tout, on a tous été en sixième un jour, non ? Et est-ce qu'on change tant que ça en cinq ans, je vous le demande ?

Apparemment oui, à voir la tête des autres.

« C'est moi qui les ai invitées, dis-je d'un ton protecteur tandis que les quatre petites commencent à chercher la sortie des yeux. C'est ma faute, elles sont là parce que je leur ai demandé de venir, et elles sont adorables, vous savez, et…

— … et elles sont les bienvenues, intervient India en venant fermement se placer à côté de moi. Cette fête est super, c'est très gentil à toi d'avoir invité tout le monde, et on est ravis d'être ici, *n'est-ce pas*. »

Ce n'est pas une question, en fait. Elle intime à tout le monde d'être ravi. Et ça a l'air de marcher. Quelques filles de l'équipe de volley commencent à rôder autour du buffet, Robert prend un mini-sandwich.

« Bien sûr qu'on est ravis ! dit quelqu'un.

— On ne voulait pas dire ce que tu as cru, Retzer, enfin !

— On était étonnés, c'est tout.

— C'est très généreux de ta part, Retty. Elle est absolument charmante, cette fête !

— Elle est même géniale, affirme Ananya d'une voix forte en se frayant un chemin dans la foule pour venir passer son bras sous le mien. On est hyper impressionnés, Ret. Et aussi par ta… euh… ta tenue. Et j'adore la manière dont tu as traité le thème ! Très malin, ce jeu de mots !

— Très fin ! renchérit Liv, qui se tient derrière moi. T'es brillante, Retty. C'est le cas de le dire. »

Une bouffée de gratitude intense me traverse. Nat se trompait. Je ne sais pas au juste pourquoi elle pensait que ces filles m'utilisaient, mais non, ce sont mes camarades. Ma troupe. Ma bande.

Mes amies.

Quoique, pour être tout à fait franche, je ne suis pas sûre de comprendre ce que raconte Ananya – comme souvent. Quel jeu de mots ? Cette fête est ce que j'ai fait de plus littéral dans ma vie.

« Ah, mince ! lance Steve en regardant autour de lui. J'ai laissé ma boîte de CD chez moi. Je reviens dans vingt minutes max, bande de joyeux fêtards. J'ai lancé *Now Eighteen* pour vous occuper les oreilles en attendant. »

Il y a encore quelques ricanements lorsqu'il tente de taper dans la main de trois ou quatre élèves en sortant.

« Bon ! fait Ananya aussitôt qu'il a passé la porte. Parle-nous de tes "étoiles", Retty, dit-elle en mimant des guillemets. Tout le monde meurt d'envie d'en savoir plus ! »

Ah bon ? Je gratifie d'un large sourire l'assemblée silencieuse et impressionnée qui se tient devant moi. Des années que je me prépare à cette question ! On pourrait même dire que je m'y suis préparée toute ma vie.

J'inspire profondément. « D'accord. L'étoile la plus proche de la Terre est évidemment le Soleil, vieux de 4,6 milliards d'années, qui est une naine jaune mesurant 1 392 000…

— Oui, tu es hilarante, mais je voulais parler des autres. »

Je regarde Ananya, légèrement désarçonnée. « Quelles autres ?

— Les autres, quoi !

— Humm. » Elle est très impatiente : j'y venais juste. « Euh, d'accord. Il y a Alpha du Centaure, la deuxième en proximité… mais qui est en réalité… constituée de trois… » Je ralentis progressivement, jusqu'à me taire. Tout le monde a l'air complètement perdu. Mais qu'est-ce qui se passe, à la fin ? Et pourquoi tous ces regards impatients vers la porte ?

« Harriet, finit par me dire Ananya en me posant une main sur l'épaule. Dis-nous juste à quelle heure arrivent les stars. »

84

En 1961, au MoMA de New York, *Le Bateau* de Matisse est resté accroché à l'envers pendant 47 jours avant qu'un agent de change observateur ne s'en aperçoive.

C'est exactement ce que je ressens à cet instant. Cette impression d'avoir tout regardé à l'envers depuis le début, sans me douter de rien.

La Nuit des Étoiles.

Ma trotteuse n'avancera plus jamais, pour vous dire à quel point tout est soudain ralenti.

« Les s-s-s-tars ? dis-je faiblement.

— Oui ! glapit Liv en sautillant sur place. Tous les mannequins super sexy et lesacteursetlespopstarset-lesgensdelatéléohmonDieuc'esttropexcitantjesaispas-commentjevaistenirlecoupet…

— Olivia, la coupe Ananya avec un regard noir. Bon Dieu, tu vas apprendre à rester cool, un jour ? »

Elle se tourne ensuite vers moi et me sourit, sauf que je me rends compte pour la première fois que son sourire ne va pas jusqu'à ses yeux. À vrai dire, je ne suis pas complètement sûre que ça ait jamais été le cas. « Tous ces gens vont arriver tard, évidemment. Ce sont des célébrités ! Ils ne vont quand même pas venir à l'heure ! Mais qui sera là, alors ? »

Est-ce que tout le monde sera là ? Est-ce que je les connais tous ?

Je regarde bêtement Ananya, puis la foule qui m'observe toujours. Tout cet enthousiasme. Tout ce strass et ces paillettes. Toutes les jolies robes. Le rouge à lèvres, les talons et les faux cils. Tous ces nœuds papillon ! Ce n'était pas du tout pour moi. Ils se croient dans une fête de stars. De STARS !

Oh, mon Dieu.

J'ai recommencé, pas vrai ?

C'est exactement comme le coup des biscuits dinosaures, sauf que là, l'horrible malentendu va gâcher le plaisir d'une soirée entière. Avec un haut-le-cœur, je commence à me repasser dans la tête les conversations de la semaine.

Oh oui, beaucoup sont solitaires ! La plupart, en fait !

À vrai dire, la plupart se ressemblent énormément. Simplement, il y en a de beaucoup plus grosses que d'autres.

Bien sûr que je connais les plus grandes !

Je crois que je vais vomir. Je le savais, que mon amour de l'astronomie me perdrait un jour.

Vite, Harriet. De l'audace !

« J'ai un jeu de questions pour vous ! dis-je en courant saisir le micro d'une main moite. Un gâteau maison pour l'équipe gagnante ! Euh… » J'ai les genoux qui tremblent, réellement. « Première question : de quoi sont principalement faites les étoiles ? » Je me racle la gorge. « Pas de réponse ? Non ? »

Silence de mort.

« D'hydrogène et d'hélium ! » dis-je d'une petite voix si haut perchée que j'ai l'air d'en avoir respiré, de l'hélium. « Deuxième question. Dans cette liste, laquelle n'est pas une étoile ? a) une géante rouge, b) une naine blanche…

— Purée, dit quelqu'un. Elle parlait des étoiles. Les vraies étoiles. Il n'y a pas de jeu de mots.

— C'est tout. C'est ça, sa fête. Personne d'autre.

— Avec de la jelly.

— Et un balayeur.

— Et de la musique classique.

— Et des petites sixièmes.

— Et une lampe magique de bébé.

— Mais quelle geek !

— Une naine verte ! je clame, sauf que le micro se met à faire ces petits bruits, *thd thd thd*, parce que j'ai la main qui tremble. Question suivante : dans quelle catégorie entre notre Sol…

— Minute ! » Ananya s'avance et me prend le micro des mains. « Harriet, tu es en train de nous dire qu'au-

cun de tes amis célèbres ne vient ce soir ? Personne ?
Et pourquoi est-ce qu'ils ne viennent pas ? »

D'accord. Primo, notons que je m'appelle de nouveau Harriet. Secundo, je n'en reviens pas de m'être
fourrée dans une situation où l'on en vient à me poser
une question pareille.

« Mais parce que je n'en ai pas ! »

Il y a un bref silence, puis des voix s'élèvent.

« Comment ça, tu…

— Mais tu nous avais dit…

— On t'a demandé, et tu as répondu…

— Tu nous as menti !

— Mais non, je n'ai pas menti ! Vous m'avez demandé si je connaissais des mannequins et j'ai répondu
« oui » parce que c'est vrai. J'en ai rencontré beaucoup.
Mais ce ne sont pas mes amis !

— Et Poppy Page, alors ?

— Elle me déteste », dois-je avouer. (La dernière
fois que j'ai vu Poppy la Princesse, elle m'a demandé de
quitter le pays.) « Elle me hait passionnément. Genre,
je suis la personne qu'elle déteste le plus au monde.

— Yuka Ito ?

— La dernière fois qu'elle m'a parlé, c'était pour me
virer. Donc, non, sans doute pas une amie. » Je regarde
mes rideaux en draps noirs. « Et franchement, même
si elle l'avait été, je ne suis pas certaine qu'elle serait
venue.

— Et les top-modèles russes, où sont les top-modèles russes ? Je veux voir les top-modèles russes ! »

Ça, c'est Eric. Évidemment.

« Elles ne viendront pas. Je suis navrée. Je n'avais pas compris que vous pensiez que… Je ne savais pas… Elles ne m'aiment pas non plus. »

Il y a un long silence.

Puis les gens qui se tiennent autour d'Ananya et de Liv se mettent à pousser des exclamations désappointées. « Mais elle disait qu'elle allait à toutes les fêtes !

— Ne me dites pas que j'ai largué mon copain pour ça ?

— Elle n'est pas censée être pétée de thunes ?

— Pourquoi est-ce qu'on mange encore des biscuits maison ?

— Mais, au moins, Nick va venir, non ? me demande Liv. Ton fiancé super célèbre et super beau, il sera là, quand même ? Avec sa figure et ses cheveux et ses hanches et ses copains top-modèles célibataires ? »

Et voilà exactement ce qui se passe quand on ne dit pas la vérité, même à soi-même. Tout finit par s'effondrer.

C'est pour ça qu'ils sont tous là, pas vrai ? Ananya, Liv, India, les autres… Ils sont venus pour Nick et pour les belles top-modèles russes. Pour le frère jumeau de Nick – qui n'existe pas –, pour les stylistes célèbres, les stars, les fringues, le glamour et le bling-bling qui accompagnent, croient-ils, la vie d'un mannequin à succès.

Quelle idiote j'ai été! En voyant les photos de Tokyo, ce n'est pas une fille sûre d'elle et admirable qu'ils ont eu envie de mieux connaître. Ils n'ont pas vu non plus une autre version de moi, moins geek, plus audacieuse, plus brillante, celle que j'aurais tant voulu être dans la vraie vie.

Tout ce qu'ils ont vu, c'est la vie étincelante que semblait mener la fille dans le lac, et ils en voulaient leur part.

Ce qui signifie que Nat avait raison.

Et Alexa aussi.

Je visualise toute ma nouvelle vie au lycée, oscillant, en équilibre précaire, au bord du précipice, près de dégringoler à grand fracas. Pendant juste une brève seconde, je suis sur le point de mentir, histoire de la retenir encore pendant quelques précieux instants. *Ah, c'est drôle, justement! Figurez-vous que mon fiancé top-modèle est occupé en ce moment! Bien sûr qu'il viendra à ma prochaine soirée!*

Mais je veux encore croire en moi, même si personne d'autre ne désire plus que je mène la danse. Ou… la dance.

« Non, dis-je avec toute la fermeté possible, en relevant le menton. Nick ne viendra pas ce soir. Il ne viendra plus aucun soir. On s'est séparés. »

Mes organes sont en train de tomber en panne, un par un.

Je sens la salle changer lentement. Elle est en train de perdre toute sa chaleur, peu à peu, ainsi que tous ses rires. Mes camarades croient que je leur ai menti pour les impressionner. À présent, je ne suis plus drôle. Je ne suis plus adorable, ni mignonne, ni intéressante. Je suis simplement revenue au point de départ.

Une geek qui a vraiment eu beaucoup de chance.

« Eh ben moi, je m'en fiche ! fait une petite voix dans le fond. Harriet est quand même géniale, et vous, vous êtes tous horribles ! » Lydia traverse la foule en jouant des coudes, les joues roses. « Et regardez ! Je viens de trouver la nouvelle pub pour les montres Jacques Levaire sur YouTube, alors fermez vos boîtes à camembert, les grands ! Harriet Manners réussit tout mieux que vous tous ! »

Elle brandit son téléphone en l'air.

85

Je suis gracieuse. Je suis élégante. Je suis fluide, souple, je flotte : je me meus avec la grâce d'une danseuse classique, l'équilibre d'une gazelle, la légèreté d'une douce méduse *Diplulmaris antarctica* dérivant dans les eaux glacées.

Sans effort, j'avance dans les sables orangés du Sahara avec une assurance et une maîtrise de moi absolues. Au son d'un piano, le vent soulève mes cheveux roux et mes vêtements, et les fait voler autour de moi ; la lumière est chaude sur mes joues, et mes yeux sont emplis d'émotion, d'espoir, de joie.

Franchement, jamais de ma vie je n'ai été aussi belle. Jamais je n'ai brillé aussi fort.

« C'est pas Harriet, ça ! dit quelqu'un en s'emparant du téléphone pour mieux regarder. C'est pas elle du tout ! »

On me tend l'appareil. La rousse parfaite pivote vers la caméra et sourit. Son maquillage est presque

403

imperceptible. Ses yeux verts et brillants sont encadrés de cils pâles, et elle est naturelle : ses taches de rousseur sont visibles même sur cet écran minuscule. Elle porte une robe simple, en coton blanc, qui lui arrive aux genoux. Quand elle rit, sa main vient couvrir sa bouche et on aperçoit fugacement une montre en or.

C'est frais. C'est moderne. C'est captivant.

Personne ne danse. Il n'y a ni singes ni serpents ; pas de dromadaires ni de moonwalk. Pas de krumping.

Et ce n'est pas moi. Mais alors, pas du tout. Pas étonnant que ce soit si bien.

L'INTEMPORELLE DE JACQUES LEVAIRE, peut-on lire un instant à la fin, après quoi la jolie frimousse d'une blogueuse maquillage apparaît, et elle commence à expliquer comment elle se coiffe quand elle est pressée.

« Tu as encore menti ? demande quelqu'un pendant que le téléphone circule de main en main et que le clip repasse en boucle. Qu'est-ce qui te prend de raconter que tu pars poser pour une pub alors que ce n'est même pas vrai ?

— Je n'ai pas menti. Je suis bien allée au Maroc. J'ai fait la campagne Levaire, je le jure ! »

Sauf qu'à présent, je commence moi-même à en douter. L'ai-je vraiment faite ? Où étais-je, en réalité, la semaine dernière ? Qu'est-ce qu'on a tourné ?

« C'est carrément naze, ça, Harriet.

— Sérieusement, quelle idée ! Tu es en manque d'attention à ce point ?

— Mais alors, d'où venaient toutes ces fringues marocaines ? J'y comprends plus rien. »

Ma bouche s'ouvre et se referme.

« Je... Je ne sais pas quoi...

— Et je viens de googler Nick Hidaka et j'ai trouvé une interview récente, lance quelqu'un en brandissant son propre téléphone. Je parie qu'elle a menti aussi là-dessus. »

Le corps humain contient assez de fer pour forger un clou de 15 centimètres. J'ai l'impression que c'est ce que vient de faire le mien.

Je bondis en avant. « S'il te plaît. Je t'en supplie, ne la passe pas. Ne passe pas l'interv... »

« C'est drôle que vous disiez ça, plaisante une voix chaude et familière – et toutes les cellules de mon cerveau se transforment aussitôt en glaçons. Des dizaines de dauphins me suivent partout où je vais, en fait. C'est quand même un problème. Ils sont tellement collants ! » Une fille sans visage émet un petit rire énamouré. J'ignore quelle était la question – « As-tu déjà nagé avec des dauphins ? », je présume –, mais en entendant la voix de Nick, j'ai soudain la sensation que je tiens le clou à bout de bras et qu'un aimant terriblement puissant commence à l'attirer vers moi, la pointe en avant.

« Et que fait le mannequin chouchou de l'Australie, maintenant qu'il a décidé d'arrêter ? Il paraît que tu as repris des études à plein temps. Alors, une seule question : pourquoi ?

— Parce que, au cours de l'année passée, quelqu'un m'a rappelé de nombreuses fois à quel point j'étais ignare, répond Nick avec un petit rire. Non, mais sérieusement, c'est une Anglaise très spéciale qui m'en a donné l'envie. J'ai pris conscience de tout ce que je voulais encore apprendre. Il me reste tant de choses à faire. »

Une boule énorme me monte dans la gorge.

« Mais tu es fou ! Qui peut bien renoncer à une brillante carrière pour retourner à l'école ?

— Moi, répond calmement Nick. Et honnêtement, j'adore ça.

— Bien, et côté cœur ? » J'entends littéralement l'espoir dans la voix de la fille. « Cette Anglaise très spéciale est-elle toujours dans le paysage ? Ou bien est-ce le moment de t'envoyer notre CV ? »

Oh, mon Dieu. Non. Non non non. *Non non non non nonnonnonnonnonnon*… Pendant une fraction de seconde, le clou de fer tremble, puis il commence à filer vers moi.

Arrêtez ça. Arrêtez ça arrêtez ça arrêtez ça arrêtez ça arrêtez ça arrêtez ça…

« Pitié, dis-je tout bas en tendant les mains vers la source du son. Je ne veux pas entendre ça… »

« Je n'ai pas trop envie d'en parler, dit Nick après un petit silence. Mais, non : on a rompu. Je me concentre sur l'avenir, maintenant.

— Ohhhh, lâche l'intervieweuse avec une parfaite hypocrisie. Eh bien, je suis sûre qu'il y a un tas de filles qui aimeraient prendre sa place.

— Il ne faut pas, répond-il simplement. Cette fille m'a brisé le cœur. »

Le clou que j'ai forgé moi-même miroite une dernière fois dans la lumière. Et plonge tout droit dans ma poitrine.

86

Il y a un long silence.

La vidéo a enfin été éteinte, mais ça ne change pas grand-chose : de toute manière, elle me résonnera aux oreilles pour le restant de mes jours.

Cette fille m'a brisé le cœur.

Mon cerveau commence à s'éteindre, mais à la périphérie de mon champ de vision, je vois que tout le monde, dans la pièce, chuchote avec embarras.

« Une Anglaise…

— C'était bien elle.

— Et elle l'a largué ? Alors ça, je l'avais pas vu venir. »

Puis les gens se retournent face à moi, mal à l'aise. Encore un profond silence.

« Bon ! fait une voix au fond de la salle. Un peu gênant, tout ça, non ? »

D'un battement de paupières, je refais le point juste assez pour distinguer Alexa, assise sur un des petits sièges en plastique que j'avais soigneusement disposés, en jean noir, tee-shirt gris uni et escarpins noirs à talons vertigineux. Elle est la seule chose dans cette pièce qui n'envoie pas des rayons lumineux dans toutes les directions.

J'ignore quand elle est arrivée et depuis combien de temps elle est là. Et franchement, au point où j'en suis, ça m'est égal.

Elle se lève. « J'ai vu assez de psychodrames pour aujourd'hui. Les filles, mes parents sont partis pour le week-end, le home cinéma est installé et j'ai des réserves de pizza illimitées. Vous venez ? »

Un bref silence, pendant lequel Ananya jauge Alexa. Quelque chose passe muettement entre elles. Ce n'est pas précisément de l'amitié – du moins, pas selon ma définition –, mais cela y ressemble. De la compréhension. Du respect. Onze ans d'histoire et d'expérience partagées ne s'effacent pas comme ça.

« Oui, lâche enfin Ananya tout en me toisant. Quelle perte de temps ! Tu avais raison, Lexi : Harriet n'est pas celle qu'on croyait. Cette geek ! Allez, on y va. »

Encore engourdie, je prends soudain conscience qu'Ananya n'est pas un sbire : elle est l'égale d'Alexa, et l'a toujours été.

« OhmonDieuquelsoulagementj'aitrooooopfaimquelfilmonvaregarderetvouscroyezqu'onpeutcommanderunepizzaauchorizoparceque… »

Bon, pour Olivia, c'est moins clair.

Je regarde Alexa sans la voir pendant encore quelques secondes. Il existe un serpent, le cantil, qui vit au Mexique et en Amérique centrale. Son venin est mortel, mais au lieu de poursuivre ses proies, il se contente de rester où il est et d'agiter le bout de sa queue jaune. Les oiseaux, les grenouilles, les petits mammifères et les lézards le prennent pour un ver et s'approchent avec joie.

Ils ne voient rien venir.

Alexa n'a même pas eu besoin de s'en prendre à moi, cette fois-ci. Tout ce qu'elle a eu à faire, c'est rester assise sans rien dire et me regarder m'autodétruire.

Mon ennemie jurée m'envoie un petit hochement du menton qui signifie : « Qu'est-ce que je t'avais dit ? » Puis, en silence, elle et les deux filles que je prenais pour mes amies sortent de la salle sans même un regard en arrière, entraînant cinq ou six autres dans leur sillage.

Je regarde vaguement vers la seule qui reste de ma « bande ». India a les traits tordus par le dégoût, la lèvre supérieure retroussée, et le dédain semble lui dégouliner du bout des doigts. « Quelle déception », confirme-t-elle froidement.

Puis elle prend un mini-sandwich, ouvre la porte, crie : « ANANYA, ATTENDS ! », et sort en claquant la porte derrière elle.

Je me retourne lentement vers les autres. À présent, ils passent gauchement d'un pied sur l'autre sans savoir où regarder. Je ne m'étonne pas qu'ils soient si mal à l'aise. En 44 avant Jésus-Christ, des conspirateurs romains ont donné une grande réception pour Jules César, où ils l'ont assassiné d'un coup de poignard. Ma fête est encore pire que celle-là.

« Je pense que vous feriez mieux de partir, tous, dis-je d'une voix blanche. S'il vous plaît. »

Je ne veux plus les voir. Ce ne sont pas mes amis, et je ne suis pas la leur. Pour être honnête, je ne leur en veux même pas. Je commence à me rendre compte que je les utilisais autant qu'ils profitaient de moi. La plupart de leurs prénoms m'échappent encore : J'étais tellement occupée à remplir ma vie du plus grand nombre de gens possible que je me fichais de savoir qui ils étaient.

Et on dirait bien qu'eux aussi se fichaient de savoir qui j'étais.

Il y a quelques hochements de tête coupables, et même des regards de compassion. Mais ensuite, un par un, mes camarades de classe sortent de la salle pour disparaître dans la nuit.

« Nous, on s'en va pas ! clame Lydia en croisant farouchement les bras. On t'aime, Harriet. Tu nous as encore, nous !

— Ouais ! ajoute Fee. On te trouve toujours géniale ! »

Mais c'est trop tard. « Merci, dis-je en les faisant doucement pivoter vers la sortie. La fête est finie, maintenant. »

Et je les raccompagne jusqu'à la porte. Puis je reviens dans les ténèbres que j'ai créées moi-même, constellées d'étoiles, et m'assois au milieu de la piste de danse déserte.

Vous croyez vraiment que tout va changer ? C'est toujours Harriet Manners.

Il existe un grand nombre de stratégies de survie dans la nature. La tortue rentre sa tête et ses pattes dans sa carapace rigide pour se protéger des prédateurs. Le hérisson a ses piquants. Le putois éjecte des composés sulfuriques de son derrière. Sous la menace, la chenille nacrée se projette en arrière à 39 fois sa vitesse de marche et part en sauts périlleux.

Mais moi, en ce moment, je songe surtout à un petit bigorneau. Quand j'avais trois ans, des savants ont trouvé le *Crysomallon squamiferum* au fond de l'océan : la seule créature du monde connu qui inclut littéralement du métal dans son armure. Ils ont découvert que son épaisse coquille était faite de couches successives de sulfures métalliques, y compris de la pyrite de fer. Aussi appelée « l'or des fous ».

J'ai tant essayé.

Je voulais si fort être la fille qui brille : sûre d'elle, stylée, audacieuse, admirable. J'ai tant voulu me protéger de ma vie normale… mais tout ce que je faisais, c'était me couvrir d'un voile d'or factice, et je ne pouvais pas tromper mon monde bien longtemps : un petit trou, et l'Univers entier a pu de nouveau voir la vraie moi.

Alors, je me suis fait déchiqueter.

Je baisse les yeux sur ma tenue scintillante, puis les relève vers les étoiles découpées, puis les rebaisse vers les confettis qui miroitent par terre. C'était là, sous mon nez, dans mon thème : je l'ai écrit moi-même.

Tout ce qui brille… n'est pas or.

Je n'ai pas la moindre étoile intérieure. J'étais le fou de l'or des fous, et à présent, me voici revenue à la case départ. En pire, parce que Nat et Toby aussi m'ont quittée.

Cette fois-ci, j'ai vraiment tout perdu.

87

Tokyo – Juin (il y a quatre mois)

« 3 358 secondes. »

Nous passions dans d'étroites ruelles, devant des maisons de bois sombre avec de la toile blanche suspendue aux portes comme des paquets cadeaux à demi ouverts, sous des petites arches et des toits recourbés, pour resurgir dans des rues animées et bruyantes, puis retrouver le calme.

« 3 247 secondes. »

Nous avons dépassé une petite gare à toute allure.

« 2 320, lui ai-je dit alors que nous courions sur un magnifique pont de bois enjambant un canal, peint en rouge et orné de longues bannières rouges. M'enfin, Nick, où est-ce que tu m'emmènes ? »

Il a ri et s'est retourné vers moi. « Harriet, est-ce que tu aurais par hasard une montre explosive dont tu ne m'aurais pas parlé ? Parce que si oui, ce serait normal que je sois au courant, non ? Ça risque d'affecter sérieusement mon programme. »

J'ai souri largement. « Redis-moi ça avec ton bel accent australien.

— Pro-gramme.

— Encore.

— Harriet Manners, je t'interdis d'affecter mon proooogramme. »

Je lui ai pris le bras pour l'obliger à s'arrêter et je me suis haussée sur la pointe des pieds pour qu'il puisse m'embrasser. « J'aime quand tu me parles de plans, d'itinéraires et de programmes, Homme-Lion. »

Il m'a rendu mon baiser. Puis il s'est penché jusqu'à ce que je sente son souffle dans mon oreille et m'a chuchoté : « *Proooograaaammmme.* »

Il y a 7 000 000 000 000 000 000 000 000 000 atomes dans mon corps, et à cet instant précis, tous sans exception lui appartenaient.

« 2 228 secondes », lui ai-je chuchoté en retour.

Il m'a reprise par la main et s'est mis à courir pendant que je faisais le compte à rebours : dans des rues calmes, puis entre les grands buildings argentés de Roppongi. Nous avons couru sur des pavés gris, sommes passés sous une araignée en bronze de 10 mètres de haut avec des œufs en marbre dans l'abdomen, et nous sommes dirigés vers un haut gratte-ciel en verre.

Puis nous avons repris notre souffle dans un ascenseur qui nous a propulsés à 57 étages de hauteur.

« À quel moment de notre histoire avons-nous décidé qu'il faudrait courir tout le temps ? ai-je demandé, légèrement essoufflée, en m'adossant à la paroi. Je veux dire, tu me connais, non ? Je ne suis pas franchement réputée pour mes capacités sportives.

— Eh bien, ma petite geek, m'a-t-il répondu tandis que les portes s'ouvraient, sais-tu que, quand tu cours, tu passes plus de temps en l'air qu'en contact avec le sol ? Si ça peut t'aider, dis-toi que c'est ce qui te rapproche le plus de voler. »

Et il m'a regardée en remuant les sourcils. Moi, je l'ai fusillé du regard. Cela aidait, oui. Nick était officiellement la seule personne au monde capable de me convaincre de m'adonner à une activité physique.

« Ouais, bon, ai-je dit en feignant de ronchonner. Si je tenais tant que ça à voler, je pourrais simplement acheter un trampoline et… »

Je me suis tue tout net. Pendant que je grommelais, nous avions gravi des petites marches pour rejoindre une terrasse en bois entourée de garde-corps en verre. Autour de nous, des gens prenaient des photos, et Tokyo s'étendait dans toutes les directions. Immense et étincelante sous le soleil, sur un fond de ciel bleu et dégagé.

Et, très loin à l'horizon, on apercevait un petit cône.

Le mont Fuji.

Nick m'a prise sous son bras, m'a serrée contre son flanc et m'a embrassée sur la tête pendant que j'absorbais la vue. J'avais voulu voir Tokyo : il me l'offrait sur un plateau.

« Sans égal, m'a-t-il lancé avec un sourire, en écartant les bras pour me faire une révérence. Je t'avais dit que je pouvais le faire dans le temps imparti.

— Oh, mon Dieu, c'est trop romantique ! Redis-moi ça.

— Le temps… imparti, a-t-il répété dans mes cheveux.

— Merci », lui ai-je soufflé en l'embrassant au coin du menton. Puis j'ai regardé ma montre. « Bien qu'il te reste encore cinquante-deux secondes, selon mes calculs.

— Je n'en ai pas besoin, s'est-il esclaffé. En fait, je n'en ai jamais eu besoin. Je te faisais courir juste pour le plaisir. »

Je le regarde en battant des paupières. « Qu'est-ce que tu racontes ? Ce n'est pas ton endroit favori à Tokyo ?

— Non. » Il m'a touché le bout du nez avec son doigt. « Je le connais déjà. Mon endroit préféré, c'est toujours là où tu es. »

Et il m'a encore embrassée.

88

Lentement, je reprends mon cartable sous une table. Je touche les petites perles colorées que je porte au cou : Mercure, Vénus, la Terre, Mars, Jupiter, Saturne, Uranus, Neptune et Pluton.

Le dernier cadeau de Nick.

Puis j'ouvre mon cartable, je prends une boîte dedans et commence à en sortir tout ce qu'elle contient avec soin, un peu comme si je jouais à Docteur Maboul, mais avec des organes extrêmement volatiles.

Un ticket pour la *Mode Expo* de Birmingham, où j'ai rencontré Nick sous une table. Une publicité arrachée dans un magazine, sur laquelle on voit un garçon, un chaton blanc et une fille sautant dans la neige russe : la première fois qu'il m'a prise par la main. Le lion en peluche qu'il m'a apporté quand j'avais la grippe, le mouchoir (non utilisé) et le sachet de Fervex (jamais ouvert) qui étaient censés m'aider à guérir, mais que j'ai préféré conserver. Une carte postale ornée d'un tyrannosaure, reçue quelques jours après lui avoir dit que j'avais un dinosaure en moi, à Tokyo, et la lettre qui a suivi notre course, du tourniquet du square à la boîte aux lettres : *Ha ! Je te l'avais dit, que je courais plus vite ! HL xx* Le billet de 1 000 yens, plié et chiffonné, qu'il m'a donné au bord du lac Motosu.

Une chaussette bleue sèche et archisèche.

Enfin, une fois que tout est sorti de la boîte et exposé devant moi, comme sur un chantier de fouilles archéologiques, je sors une enveloppe en parfait état. Dont je tire une feuille de papier lisse et propre, que je déplie avec précaution.

Et je me mets à lire.

Chère Harriet,
Tout ira bien pour toi.
Je le sais parce que tu es Harriet Manners. Tu traverses le monde sans en manquer aucun détail, mais tu ne te vois pas, toi. Tu ne vois pas combien tu es belle, combien tu es gracieuse – même dans ta maladresse. Tu ne vois pas combien tu es gentille, même dans tes colères. Ni combien tu es forte et courageuse, même quand tu as peur. Tu ne remarques jamais à quel point tu touches les gens qui t'entourent, rien qu'en étant toi-même.
Alors je sais que tout ira bien pour toi, mais je ne sais pas pour moi. Je dois à présent regagner un monde sans poils d'ours polaires ni flocons de neige identiques ;

sans personne pour savoir que les loutres s'endorment en se tenant par la patte pour ne pas dériver loin l'une de l'autre. Sans qu'on me dise, comme ça, sans prévenir, que les duels sont légaux au Paraguay, ni qu'on m'apprenne combien de sens ont les requins (huit) ou quelle forme a la pupille des poulpes (rectangulaire). Je dois regagner un monde qui ne tourne pas aussi rond sans toi.

Et je ne le veux pas.

Je pense que nous avons commis une erreur, Harriet. Je veux que cette histoire fonctionne, et je suis prêt à tout faire pour cela. Je reviendrai en Angleterre, je me remettrai à poser, je ferai des allers-retours. Tout ce que je dois faire, je le ferai.

Envoie-moi un seul mot, et je reviens. Mais si je n'ai plus de nouvelles de toi, je comprendrai. Et je ferai de mon mieux pour tourner la page.

Trois mots, trois étoiles : Alnitak, Alnilam, Mintaka.

L'Homme-Lion xxxx

89

J'ai les yeux rivés sur la boîte, sur mes genoux.

Ah, vous pensiez que je trimballais mon passé au sens figuré ? Non, je voulais dire au sens propre.

Au fond de mon cartable, en dessous de mes manuels scolaires, de mes livres d'anecdotes, de mes dictionnaires et de mes thésaurus, pour être sûre qu'il est bien là.

Je ne vous raconte pas toujours tout, vous savez. Je suis une narratrice peu fiable. Comme nous tous. Nous ne nous déplions pas comme des feuilles de papier pour être lus par tout le monde : l'être humain ne fonctionne pas ainsi. Il y a toujours des parties de nous que nous dissimulons aux autres. Des petits morceaux de nous que nous ne pouvons pas toucher parce qu'ils sont trop précieux et trop profondément enfouis. Des fragments de vérité que nous nous avouons à peine à nous-mêmes. Car, parfois, opérer des coupes dans notre propre histoire est le seul moyen d'y survivre.

Voici donc les trois faits que vous ignorez encore :

Fait n° 1 :
Mes lettres partaient bien pour l'étranger, mais pas pour l'Australie. Elles voyageaient jusqu'à un petit village du Brésil, afin que Bunty veille dessus. « Chérie, m'a-t-elle dit quand je l'ai appelée en larmes de ma chambre à Greenway, près de New York, il y a cinq semaines. Parfois, tout ce qu'il nous faut, c'est une bonne crise de larmes et un bon stylo. Écris tout cela, envoie-le-moi, et je te le garderai en sûreté. » C'est donc ce que j'ai fait. Quand je n'y tenais plus, j'extirpais mon chagrin de moi-même comme une écharde et je le confiais aux bons soins de ma grand-mère. Car cela m'aidait, d'une manière ou d'une autre, de savoir qu'elle protégerait les parties de moi auxquelles je ne pouvais plus m'accrocher. Cela m'allégeait.

Fait n° 2 :
Ce qui s'est passé sur le pont de Brooklyn n'a pas cessé d'être vrai simplement parce que c'était douloureux.

Nick et moi avions trois possibilités :

a) Il pouvait continuer à mener une existence qui ne lui convenait pas, rien que pour me voir : faire un métier qu'il détestait, mettre son avenir en attente, accumuler des heures d'avion juste pour quelques moments volés ensemble. Je pouvais le regarder devenir de plus en plus perdu, malheureux, à la dérive : déchiré entre une vie digne de ce nom et une fille qu'il aimait.

b) Nous pouvions rester en couple, à 11 000 kilomètres de distance, et voir les liens qui nous unissaient se désagréger lentement jour après jour : jusqu'à ce que les silences gênés s'éternisent, que les moments de paralysie s'étendent, que la distance nous tiraille, jusqu'à ce qu'il ne nous reste plus que des souvenirs et des étoiles.

Ou c) je pouvais forcer Nick à avancer.

Au lieu de le déchirer en morceaux afin d'en garder quelques-uns pour moi seule, je pouvais l'obliger à tout emmener avec lui. À vivre de tout cœur sans moi d'une manière qui, à terme, le rendrait plus heureux.

Et, à entendre sa voix dans cette vidéo, c'est ce qu'il a commencé à faire.

Car…

Fait n° 3 :

J'ai reçu la lettre de Nick six jours avant de quitter New York.

Je l'avais depuis le début.

Donc, s'il n'a pas répondu à mes lettres, c'est parce qu'il ne les recevait pas. S'il ne sait pas à quel point il me manque, c'est parce que je ne le lui ai pas dit. Et s'il ignore pourquoi je lui ai brisé le cœur, c'est parce que je ne pouvais pas lui faire savoir que le mien l'était aussi.

Il a fait tant de sacrifices pour moi au cours de cette année. Il a été là quand j'avais besoin de lui, absent dans le cas contraire. Il apparaissait, réapparaissait et disparaissait entièrement selon mes désirs. Il m'a adorée en tout, sans questions ni jugement.

Il m'a donné une histoire d'amour comme certaines personnes n'en connaissent pas de toute leur vie.

Et, soyons honnête : s'il avait fait une seule tentative de plus – une seule lettre, un seul texto, une seule fleur –, j'aurais craqué et changé d'avis : ç'aurait été impossible de résister. Alors je suppose que plus je me suis sentie seule, plus j'ai attendu et espéré de toutes mes forces qu'il le fasse.

Mais non. Au contraire, il a saisi le bonheur à pleines mains et a commencé à avancer. Et donc, je sais enfin que j'ai pris la bonne décision.

Je ne suis peut-être pas celle qu'il croit. Au cours du dernier mois, j'ai été perdue, effrayée, faible, malheureuse et, par moments, d'une idiotie assez effarante. J'ai perdu mes meilleurs amis, je me suis accrochée aux mauvaises personnes pour de mauvaises raisons, et j'ai fait un tas de choses dont je ne suis pas fière.

Mais ceci n'en fait pas partie.

Mon manuel de grammaire indique que « aimer » est un verbe d'action. Et, grâce à Nick, je sais à présent ce que j'ignorais il y a un an.

Dire que l'on aime ne suffit pas ; même l'éprouver ne suffit pas. L'amour est une action qu'il faut accomplir en continu, chaque jour, même si c'est douloureux. Quoi qu'il nous en coûte. Et cette fois-ci, pour aimer Nick comme il le fallait, je devais le libérer.

Après tout, il m'a sauvée, de manière répétée.

Alors c'est à mon tour de le sauver.

Même si, pour cela, je dois me retrouver seule.

90

Inutile de préciser que la lettre n'est plus du tout lisse ni propre. Deux larmes sont tombées sur le papier, et descendent à présent, lentement, en zigzag, en faisant couler l'encre comme deux petites traces d'escargot bleues.

Ce qui n'a pas beaucoup d'importance, à vrai dire. Je la connais tellement par cœur que tous ces mots pourraient aussi bien être gravés là, dans mon cœur.

J'attends patiemment que mes larmes glissent du bas de la page.

Puis j'embrasse doucement la feuille, je la replie en deux et je la remets dans ma Boîte à Nick. Suivie du billet de 1 000 yens, du tyrannosaure, du Fervex et du mouchoir, du lion en peluche, de la page de pub, de la carte postale. Je retire mon collier de planètes et le pose sur le dessus, en le disposant bien à plat pour qu'il ne s'emmêle pas. Puis je m'empare du couvercle.

« Harriet ? »

Vive comme l'éclair, je passe une main sur mes yeux, referme la boîte en vitesse et la fourre dans mon cartable. J'aurais dû m'enfermer à clé. Quelle andouille.

« Mmmm ?

— Est-ce que ça va ? »

Je me tourne, les yeux humides, vers l'entrée, et ma vue brouillée ne distingue que du violet.

« Tout à fait, dis-je en hochant la tête. Super. Nickel. Impec. Tranquilou-bilou. Pourquoi ça n'irait pas ? »

India traverse la salle sans rien dire et vient s'asseoir à côté de moi. Ses cheveux luisent comme de l'encre. « Primo, parce que cette fête était la plus épouvantable qui ait jamais été donnée dans toute l'histoire des fêtes et qui le sera jamais. Pour les générations futures, cette fête sera celle dont les parents parleront à leurs enfants pour les dissuader d'en organiser. »

Je hoche la tête. « Je sais.

— Secundo, parce que tu es assise par terre en train de pleurer dans une chaussette. »

Je contemple la chaussette bleue de Nick, que j'ai toujours à la main. Je croyais l'avoir remise dans la boîte. Or, il semble que je sois encore en train de la presser contre ma figure, tel un bambin avec un petit doudou sans tête.

« Ah. » Je pique un fard et la remets dans mon cartable. « Et tertio, parce que je viens de dire "tranquiloubilou" et que c'est une expression ridicule ?

— Eh non », dit India. Elle désigne alors le plafond. « L'Indien. Le Paon. La Carène. La Règle. Le Poisson volant. Le Caméléon. Le Réticule. L'Octant. Ce sont des constellations de l'hémisphère Sud. Tu as accroché le ciel à l'envers. »

91

Authenticité. Éveil spirituel, vérité, clairvoyance. Voilà quelques-unes des qualités psychologiques que nous associons avec le violet, comme je l'ai découvert en faisant les recherches qui ont mené à mon inoubliable tenue de canard.

Le violet est aussi très proche du pourpre – au point qu'en anglais, c'est le même mot –, couleur traditionnelle de la royauté. Et ceci parce que la teinture pourpre originelle exigeait 250 000 de ces crustacés appelés *purpura* – d'où le mot « pourpre » – pour en fabriquer une seule once. Au IIIe siècle avant notre ère, la teinture pourpre tyrienne était plus coûteuse que l'or, et la porter était signe que l'on avait une grande valeur.

En regardant les cheveux violets d'India et son expression sympa mais inébranlable, je commence à me rendre compte que sa couleur de cheveux lui convient sans doute encore mieux que je ne l'imaginais.

« Tu es revenue. »

Elle prend un mini-sandwich sur la table. « Je les aime bien, ceux-là, dit-elle en se le fourrant dans la bouche. Évidemment que je suis revenue, ajoute-t-elle, une fois qu'elle a avalé. Je suis juste sortie dire à Ananya qu'elle pouvait rentrer à pied et la pousser dans un buisson. » Elle m'indique une égratignure sur sa tempe droite et une autre sur sa lèvre supérieure. « Malheureusement, je me suis retrouvée dedans aussi. Elle a toujours été un peu bagarreuse. »

Je la regarde sans comprendre. « Toujours ? »

— Ben oui. Grand-père avait peur qu'elle ait de mauvaises fréquentations, alors quand on a emménagé ici, j'ai promis de l'en préserver. »

Tous les mammifères connus ont une langue. Auquel cas j'ignore totalement en quelle espèce je viens de me transformer : je n'arrive qu'à la dévisager dans un silence complet.

« Quoi, tu ne savais pas qu'Ananya était ma cousine ? me demande India en fronçant ses sourcils noirs. On a le même nom de famille, Harriet ! Tu ne trouvais pas ça bizarre comme coïncidence ? »

Bon, maintenant qu'elle le dit, si, en effet. Mais j'étais bien trop perturbée par tout ce qui se passait d'autre, ces quinze derniers jours, pour faire le rapport.

En fait, à bien y repenser, j'aurais dû deviner même sans cela. Elles ont le même teint mat, la même expression glaciale, la même allure subtilement terrifiante. Et c'est vrai, je me disais bien que c'était curieux qu'au bout de seulement six semaines India donne des ordres à Ananya et l'appelle Bananya.

« Mais alors, ce n'est pas moi que tu trouvais décevante ?

— Ne sois pas ridicule, tranche India d'un ton sec en reprenant un mini-sandwich. J'ai su tout de suite que tu n'étais plus avec Nick : on ne regarde pas fixement un bureau pendant vingt-cinq secondes sans rien dire si on est encore heureux en couple. J'ai détesté Alexa d'entrée de jeu, et tu m'as plu aussitôt que je t'ai vue bavarder avec Steve et l'aider à ramasser le PQ. J'ai tout de suite su dans quel camp je voulais être. »

Mon cerveau cliquette légèrement.

Ça suffit. Va là-bas, Harriet. India venant froidement me rejoindre sous la pluie. Me soutenant, glaciale, au foyer des élèves. Forçant Ananya et Liv à la suivre.

Mais tous les longs regards de dédain…

« Je sais, soupire-t-elle en roulant les yeux. C'est ma tête qui est comme ça, j'ai l'air froide quand je ne pense à rien de spécial. C'est un problème. » Elle fait la grimace. « Mais, crois-moi si tu veux, je suis plutôt sympa, en fait. »

Je la crois à cent pour cent. Au-delà des similitudes, je viens de remarquer la différence fondamentale entre India et sa cousine : quand Ananya sourit, son sourire n'atteint pas ses yeux ; chez India, c'est le contraire.

« Alors je ne suis pas du tout une déception ? » Il faut quand même que je vérifie. « Tu ne m'as pas trouvée cool par erreur, à cause de mon faux statut social et de mon job à temps partiel ultra glamour ?

— Harriet, dit-elle en se levant, je reconnais les constellations de l'hémisphère Sud rien qu'en les regardant et je sais classifier les propriétés du cristal. Je ne suis pas certaine que "cool" soit un mot qui me concerne. » Elle jette un regard vers la porte. « Malheureusement, je vais devoir dire à mon grand-père que je ne peux rien faire pour protéger Ananya : c'est elle, la mauvaise fréquentation. »

Lentement, une douce chaleur se répand en moi, comme si j'étais assise au soleil, entourée d'arcs-en-ciel, roulée en boule dans une bouillotte.

J'ai réussi ! En dépit de tout, je me suis fait une amie. Une vraie. Une qui m'aime pour les bonnes raisons : parce que j'organise des soirées à thème trop ringardes, que je ramasse du PQ et que je sympathise avec des balayeurs appelés Steve. (Je ne sais pas où il est passé, d'ailleurs. Il doit habiter bien plus loin qu'à vingt minutes d'ici.)

Et plus important : une amie que j'apprécie aussi.

Je l'ai toujours bien aimée.

Je me lève à mon tour et lui propose avec ardeur:
« Tu veux venir chez moi ? On pourrait jouer au
Scrabble, et terminer mon jeu de questions sur les
étoiles, et…

— Oui, allons-y, me répond-elle en attrapant au
passage le plateau de mini-sandwichs. Ça me va. On
peut prendre la lampe magique ? Ça m'aidera à me
concentrer. »

Elle débranche la lampe de Tabby et se dirige vers
la sortie, avec ses cheveux couleur d'emballage de
chocolat. Vite, j'attrape mon cartable et m'essuie les
yeux sur mon poignet pour tenter de les sécher le plus
possible. Puis je lui emboîte le pas.

« Oh, ça ne va pas se passer comme ça, fait alors
une voix pleine de colère. Arrête-toi tout de suite,
avant que je t'arrache les yeux pour en faire des balles
de ping-pong.

— Ouais ! ajoute une autre voix, un peu moins
fâchée. Des balles de ping-pong. Pour les souris ! »

Nat et Toby sont à la porte.

92

Je ne vois que la nuque d'India, mais je suis convaincue que son visage n'a pas bougé. Je garantis qu'elle a la même expression que d'habitude.

« Sympa, lâche-t-elle en dévorant un nouveau mini-sandwich. Vous êtes qui, vous ?

— Je suis ton pire cauchemar, lui crache Nat d'un air furieux. Je suis celle qui va t'arracher les ongles de pieds, en faire des boucles d'oreilles et t'obliger à les porter. Je suis celle qui va t'arracher les cils et les cheveux, un par un, jusqu'à ce que tu sois complètement chauve.

— Ouais ! ajoute Toby en imitant son attitude et ses gestes. Et ensuite, elle en fera des perruques. De toutes petites mini-perruques. Pour les hamsters !

— Arrête de parler de rongeurs, Toby. Sérieusement. Les rongeurs n'ont aucune place dans nos menaces.

— Je répète, dit calmement India. Vous êtes qui ?

— Toby Pilgrim ! » se présente gaiement Toby, dont les traits s'éclairent sans transition. Il lui tend la main, et je vois qu'il porte un tee-shirt marqué : « JE SUIS UNE » au-dessus d'un caillou et d'une étoile. *Rock star*. « Ravi que nous soyons enfin présentés, India. Il me semble que tu es également en première dans notre lycée, non ? Il paraît que tu es une bête en physique. »

Nat lève les yeux au ciel. « Je te jure, Toby, tu es irrécupérable. » Puis elle se tourne de nouveau vers nous, farouche et féroce. « Alors c'est toi, la fameuse India, hein ? Logique. Eh bien, tu as de l'appétit pour les mini-sandwichs, à cc que je vois. Tu fais pleurer Harriet encore une fois, et je peux t'assurer que je vais fabriquer des accessoires avec des parties de ton corps dont tu ignorais jusqu'à l'existence. »

J'ai assisté à cet échange, la main encore pressée contre un œil, paralysée par le choc. Je bats des paupières. Quoi ?

« Oh non, dis-je rapidement en m'avançant. Ce n'est pas à cause d'India que je pleure. Elle est revenue pour m'aider, au contraire. C'est mon amie.

— C'est ça, oui, grogne Nat, qui nous regarde tour à tour, les yeux brillants. Je parie qu'elle est géniale. Les copines d'Ananya et d'Alexa sont nos amies, pas vrai ?

— Ah, je pige, fait India en hochant la tête. Non, je les déteste aussi, si ça peut aider. De sales petites pestes.

— C'est ça, oui, on fait sa… » Nat se tait brusquement. Je vois carrément sa cervelle travailler pour encaisser la nouvelle. « Ah. Bon. Ah, ça va, alors », finit-elle par admettre d'un ton moins furibard. Puis elle tente bravement un dernier baroud d'honneur. « Et tu n'es pas revenue ici juste pour piquer des petits-fours ?

— Pour tout dire, ils sont étonnamment délicieux. » India regarde le plateau de mini-sandwichs. « T'en veux un ? »

Je vois Nat évaluer la situation et jauger India. Je n'ai jamais vu personne résister à la fureur ouverte et transcendante de Nat : c'est comme regarder un tigre feuler contre une licorne.

« Ils sont à quoi ?

— Poulet-confiture de fraise. »

Et là, c'est bon : la dernière trace de combativité s'évapore de ma Pire Pote. Elle hoche la tête et prend un mini-sandwich.

« C'est nous qui avons inventé la recette. Génial, non ? Plein de protéines et de glucides. Je m'appelle Nat. J'aime beaucoup tes cheveux. Tu as dû les décolorer d'abord ?

— Le violet est la longueur d'onde visible la plus puissante en énergie électromagnétique, précise Toby d'un air entendu, avant de se mettre à courir dans toute la salle. Oooh, Harriet, bien joué ! ajoute-t-il. Quelle fête excellente ! Mais où sont les soucoupes volantes en sorbet ? Et les étoiles en chocolat Magic Stars, et… hein ? Il n'y a aucune déco *Star Wars*, ici ! Nat, je t'avais dit qu'il fallait qu'on l'aide. Elle a raté des tonnes de calembours importants à base d'étoiles. »

Je les regarde encore, bouche bée.

Quoi ? M'enfin… quoi ? Est-ce que les deux dernières semaines n'ont jamais eu lieu ? J'aurais tout imaginé ? D'abord, le clip Levaire qui disparaît comme par magie. Puis Toby qui est à nouveau Toby, et Nat qui semble avoir oublié que nous nous détestons, d'une haine brûlante comme un trillion de soleils. Serait-ce un de ces feuilletons télé vraiment pourris où je découvre que j'étais dans le coma depuis le début ? Suis-je éveillée ? Suis-je seulement en vie ?

« Euh… you-hou ? dis-je à Toby tandis qu'il sort un appareil de son sac pour prendre des photos du plafond. On ne se parle plus, tu te rappelles ? Qu'est-ce que vous faites là, tous les deux ?

— Harriet, me répond Nat avec nettement plus de douceur. On a quelque chose à te dire. »

93

Soudain, j'ai un peu mal au cœur.

« Non ! fais-je en me laissant tomber sur une chaise. Toby et toi, vous n'êtes quand même pas… vous n'êtes pas ensemble, si ? Ne me dites pas que Theo n'était qu'une couverture ! »

Voilà qui expliquerait beaucoup de choses. Leur comportement étrange. Les manœuvres furtives, leur manière de me fuir. Il y aurait là-dedans une sorte de logique, répugnante mais imparable.

« Ensemble comment ? demande Toby en prenant une photo de la nappe. Ce n'est pas très précis, comme question, Harriet. À ce rythme, tu n'entreras jamais dans les services secrets. »

Nat me regarde toujours avec une expression impénétrable. Puis, soudain, on dirait qu'elle aussi est sur le point de vomir. « Arrrh, mais non ! Mais berk ! Comment tu peux penser ça ? Merci pour l'image, Harriet !

Je vais devoir me récurer le cerveau à la paille de fer en rentrant. » Elle marque une pause. « Cela dit, ta dernière phrase n'était pas complètement absurde.

— Hein ? Theo… n'existe pas ?

— Si, il existe. Mais je ne l'ai vu que deux fois au cours des deux dernières semaines. On commence tout juste à sortir ensemble, je ne vais quand même pas le coller ! »

Il y a un silence. « Ça n'a aucun sens, ce que tu racontes, je finis par lui dire. Qu'est-ce que tu fabriquais, alors ?

— Toby et moi, on t'évitait, me répond-elle sans émotion. Tous les deux. Parce que je lui ai dit de le faire. »

Mes yeux s'écarquillent. *Je n'ai pas la permission de te fréquenter. Il faudra que je vérifie.* C'était donc Nat qui interdisait à Toby de me voir ? Et pas Jasper ?

Oups… Dans ce cas, je dois de plates excuses à quelqu'un.

« Mais… pourquoi ? »

Nat réfléchit quelques secondes. « Harriet, tu te rappelles ce que tu m'as dit à la laverie ?

— Oui. Je t'ai dit que je t'avais fabriqué un Monopoly personnalisé et que tu pourrais avoir un pion en forme de machine à coudre. »

Les coins de sa bouche se retroussent légèrement. « Tu m'as dit qu'on était soudées, Harriet. Et ensuite tu as ajouté : "Et puis je vous ai, toi et Toby, alors franchement, qu'est-ce qui pourrait me manquer ?" »

Je déteste l'admettre, mais pendant un bref instant Nat se transforme en moi. Sa voix devient plus aiguë et plus snob, ses yeux sont tout ronds, et elle donne un petit coup de tête, exactement comme moi.

Je continue de la regarder en clignant des yeux. Eh non. Toujours aucune idée de ce qu'elle raconte. « Et alors ?

— Alors, Harriet. On avait déjà ce projet, plus ou moins, mais cette conversation m'a confirmé que c'était la bonne chose à faire. Qu'est-ce que tu aurais fait si Toby avait été avec toi au lycée du matin au soir et si tu avais passé tout ton temps avec moi après les cours ? Franchement ?

— J'aurais vu Toby pendant la journée, et toi le soir, je réponds sans hésitation. Ma rentrée a été horrible.

— Exactement, continue Nat lentement. 190 jours, Harriet. 1 330 heures de cours, c'est vraiment long pour cesser de vivre. Tu es ma meilleure amie. Quand tu es malheureuse, je le suis aussi. Je n'avais plus qu'une chose à faire : nous dessouder l'une de l'autre.

— Mais… » Ils m'évitaient volontairement tous les deux ? Pour me forcer à me faire des amis ? « Pourquoi tu ne me l'as pas simplement dit ?

— Parce que si tu avais connu le plan, ça n'aurait jamais marché. Tu te serais enterrée dans un livre jusqu'à ce que ça passe. Comme toujours. »

Nat a encore raison. Se faire des amis, c'est difficile. Et j'adore deux choses dans la vie : dévorer des livres et éviter les difficultés.

« Je t'ai vue te fermer comme une huître après ton retour de New York, ajoute-t-elle avec douceur. Je savais que si ton année de première commençait mal, tu allais continuer à t'isoler, sauf si je prenais des mesures radicales. Et cette fois, je n'étais plus auprès de toi pendant la journée pour t'en empêcher.

— N'est-ce pas que j'ai été brillant ? jubile Toby en bombant le torse. J'ai été tellement dur avec toi, Harriet ! J'y ai vraiment mis tout mon cœur. Tu as totalement cru que je ne t'aimais plus du tout, pas vrai ? Ouais ! »

Il lève une main pour taper dans celle de Nat. « Malheureusement, j'ai oublié quelques détails, Harriet, soupire ma Pire Pote sans regarder la main de Toby. Un, je ne savais pas que la campagne Yuka Ito allait sortir, ni quel impact elle allait avoir. Deux, tu vois toujours le meilleur chez les gens, sans distinction, tout le temps, et tu es très mauvais juge du caractère des autres. Trois... » Elle lève trois doigts et les enfonce dans la figure de Toby. « Trois, Toby est un imbécile qui prend tout au pied de la lettre. Je lui ai dit : "Laisse un peu d'espace à Harriet pendant quinze jours", pas "Traite-la comme une paria", espèce d'âne bâté ! »

J'espère que tu t'amuses bien avec tes nouveaux amis. Toby lui faisait son rapport. Nat me laissait tranquille parce qu'elle me croyait en train de réussir à me faire une bande de copains.

« Exactement, confirme-t-elle alors que je n'ai rien dit. J'ai été ravie d'apprendre que tu donnais une fête, et puis ensuite on s'est disputées, mais ce soir maman a enfin pensé à me donner l'invitation et j'ai deviné ce qui allait se passer. Toby et moi, on est venus en courant le plus vite possible. » Elle incline la tête avec affection. « La Nuit des Étoiles ! Ma petite andouille. »

La science nous apprend que nous produisons plusieurs types de larmes. Les larmes basales, qui protègent nos yeux. Les larmes réflexes, pour chasser les agents irritants. Et les larmes d'émotion, qui surviennent quand nos sentiments nous dépassent et que nos canaux lacrymaux débordent. Pendant que les miens se remplissent à nouveau, je me dis que ma nouvelle bouffée de bonheur ne tiendra jamais dans mon corps. Il a besoin d'en laisser sortir un peu, comme la vapeur d'une cocotte-minute.

Franchement, ma bande peut aller s'asseoir sur une fourmilière : je m'en fiche complètement. J'ai retrouvé mes meilleurs amis, et c'est tout ce qui compte.

« Pardon ! dis-je en me jetant au cou de Nat. Pardon pour tout ce que je t'ai dit. J'ai besoin de toi ! Tu ne me gâches pas la vie, et tu ne m'empêches pas du tout d'avancer. Je n'en pensais pas un mot !

— Je sais, dit Nat dans mon cou. Moi aussi, je suis désolée.

— Moi aussi, ajoute Toby en fouillant dans son sac. Mais il faut dire, pour ma défense, que c'était Natalie, le cerveau de l'opération. Moi, je n'ai été que l'esclave obéissant, uniquement préoccupé par ton bien-être.

— Merci, Tobz. » Sur une impulsion, je le serre dans mes bras. « Tu m'as beaucoup, beaucoup manqué, tu sais. Surtout, ne me refais jamais un coup pareil.

— Promis, me dit-il en attendant patiemment que je le lâche. Tu n'as pas à t'en faire : Toby Pilgrim Est Là, marque déposée. » Et il me colle un sticker sur le bras.

India reste sans bouger ni parler pendant quelques secondes. Puis elle lâche : « Ah, bah, d'accord », et nous entoure d'une accolade raide. « Ne me serrez pas dans vos bras. J'ai mangé trop de mini-sandwichs.

— Tu vois ? s'esclaffe Nat. Mon plan diabolique a complètement marché ! *BOUM*, une nouvelle amie ! À ce rythme, tu en auras au moins douze d'ici à la fin de l'année. »

Il y a un bruit à la porte.

« Salut, les fêtards ! DJ Terrien est de retour dans le… Oh, les petites fouines. Elles t'ont toutes laissée tomber, pas vrai ? »

Steve est à la porte, ses cheveux gris dressés en l'air, un demi-friand saucisse à la main. C'est donc ça qu'il fabriquait : il s'est arrêté en route pour s'acheter un petit casse-croûte. Il regarde autour de lui en soupirant.

« Je te le dis, moi, affirme-t-il, ils auront la monnaie de leur pièce. On va voir ce qu'on va voir ! Je ne remplace pas le papier dans les toilettes des premières pendant une semaine. »

Je lui décoche un grand sourire. Je commence à comprendre que l'amitié véritable ne survient pas toujours de manière spectaculaire. Elle s'installe sans bruit, sans strass ni paillettes, sans chichis ni fioritures. Que ce soit quelqu'un qui passe des disques pendant votre fête ou qui vous laisse quelques minutes tranquille pour regarder les étoiles dans le désert ; que ce soit manquer un tout nouveau travail pendant trois jours pour accompagner sa belle-fille au Maroc parce qu'elle est triste ou passer une journée à disposer un cadeau dans une cabane de jardin parce qu'elle a le cœur brisé. Que ce soit un inconnu qui vous rend service, ou quelqu'un qui vous soutient sous la pluie, ou vous envoie des fleurs à des milliers de kilomètres de distance, ou vous expédie un oreiller à câlins quand il ne peut pas faire les câlins lui-même. Ou qui lit les lettres que sa petite-fille ne sait pas ne pas écrire.

Et, là, dans ce cabanon des Girl-Scouts, en regardant tout le monde ranger les vestiges de ma fête sans une plainte ni un jugement, je comprends soudain une chose : j'avais des amis depuis le début. Je les cherchais simplement au mauvais endroit, c'est tout.

« T'inquiète, Biquette, grommelle Steve en sortant un balai pour commencer à pousser les confettis brillants dans un sac en plastique, tu t'en tireras très bien.

— Je sais », dis-je avec un grand sourire.

Car je vais déjà très bien.

94

Mes parents n'ont pas l'air étonnés de nous voir revenir. C'est suspect. Pour tout dire, on pourrait presque croire qu'ils s'attendaient à ce que ma fête ne soit pas un succès retentissant et qu'ils se sont préparés à la catastrophe.

Ce qui serait vexant si ce n'était pas… absolument pertinent.

« Bonsoir ! lance Annabel d'une voix suave quand j'arrive à la maison avec Nat, Toby et India. Vous voulez dîner ? »

Elle a six pizzas fumantes devant elle.

Soit ma belle-mère était prête à nous voir rentrer en avance et a deviné par magie combien nous serions, soit elle a depuis peu un appétit de baleineau croisé avec celui d'un Mario Bros.

Ou bien…

Ou bien Steve les tenait au courant, et mes deux parents sont passés et repassés toute la soirée en voiture devant le cabanon pour savoir comment ça se déroulait.

Évidemment.

« Bonsoir, madame Manners, dit Nat en s'asseyant sans façon par terre pour prendre Tabatha, ravie, sur ses genoux. Je vous présente India. N'hésitez pas à lui faire passer un interrogatoire serré avant qu'on l'accepte dans la bande.

— Jusqu'à présent, nous avons découvert un manque d'empathie envers les hamsters et aucun respect de l'autorité, ajoute Toby en prenant une part de pizza au chorizo. Comme vous pouvez le voir à son piercing nasal et à son incapacité générale à s'incliner devant les couleurs de la nature.

— Allez-y, interrogez-moi, intervient India. Le piercing m'empêche de me mettre les doigts dans le nez, et le violet me permet de traverser les rues sans me faire renverser : on me voit toujours au milieu du carrefour. »

Tout le monde éclate de rire, et mon téléphone émet un signal.

« Harriet ? dit doucement Annabel alors que je le sors de mon sac. Tu as eu des visiteurs, chérie. Ils ont laissé quelques trucs, j'en ai mis la plupart dans ta chambre. »

Je hoche la tête et je lis le message que je viens de recevoir.

Hannah, Levaire a détesté Kevin. A finalement fait autre chose. Te paie 300 pour le temps passé. Stephanie

Je ne peux pas m'empêcher de remarquer qu'elle s'appelle à nouveau Stephanie et qu'il n'y a pas de baisers.

Nous devons rendre notre projet scientifique au semestre prochain. Je devrais peut-être orienter le mien vers une analyse subliminale des SMS et de l'usage des surnoms : je pense qu'il y a là un vaste terrain d'investigation encore inexploré.

Bizarrement, cela ne me dérange pas autant que ça le devrait sans doute. J'ai quand même fait un voyage fantastique, et de toute manière une telle quantité d'argent n'a jamais été très réelle pour moi. Cette somme est nettement plus réaliste. Et elle couvre encore l'emprunt que j'ai fait à Annabel, donc d'une certaine façon, tout le monde y gagne.

Je regarde les autres bavarder avec entrain, encore un peu, puis je remets mon téléphone dans mon sac, monte à l'étage et ouvre la porte de ma chambre.

Où je m'arrête net, abasourdie.

Il y a des livres absolument partout. Des piles de livres sur mon bureau, par terre, sur mon lit, sur la cheminée, sur l'appui de la fenêtre. Tous les recueils d'anecdotes que j'ai distribués depuis dix jours sont de retour dans ma chambre, mais à une subtile différence près : chacun porte maintenant un petit sticker rose.

J'en prends un pour mieux lire :

Fait n° 1 : Harriet Manners est intelligente.

Puis un autre :

Fait n° 2 : Harriet Manners est drôle.

Et un autre :

Fait n° 3 : Harriet Manners est adorable.

Et le dernier :

Fait n° 42 : Merci d'être si gentille avec nous, Harriet Manners. Lydia, Fee, Soph et Keira xxx

Je ravale une boule dans ma gorge, bien que je ne sois pas complètement sûre qu'elles emploient le mot « fait » à bon escient ; il faudra qu'on en discute. Puis je prends une photo qu'Annabel a appuyée contre un mug, sur mon bureau.

On y voit un petit singe brun, assis sur une souche, avec les montagnes de l'Atlas derrière lui.

Car voici la dernière info que je vous ai cachée :

Fait n° 4 :

La dernière chose qu'Annabel et moi avons faite avant de partir du Maroc, c'est demander à Ali d'emmener Richard (le singe, pas mon père) dans un refuge, à 160 kilomètres de là.

Nous l'avons conduit là-bas et l'avons libéré. Puis nous avons racheté les serpents et fait de même avec eux.

« Harriet ? m'appelle Annabel dans l'escalier. Tu descends ? La pizza refroidit. »

Je hoche la tête et pose la photo. « Une minute ! »

Il me reste encore une toute petite chose à faire.

Je dégage de la place entre tous les livres sur mon lit. Puis je m'assois et sors la boîte de mon cartable.

Tokyo – Juin (il y a quatre mois)

« Tu pourrais rester, tu sais. Il y a encore beaucoup de poulpes à Tokyo qui ne t'ont pas encore attaquée, Manners. Tu les prives de tant de choses ! »

J'ai ri. « Tu sais qu'un poulpe anxieux est capable de se dévorer lui-même, Nick ? Je ne crois pas que ce soit juste d'en énerver d'autres : ça pourrait faire du vilain. »

Ensuite, j'ai regardé l'aéroport de Narita par-dessus son épaule. Bunty exécutait une sorte de numéro de jonglage pour un agent de sécurité, mais la patience du bonhomme commençait clairement à s'user, et le dernier appel pour notre vol à destination de Londres avait été diffusé.

« Il faut que j'y aille, ai-je dit en l'enlaçant par la taille et en levant la tête pour le regarder. Désolée. »

Nick m'a regardée lui aussi, ses cheveux courts tout ébouriffés, en plissant ses yeux bruns. « D'accord. Tends-moi ta main. » J'ai obéi, et il a passé ses doigts entre les miens. « C'est quel genre de joint de table, ça, déjà ? »

Notre première rencontre m'est aussitôt revenue en tête. J'étais folle d'angoisse, cachée sous une table à la *Mode Expo*, en train d'essayer, comme toujours, de fuir le monde réel. Nick avait été si gentil. Si calme. Il m'avait comprise dès le premier instant. *Je cherchais des joints de table inhabituels. Cette table m'a semblé très… solide. En termes de construction. Et j'ai eu envie d'aller voir ça de plus près. Tu vois, quoi… De dessous.*

J'ai regardé mon homme sur ce trottoir de Tokyo et j'ai tâché de mémoriser jusqu'au moindre détail avant de partir. Chacun de ses cils noirs, chacune de ses boucles brunes ; la petite ride au coin de sa bouche, le grain de beauté sur sa joue, l'éclat de ses dents. J'ai essayé de ranger à l'abri chaque petit morceau de lui, afin de ne jamais le perdre.

« Ce sont des… ai-je fait avec un petit sourire.

— Des queues-d'aronde », a dit Nick : comme la première fois. Il a refermé ses doigts sur les miens jusqu'à ce qu'ils soient inextricables, et m'a décoché ce sourire à 180 degrés qui m'a déchirée en deux, moi et tout mon univers. « Au revoir, Harriet Manners. »

Puis il s'est baissé et m'a embrassée jusqu'à ce que j'aie la sensation que nous nous touchions dans l'espace. Soudés à jamais.

J'attends quelques secondes, les yeux fermés et la main sur la boîte, et je regarde le beau visage de Nick vaciller, comme une lumière vive sur un mur. Il clignote encore et encore, en s'effaçant un peu plus chaque fois. Quand je rouvre enfin les yeux, il n'est plus là.

« Au revoir, Nicholas Hidaka », dis-je à mi-voix. Puis je souris et pose la boîte par terre. J'inspire à fond. Et, avec toute la force qui me reste, je pousse le passé sous mon lit.

95

Les vers luisants ne sont pas des vers, ce sont des insectes. Les cochons d'Inde ne sont pas des cochons, et ils ne viennent pas d'Inde. Les chauves-souris ne sont pas des rongeurs, et elles ont bien des poils sur la tête. Le blé noir n'est pas du blé, ce n'est même pas une céréale.

Ce que j'essaie de dire, c'est que les choses ne sont pas toujours ce que l'on croit. On peut regarder quelque chose très, très longtemps, sans le voir correctement.

Y compris moi, apparemment.

« Harriet ? » dit Annabel quand j'arrive en bas de l'escalier. Le salon s'est vidé, et toutes les lumières de la maison sont éteintes. « Tu as terminé tout ce que tu avais à faire ? »

Elle me regarde sans ciller, et je sais qu'elle sait. Qu'elle est au courant de tout. J'ignore absolument comment – par magie, peut-être, à moins qu'il y ait des caméras cachées –, mais elle scrute mon visage comme si tout ce que j'ai jamais pensé, ou même que je penserai jamais, y était inscrit à l'encre noire. Je ne l'envie pas : ça ne doit pas être facile à lire.

« Oui. Où sont-ils tous passés ?

— Dans le jardin, ils t'attendent. » Elle marque une pause. « Harriet, je suis au courant pour ta liste. »

Ben voyons. « Comment ?

— Tu l'as laissée ouverte sur ton ordi juste avant qu'on parte pour le Maroc. Je l'ai vue en faisant les valises. » Je sens mes joues s'empourprer. C'est très gênant ! Il y avait une faute d'orthographe, en plus. « Harriet, continue Annabel en s'asseyant sur la dernière marche et en tapotant la place à côté d'elle, tu es une petite andouille, tu le sais, ça ? »

OK. Genre, ça fait trois fois qu'on m'appelle comme ça depuis peu. Aurais-je encore un Post-it collé dans le dos ? « Je sais, oui, dis-je en m'asseyant. On n'arrête pas de me le répéter. »

Annabel éclate de rire. « Harriet, tu vas au lycée, même quand c'est dur pour toi, là-bas. Tu poses pour des photographes, même si ça te fait peur. Ta première pensée, dès que tu as gagné de l'argent, n'a pas été de le dépenser pour toi-même, mais pour aider les autres. Tu as laissé Nat tranquille pour qu'elle voie son copain alors que tu avais besoin d'elle, tu as invité le monde entier à ta fête pour que personne ne se sente exclu. Tu as fait le ménage chaque fois que ton père mettait le bazar pour m'épargner cette corvée, et tu ne m'en as même pas parlé. »

J'ouvre la bouche et la referme. Sérieusement. Il y a des caméras quelque part dans cette maison.

« Je ne m'en étais pas rendu compte, m'explique Annabel avec un petit sourire, jusqu'à aujourd'hui, où tu n'en as pas eu le temps. Ton père croit sincèrement que ce sont des lutins qui entrent par les fenêtres pour le faire à sa place.

— Ah. » Je hausse les épaules. Ça doit être fantastique de vivre dans la tête de papa. « Bah, tu étais fatiguée. Ce n'est pas grand-chose.

— Oui, je l'étais, et si, c'est beaucoup. Mais je n'ai pas terminé. Tu as une petite cour de fans parce que tu t'es rappelé ce que cela faisait d'arriver en sixième, et tu défends les gens, même quand ils n'ont pas été gentils avec toi. »

Je rouvre la bouche. Mon Dieu ! Elle a aussi installé des caméras au lycée ? La vie privée, ça n'existe vraiment plus ?

« Ce que je veux dire, Harriet, c'est que tu as confiance en toi. Tu es audacieuse. Tu as ton style, et tu as toujours inspiré tout le monde autour de toi. Tu sais précisément qui tu es, et tu restes fidèle à toi-même quand la vie est difficile. »

Je sens bien que j'ai les joues cramoisies. Elle a appris par cœur toute ma liste et m'a regardée tâcher de m'y conformer, maladroitement. « Mais j'en fais trop, quand même. Dans tous les domaines.

— Ça, c'est sûr. C'est une des choses que je préfère chez toi. »

Nous restons sans rien dire pendant quelques minutes, tandis que j'essaie vainement d'avaler une nouvelle boule dans ma gorge. C'est un peu pénible, parfois, d'avoir un parent qui sait tout de vous.

Mais je n'y renoncerais pour rien au monde.

Enfin, Annabel se lève et époussette son tailleur à fines rayures. « On a un petit quelque chose qui t'attend dans le jardin. Tu viens ? »

Je fais « oui » de la tête. Alors, côte à côte, ma belle-mère et moi longeons le couloir sombre aux lumières éteintes, entrons dans une cuisine noire aux rideaux inexplicablement tirés.

Je suis sur le point de demander pourquoi la maison est transformée en décor de film d'épouvante lorsque je reçois un SMS.

Wilbur	N'importe qui d'autre au monde
Coccinellounette !	Bonjour !
Grosse pomme super zzz	Je m'ennuie à New York

Pigeon voyageur à l'approche	Je rentre en Angleterre
Visage, vite	À bientôt
Bzzbzzzbzzzz	XXXX

Je souris de bonheur et remets mon téléphone dans la poche de mon cardigan. Puis, avec une vague de gratitude si intense que je dois presque me rasseoir, je prends impulsivement la main de ma belle-mère.

« Merci, Annabel. Merci d'être si gentille avec moi. »

Elle secoue la tête. « Si les gens sont gentils avec toi, Harriet, c'est parce que tu l'es avec eux. S'ils sont là pour toi, c'est parce que tu es là pour eux. » Elle ouvre la porte de la cuisine et pointe le doigt vers la nuit. « Et si tu n'as pas besoin d'une liste pour briller comme une étoile, c'est parce que tu en as toujours été une. »

96

Dehors, il y a des petites taches de lumière. Elles bougent en crépitant, dessinant en l'air des lettres immenses qui dégoulinent d'étincelles :

H R T I R E T

Dans la lueur des feux de Bengale, je vois cinq des personnes que j'aime le plus au monde, illuminées et rieuses. Ainsi que mon chien préféré.

« Toby ! râle Nat, irritée, en agitant férocement son feu de Bengale, tu es censé faire un A, andouille ! Pas un T, il y en a déjà un !

— Ah. Mais qui fait le T, alors ?

— C'est vrai, ça, qui fait le thé ? s'enquiert papa. J'en veux bien, moi. Quatre sucres, et un nuage de lait. »

Je ne peux pas m'empêcher de remarquer qu'il a une grosse moustache noire collée sur la lèvre supérieure et qu'il porte une toque de cuisinier. Tabby est dans sa marmite à homard, émerveillée par les lumières. Hugo court vers moi : il a les pattes sur mon ventre avant même que j'aie refermé la porte.

« Sans vouloir me vanter, je réussis hyper bien le R, dit India sans s'exciter. Sérieusement. Faites un effort, les gars. J'ai clairement hérité du plus difficile. »

Puis je regarde derrière eux. Au milieu du jardin se dresse une immense sculpture de plus de 2 mètres, qui représente un ange blanc aux ailes dorées. Je me tourne vers Annabel, qui m'envoie un clin d'œil complice : l'objet a manifestement été livré pendant que j'étais à ma fameuse fête.

D'accord, peut-être qu'elle n'a pas installé de caméras au lycée, en fait.

Lentement, je marche vers la statue.

Elle est d'une beauté incroyable. Le visage est modelé avec délicatesse, le plâtre est lisse, et les ailes immenses, recouvertes de minuscules plumes dorées, sont maintenues en place par un nœud d'épaisse ficelle blanche qui lui passe sur les épaules. Un petit papier est collé sur l'aile gauche.

Et soudain, en retournant le mot, je me rends compte que ce n'est pas du tout un ange.

C'est Icare.

J'avais tort, pardon. Amis ? Jasper x

Et je sens la lumière commencer à irradier en moi, plus fort que jamais. Car je sais deux ou trois choses à propos de l'espace. Je sais que c'est grand, sombre et vide. Je sais que toutes les étoiles s'éloignent les unes des autres et que 99,9999 % de l'Univers se composent de néant, y compris nous.

Mais je sais aussi qu'il y a encore beaucoup de choses que nous ne comprenons pas. Des savants ont découvert très récemment que 90 % de la source de la lumière de l'Univers était inexplicablement inconnue. Ils la voient, ils la mesurent, mais ils ignorent d'où elle vient. Pendant juste une seconde, je me dis que moi, je le sais.

En regardant les gens que j'aime écrire mon nom dans les airs avec des étincelles, en pensant à ceux que j'aime et qui me manquent, dans le monde entier, je me demande fugacement si un peu de cette lumière ne viendrait pas de nous. Si à chaque acte de gentillesse, nous ne brillons pas un peu plus fort, illuminant un peu plus les ténèbres. Si avec chaque amitié l'espace ne devient pas un peu moins vaste, et nous, un peu plus proches. Fabriquant nos étoiles à nous, pour ne jamais être vraiment seuls.

Car quelle que soit l'expansion de l'Univers, quelle que soit la distance qui nous sépare, ce sont là les liens qui nous tiennent ensemble. Les connexions qui ne seront jamais coupées.

C'est ainsi que nous brillons.

Remerciements

Merci à ma géniale éditrice, Ruth Alltimes, d'avoir travaillé avec moi de manière si fluide, avec tant de vaillance et de patience, et d'aimer Harriet autant que moi. Tu as été une championne absolue. Merci à Kate Shaw : mon agent, mon amie, et ma voix de la raison et de la sagesse, dont j'ai eu tant besoin dans mes moments de panique. Comme toujours, je ne m'en serais pas sortie sans toi.

Merci à toute la formidable équipe de chez Harper-Collins, qui continue de travailler sans trêve et passionnément en coulisse dans la Team Geek, particulièrement Hannah, Sam, Nicola, Carla, Kate, Elorine, Georgia, Lily, Rachel et Mary. C'est un grand plaisir d'être à bord de ce navire, et je ne pourrais pas rêver meilleur équipage. Merci aussi à Lizzie et à Celeste, qui ont été des stars du début à la fin. Votre soutien et votre nature adorable ont été très appréciés.

Comme toujours, ma gratitude infinie et sincère va à ma formidable famille. Grand-père, grand-mère, papa, maman, Tig, Dan, Vero, Caro, Louise, Vincent, Judith, Lesley, Ellen, Freya, Rob, Lorraine, Mayne, Chelsea, Dixie et Handsome. L'année a été agitée, et j'ai une chance immense de vous avoir – et de vous avoir eus – à mes côtés. Je sais que vous y serez toujours.

Enfin, à vous tous qui lisez Harriet, aimez Harriet, encouragez Harriet et vous souciez d'Harriet depuis quelques années : c'est pour vous que j'écris.

Merci. xx

RETROUVEZ TOUTE LA SÉRIE
EN GRAND FORMAT !

www.lireenlive.com

Cet ouvrage a été composé par
Fr&co - 61290 Longny-les-Villages

Imprimé en Espagne par
Liberdúplex
à Sant Llorenç d'Hortons (Barcelone)
en février 2018

MIXTE
Papier issu de
sources responsables
FSC® C003309

FSC
www.fsc.org

Pocket Jeunesse, une marque d'Univers Poche,
est un éditeur qui s'engage pour
la préservation de son environnement
et qui utilise du papier fabriqué à partir
de bois provenant de forêts gérées
de manière responsable.

PKJ· www.pocketjeunesse.fr
POCKET JEUNESSE

12, avenue d'Italie - 75627 PARIS Cedex 13